Quando eu era JOE

Keren David

Quando eu era Joe

Tradução
Geraldo Cavalcanti Filho

When I Was Joe Copyright © 2010 by Keren David
O direito de Keren David de ser identificada como autora deste trabalho foi assegurado a ela em acordo com Copyright, Designs and Patents Act, 1988 (United Kingdom).

Publicado originalmente na Grã-Bretanha e nos Estados Unidos em 2010, pela Frances Lincoln Children's Books, 4 Torriano Mews, Torriano Avenue, London, NW5 2RZ
www.franceslincoln.com
Copyright © 2014 Editora Novo Conceito
Todos os direitos reservados.

Esta é uma obra de ficção. Nomes, personagens, lugares e acontecimentos descritos são produto da imaginação do autor. Qualquer semelhança com nomes, datas e acontecimentos reais é mera coincidência.

1ª Impressão — 2014

Produção Editorial:
Equipe Novo Conceito
Impressão e Acabamento RR Donnelley 081113

Este livro segue as regras da Nova Ortografia da Língua Portuguesa.

Dados Internacionais de Catalogação na Publicação (CIP)
(Câmara Brasileira do Livro, SP, Brasil)

David, Keren
Quando eu era Joe / Keren David ; tradução Geraldo Cavalcanti Filho. -- Ribeirão Preto, SP : Novo Conceito Editora, 2014.

Título original: When I Was Joe.
ISBN 978-85-8163-339-8

1. Ficção inglesa I. Título.

13-10379   CDD-823

Índices para catálogo sistemático:
1. Ficção : Literatura inglesa 823

Rua Dr. Hugo Fortes, 1885 — Parque Industrial Lagoinha
14095-260 — Ribeirão Preto — SP
www.editoranovoconceito.com.br

Para Laurence, Phoebe e Judah
Lembrando Daniel com amor e pesar

CAPÍTULO 1

Depoimento

Uma coisa é ver alguém ser morto. Outra coisa bem diferente é falar sobre isso. Quando aconteceu, eu nem sequer entendi direito o que estava vendo e meu coração batia tão forte que eu não conseguia ouvir mais nada. Minha mente girava na velocidade da luz — procurando saber o que fazer, tentando compreender o que estava acontecendo. Então saí correndo o mais rápido que podia.

Mas agora estou sentado na delegacia contando o que aconteceu a três policiais, e eles estão fazendo tantas perguntas sobre cada detalhe que é como se tivessem colocado a coisa toda em câmera lenta. É como estar preso em um filme de horror sinistro e não poder fechar os olhos. E desta vez não tem como fugir.

Por duas vezes, falando sobre o sangue esparramado na lama e os corpos rolando no chão, sinto que vou passar mal, e Nicki, minha mãe, pede que parem a gravação enquanto me inclino para a frente e engulo o vômito.

Ela põe a mão nas minhas costas e pergunta em seu melhor tom de estudante de direito:

— Isso é mesmo necessário? Ele está aqui para ajudá-los. Ele é apenas um menino de 14 anos.

E o sujeito que mais faz perguntas responde:

— O garoto que morreu também, Sra. Lewis.

Eles me dão um copo de água e começam tudo de novo. Fico imaginando se algum dia vão finalmente me liberar.

Eles me mostram um monte de fotografias. Algumas são de rostos, e é fácil identificar as pessoas. Algumas são ampliações dos cortes e feridas que já tinha visto antes, mas nas fotos parecem bem diferentes do que vi no parque ontem. Foi mesmo apenas ontem que tudo aconteceu?

Estava bem escuro no parque, e eu dera apenas uma olhada rápida antes de virar o rosto. Agora eles me fazem olhar de verdade e ver o corte aberto em uma linha curva, a carne exposta e vermelha. A foto está bem iluminada, e sei que nunca vou conseguir esquecer essa imagem. Acho que querem me chocar para ver se confesso alguma coisa. Eles me avisam que eu posso ser acusado e dizem que tenho o direito de ficar em silêncio. Nicki pergunta de novo:

— Isso é mesmo necessário? Ele está aqui para ajudar vocês.

Os investigadores trocam de turno, mas tem um que sempre permanece na sala. É o detetive Morris, o único negro, e mais velho do que os demais. É quieto, quase não fala e deixa os outros fazer as perguntas repetidamente, cada vez mais alto: Eu estava envolvido? Tinha participado da briga? Eu sabia o que ia acontecer? A que distância eu estava quando enfiaram a faca? Eu estava de olheiro para eles?

Não, eu respondo, mantendo a voz calma. Não estava muito perto deles, não. Estava só olhando, não participando. Era só uma testemunha. O tempo todo, a cada pergunta que fazem, eu me esforço para manter o foco. Tento pensar somente naqueles garotos brigando — quem empurrou, quem bateu, quem esfaqueou quem.

Após horas de interrogatório, depois de colherem minhas digitais e rasparem minha boca — "para o DNA" —, eles deixam Nicki e eu a sós. Ela parece completamente exausta. Está com os olhos inchados, e eu me sinto culpado por fazê-la passar por tudo isso.

— Eu sinto muito, Nic — digo. E ela responde:

— Não se preocupe comigo, está fazendo a coisa certa. — Mas não parece muito segura disso.

Então, um dos policiais indica onde fica a cantina.

— Aposto que estão com fome — ele diz. Mas, quando chegamos lá, está fechada e temos que nos virar com o que há nas máquinas automáticas. Meu jantar acaba sendo chocolate quente, batatas fritas e uma torta de creme amanhecida. Já é quase meia-noite. Acabo dormindo debruçado sobre a mesa com a cabeça entre os braços.

Quando acordo, o detetive Morris está sentado à mesa falando com Nicki. Mantenho a cabeça abaixada, escutando se dizem algo que possa me interessar.

— Estamos satisfeitos com o depoimento dele — diz Morris.

— Posso levá-lo para casa agora? — pergunta Nicki. — Ele tem escola de manhã.

— Vamos ter que pensar bem se podem ou não ir para casa — responde o detetive. — Seria mais seguro se não fossem.

Nicki franze a testa.

— Como assim? Não podemos ficar aqui.

— Nós vamos cuidar de vocês — diz Morris. — Ty identificou pessoas perigosas em seu depoimento e não queremos que tentem silenciá-lo.

Levanto a cabeça, tremendo e ofuscado pelas luzes fluorescentes da cantina.

— Para onde iríamos? — pergunto, torcendo para que, onde quer que seja, eu não tenha que atravessar Londres inteira às 8h30 da manhã para chegar à escola. Mesmo porque seria típico da minha mãe me obrigar a ir. Ela é fanática quanto à minha educação.

— Vamos ter que levar vocês para um hotel e avaliar a situação — responde Morris. — Talvez seja necessário colocá-los no programa de proteção à testemunha.

— Como assim? O que é isso? — pergunta Nicki. Eu não gosto da palavra *proteção*. Traz más lembranças.

— Nós realocamos testemunhas vulneráveis. Damos uma nova identidade, uma casa nova, dinheiro para começar uma nova vida. Faremos tudo que estiver ao nosso alcance para garantir sua segurança.

— Não mesmo — diz Nicki. — De jeito nenhum. Tenho certeza de que isso não será necessário.

— Bem, acho que vamos apenas colocar vocês em um hotel por alguns dias e ver o que acontece — diz Morris, terminando o chá e se levantando. Ele aperta nossas mãos e diz: — Prazer em conhecê-lo, Ty. Agradecemos muito sua cooperação.

Em seguida, eles trazem meu depoimento por escrito. Eu não quero ler. Não quero pensar sobre o que aconteceu e o que não aconteceu naquele parque. Mas eles me obrigam a ler cada palavra e rubricar cada página e assinar no final.

Um policial uniformizado nos leva de volta ao nosso apartamento através de ruas vazias e escuras em um carro sem identificação.

— Vocês têm meia hora para fazer as malas — ele diz. — Melhor pensar bem no que vão levar, pois talvez não possam mais voltar.

Nicki argumenta que só vamos ficar alguns dias em um hotel, mas eu olho para o rosto dele e percebo que ele acha que ela está se iludindo.

Como se escolhe o que levar quando lhe dizem que você pode nunca mais voltar para sua casa? Penso nas pessoas que perderam tudo em enchentes, *tsunamis* e terremotos, gente que vemos nos noticiários em campos de refugiados porque seus países estão em guerra. Imagino que seus problemas são tão grandes que provavelmente elas não têm tempo para se preocupar com uma fotografia ou um brinquedo velho. Acho que, em uma situação de crise, coisas pequenas não têm mais importância.

Faço de conta que estamos cercados por uma enchente e as águas estão subindo, pegando algumas coisas rapidamente antes que chegue o helicóptero de resgate. Faz parecer menos real, mas não ajuda em nada quando se trata de deixar para trás coisas como a escrivaninha que meu avô fez para minha mãe antes mesmo de eu nascer.

Coloco o laptop na capa, mas o policial diz:

— Você vai ter que deixar isso. Vamos querer dar uma olhada nele.

— Mas é meu... — É meu bem mais precioso. Vovó teve que economizar um tempão para me dar de presente quando passei para o ensino médio. O agente faz um gesto negativo com a cabeça.

— Vamos conseguir um mandado e teremos que checar o disco rígido. E onde estão as roupas que você vestia ontem? Vou precisar delas. — Procuro no meio das roupas sujas e pego uma calça jeans e um agasalho com capuz. Sorte que tenho muitas calças jeans, e Vovó comprou o agasalho em um pacote com três unidades na Asda.

Pego meu iPod e meu cachecol do Manchester United, que é a única coisa que tenho do meu pai. Pego meu uniforme escolar e meus livros, pois calculo que Nicki vai dar um jeito de eu ter que ir para a escola de qualquer maneira. Pego algumas roupas e outras coisas. Procuro debaixo da cama a bolsa da Tesco, que contém algumas coisas nas quais terei que dar algum jeito depois. Mas as coisas mais importantes que quero levar não podem ser colocadas em uma mala.

Nicki e eu moramos em cima da loja de um jornaleiro numa rua movimentada. Não é grande coisa e, quando as janelas estão abertas, o barulho da rua nos obriga a gritar para sermos ouvidos. Mas gosto de ter meu próprio quarto, mesmo sendo minúsculo. Nós o pintamos com uma cor legal, meio roxo-azulada, e cobrimos as paredes com cartazes de futebol. Gosto também de como a luz do sol entra pela janela no fim da tarde e eu fico sentado no peitoril observando o que acontece na rua.

Nunca me sinto solitário porque tem lojas e gente por todo lado, e gosto de ouvir todas as línguas diferentes que falam. É como se o mundo todo estivesse representado ali na nossa rua. A região leste de Londres deve ser um lugar legal se vem gente de tão longe morar aqui.

Nicki mete um monte de coisas em uma bolsa, meio aleatoriamente, então volta a argumentar com o policial.

— Não estamos indo embora para sempre — diz. — Eu tenho um emprego e Ty frequenta uma escola ótima.

— Não depende de mim — responde o policial. E então: — O que foi isso?

Todos nós ouvimos. Um barulho de algo batendo. O som de vidro se estilhaçando. É uma área barra pesada onde nós moramos, mas dessa vez foi muito perto. No andar de baixo. Sinto um cheiro meio doce e metálico. Não é perfume. Conheço esse cheiro, mas não consigo me lembrar do que é.

— Vamos — grita o policial. — Rápido, desçam!

Descemos correndo a escada íngreme que leva à rua, arrastando nossas malas conosco. Na metade do caminho, ouvimos um enorme estampido. Quase tropeço e o prédio inteiro parece tremer. Um som crepitante, um cheiro sufocante... e há fumaça... fumaça subindo pelo vão da escada... mas conseguimos chegar ao térreo e saímos para a noite.

A loja do Sr. Patel está pegando fogo. A revistaria que é seu orgulho e que ele passa tantas horas limpando. As chamas consomem as balas e revistas. Tem um buraco enorme na vitrine da frente e vidro quebrado por toda a calçada. Nicki começa a gritar e a bater nas portas, tocando campainhas e chamando os moradores.

— Vocês precisam sair! — berra para as pessoas que moram no andar acima das lojas.

Eu fico ali, parado, em pé sobre os cacos de vidro na calçada, olhando as chamas. Será que quem fez aquilo sabia que tínhamos nossa própria porta da frente? Se não tivéssemos... teríamos escapado?

Nosso policial está falando no rádio, pedindo ajuda.

— Uma bomba de gasolina, na revistaria... temos que evacuar a área urgentemente... — Então ele segura Nicki pelo braço no momento em que ela começa a subir a rua e diz: — Não, pare. Precisamos tirar vocês daqui agora. — Ele joga nossas malas no carro, nós entramos no banco de trás e partimos enquanto nossos vizinhos começam a descer para a rua.

— Ó, meu Deus! — exclama Nicki. — O que foi aquilo? — Ela está chorando. — Eles vão conseguir tirar todo mundo? Pobre Sr. Patel. Aquela loja é tudo para ele. E a Sra. Papadopoulos? Ela é surda, não deve ter ouvido... Alguns daqueles apartamentos têm muita gente enfiada em poucos quartos...

Ela põe os braços em volta de mim e ficamos abraçados. Mal consigo acreditar no que acabo de ver. Eu adoro aquela loja. Costumo passar horas lá, especialmente quando Nicki chama as amigas para beber vinho e assistir a um filme romântico.

O Sr. Patel é um sujeito muito legal. Ele me ensina urdu e empresta qualquer revista que eu queira, menos as da prateleira mais alta. Ele me deixou escolher minha rota de entrega de jornais, e, quando preciso de uma conversa de homem para homem, é com ele que falo.

— O que aconteceu? — pergunto, e minha voz trêmula parece a de um menino assustado de 10 anos. — Foi uma bomba? — Carros de bombeiros passam por nós a toda velocidade e a noite, até então silenciosa, se enche com o som das sirenes estridentes.

— É por isso que temos que tirar vocês daqui — diz o policial. — Essa gente não hesita diante de nada.

Penso em tudo que vai ser destruído pelo fogo. Tudo o que deixamos para trás. Meu laptop. Todas as coisas que Nicki comprou para decorar o apartamento — o tapete felpudo, as almofadas de cetim rosa e a cortina de contas brega que separava a cozinha da sala de estar. Eu costumava implicar que era tudo menininha demais, mas agora sinto falta daquela cortina de contas e das almofadas cor-de-rosa.

Nicki se atrapalha para pegar o celular, mas o policial diz:
— Nada de ligações.
— Mas preciso avisar minha mãe que estamos bem. Ela vai ficar histérica quando souber disso...
— Vamos garantir que vocês fiquem bem primeiro, pode ser? — Ele continua dirigindo até deixar Londres para trás e segue em direção ao nada.

CAPÍTULO 2
Transformação

Finalmente ele para em um posto de gasolina. Acho que é para irmos ao banheiro e comer alguma coisa, mas em vez disso ele vai até um Ford Mondeo azul e fala rapidamente com o motorista.

— Este é o Doug — diz. — Vocês vão seguir com ele.

Doug é um homem grande, um pouco parecido com Simon Cowell — cabelo ruim, calça esquisita, sorriso metido —, e sua expressão deixa claro que não considera a gente grande coisa. Nicki parece esperançosa.

— Não podemos só comprar um café? — pergunta ela, mas Doug responde:

— Não, querida. Arriscado demais. — E temos que entrar no carro dele.

Seguimos por cerca de uma hora até chegarmos a um hotel. É tipo um Travel Lodgey, mas não tão legal — fico surpreso de ainda conseguir achar graça em algo, mas é como se a parte mais apavorada e chocada de meu cérebro estivesse tão sobrecarregada que se isolou em algum lugar remoto. Estou até normal, mas completamente anestesiado. Não sinto nada. Nem quero imaginar como vai ser quando tudo voltar. Talvez não volte, e eu passe o resto da minha vida me sentindo como se estivesse atrás de um vidro espesso.

Doug nos registra como Jane e David Smith. Não é o tipo de hotel que se escolhe para passar o feriado. Nosso quarto é mínimo e só cabem as duas camas e uma televisão grande. Tem uma cômoda com duas gavetas apenas, então nem podemos desfazer as malas direito. Não que a gente quisesse desfazê-las. Nicki e eu caímos no sono imediatamente, de roupa e tudo. Eu nem escovo os dentes.

É cerca de meio-dia quando acordo e não me lembro de onde estou ou por que estou dividindo um quarto com minha mãe. Tudo o que aconteceu parece mais um filme ou um pesadelo. Nicki já tomou uma ducha e está se vestindo.

— Vou resolver isso tudo ainda hoje — diz, passando um blush e fazendo uma careta para o espelho. — É ridículo. Estamos ajudando eles. Não podem nos manter aqui. O incêndio deve ter sido uma coincidência. Vândalos, garotos idiotas aprontando, racistas ou algo assim.

Descemos e descobrimos que não tem café da manhã depois das 10 da manhã. Depois disso o hotel não faz mais comida até as 7 horas da manhã seguinte. Sugiro procurarmos um café para comer alguma coisa, mas Nicki torce o nariz. Então dois homens entram pela porta da frente. Doug, o cara da noite anterior, e o detetive Morris, da delegacia.

— Precisamos falar com vocês — diz Morris, mas, quando vou falar que não tomamos café ainda, Nicki diz "OK" e acabamos voltando para nosso quarto minúsculo. Eles se sentam na cama da Nicki e nós nos sentamos na minha. Minha barriga emite sons estranhos, mas todos fingem não ouvir.

Morris embarca em uma longa e tediosa explicação sobre como ele está encarregado da investigação do homicídio e que Doug é um agente de proteção à testemunha, alguém que cuida de pessoas como eu, testemunhas vulneráveis. Ele fala mais um bocado antes de chegar ao ponto.

— Temos certeza de que a bomba na loja ontem à noite foi para intimidar vocês.

Silêncio. Fico pensando que tem alguém que quer me ver morto. Ele não chegou a dizer "morto", mas é o que quis dizer. Não sou burro. Sorte minha não estar sentindo nada neste momento. Se sentisse, estaria apavorado.

— A única decisão sensata que podem tomar agora é entrar para o programa de proteção à testemunha. Doug vai cuidar de vocês. Não há outra escolha.

Nicki abre a boca para protestar, mas se cala. Doug diz:

— Preciso que me entreguem seus celulares. A maneira mais fácil de rastrear alguém é pela rede móvel.

Ela ainda esboça uma reação, mas sem convicção. Meu celular já é antigo, então não me importo muito. Talvez me deem um novo.

— Vocês têm alguma necessidade imediata? — pergunta Morris. — Porque vamos levar umas três semanas até conseguirmos uma casa e identidades novas para vocês. Até lá, vocês ficam aqui e procuram não chamar atenção.

— Café da manhã — respondo rapidamente, antes que Nicki possa dizer qualquer coisa, e todo mundo ri. Doug nos leva de carro até um restaurante Little Chef, onde peço um prato gigantesco de ovos com salsichas e Nicki toma café, fingindo que não está chorando.

Passamos três longas semanas nessa espelunca de hotel, a maior parte do tempo na lavanderia, já que não trouxemos muita roupa. Mas isso acaba sendo útil, pois chega um dia em que dou um jeito de Nicki ir à farmácia e digo que vou cuidar sozinho da roupa. Levo escondida a bolsa da Tesco e meto o conteúdo na máquina com três sachês de removedor de manchas. Quando tiro da máquina, está tudo limpo e agora tenho mais um agasalho com capuz e um par de calças jeans.

Compramos sanduíches todos os dias, mas nunca é o bastante para mim, e vivo faminto e com raiva da Nicki por não perceber. A falta de comida não a incomoda, pois sempre preferiu café e cigarros a se alimentar de verdade. E ela não para de pegar no meu pé para manter a lição da escola em dia, o que é impossível quando não se tem uma escola para ir. Ela me dá uma bronca toda vez que tropeça em minha bolsa ou nos meus pés. Depois de dois dias, mal nos falamos.

Tem o canal Sky Sports na televisão do hotel, e eu assisto a maior parte do tempo. Futebol, basquete, handebol, o que estiver passando. Quando Nicki tenta falar comigo, simplesmente aumento o volume. Faço amizade com Marek, que trabalha como faxineiro no hotel, e tento aprender um pouco de polonês com ele, mas, quando Doug descobre — Nicki contou, muito obrigado, Nic —, ele me manda não falar com ninguém, nem mesmo alguém que não sabe sequer dez palavras em inglês.

O tédio é tanto que ficamos até felizes de ver Doug quando ele aparece um dia no hotel. Diz que vai nos levar ao McDonald's e parece achar que está nos fazendo um grande favor, mas se tivesse perguntado saberia que ambos detestamos a comida de lá.

— O que vão querer? — ele pergunta. Nicki pede salada e café, e eu peço duas porções de fritas, dois Quarterões e dois milk-shakes, considerando que é melhor isso do que os sanduíches de sempre. Eu não ligo se vou me sentir enjoado o resto do dia. Doug ergue as sobrancelhas, obviamente me julgando guloso.

Ele nos conduz ao andar de cima, onde ficamos a sós, e entrega a Nicki um talão de cheques e extratos de banco. O nome na conta é Sra. M. Andrews.

— Michelle — diz Doug — e Joe. Acabaram de se mudar de Redbridge. Michelle, você está buscando emprego e Joe vai para uma escola nova.

— Por que Joe? — pergunto, com a boca cheia de batatas. — É um nome como outro qualquer, mas fiquei curioso.

— Se você esquecer quando escrever, é fácil transformar um T em um J — responde Doug.

— Entendi — digo, bebendo meu milk-shake de chocolate, embora ache mais provável esquecer quando estiver falando. Ou ouvindo... Como é que vou fazer para me lembrar de que meu nome é Joe?

Doug nos dá instruções para procurarmos ser o mais discretos possível, não fazer muitos amigos, nunca telefonar para ninguém em Londres, nunca dar nosso endereço para ninguém.

— Melhor nunca convidarem ninguém para sua casa — diz. Poderemos ligar ou escrever para a Vovó e minhas tias a cada seis semanas mais ou menos.

— Teríamos mais direitos se estivéssemos na prisão — observa Nicki.

— E nossos celulares? — pergunto. Já passei para o milk-shake de morango e não me sinto mais muito bem. Ele responde que vai nos dar celulares novos, mas que vai sempre verificar nossas contas.

— Nada de ligar para Londres, para a família ou amigos. Vão servir mais para vocês se comunicarem entre si, na verdade.

Ele obviamente não espera que tenhamos uma vida normal. Vai ser difícil me lembrar do que posso contar às pessoas e do que devo esconder. Como se faz para mentir sobre tudo?

Doug nos deixa escrever para a Vovó. Fico mordendo minha caneta, sem saber o que escrever. "Estou sentindo muito a sua falta. Beijo, Ty" é o que escrevo no final.

— Posso escrever para o Sr. Patel e dizer que lamento pela loja dele? — pergunto, mas Doug responde:

— Não, isso pode complicar demais as coisas.

Eu teria discutido com ele, mas estava me esforçando para não vomitar milk-shake sobre a mesa.

— Então — diz Nick —, quando isso tudo vai terminar? Presumo que depois do julgamento poderemos voltar para casa.

Doug olha para ela como se fosse a pessoa mais burra que já tivesse visto. A parte do meu cérebro que regula as emoções, a parte que estava faltando nas últimas semanas, de repente resolve se manifestar e sinto tamanho ódio borbulhando dentro de mim — *como ousa desrespeitar minha mãe?* — que engasgo com meu hambúrguer. Até parar de tossir, Nicki terminar de bater nas minhas costas e Doug acabar de limpar os restos de quarterão que cuspi em seu braço, todos já sabemos que ela fez a pergunta errada.

— Isto não vai terminar, vai? — ela pergunta em uma voz fraca, sem muita energia.

Ele ainda está limpando a manga da camisa com uma expressão de nojo.

— Vamos ter que ver.

Um dia está chovendo torrencialmente e eu estou deitado na cama, vendo a reprise de algum jogo pré-histórico de futebol. Nicki está lendo um livro de seu curso de Direito da Open University[1] e me manda baixar o volume.

— Não sei por que você ainda estuda isso — eu digo. — Já perdeu tantas aulas que não vai passar mesmo.

Ela faz cara feia para mim.

— E aposto que vai perder todos os créditos dos últimos três anos também, porque agora se chama Michelle Andrews e tem endereço novo e tudo o mais.

Não sei por que estou sendo tão mesquinho. Aquele curso significa muito para ela. Ela olha para mim e diz em tom ameaçador:

— Por que você simplesmente não cala a boca, Ty?

— Só acho que está desperdiçando seu tempo.

De repente, o livro voa na minha direção e perco o equilíbrio ao tentar me esquivar. Caio da cama e bato na mesa de cabeceira, quebrando um copo de vidro e cortando a mão.

---
1. Universidade Aberta. Oferece cursos de graduação a distância. (N.T.)

— Ai! — grito. — Por que isso?

— Não ia pegar em você — ela sibila.

Ouvimos alguém bater na porta e Doug entra.

— O que está havendo aqui? — pergunta, e nós dois resmungamos "Nada". Eu me levanto do chão, coloco a mesa de volta no lugar, empurro o vidro para debaixo da cama e pego um lenço de papel para limpar o sangue. O corte dói. Doug fica desconfiado, mas sai da frente da porta para permitir a entrada de outra pessoa.

— Esta é Maureen — diz ele, e ela sorri para nós. É uma mulher mais velha carregando uma grande maleta preta.

— É dia de *Extreme Makeover*[2] — diz a mulher. — Temos que mudar a aparência de vocês — explica. — Espero que tenha deixado crescer os cabelos, rapaz.

E deixei mesmo. Uma das coisas que mais detestava na escola St. Saviour era o corte de cabelo estilo militar, e minha franja já está caindo nos olhos.

Maureen meneia a cabeça em aprovação e me olha de cima a baixo.

— Não há muito que eu possa fazer, na verdade. Sua roupa já é bem discreta. Procure usar o capuz sempre que possível. Aposto que jamais esperava ouvir isso de um policial. Tenho mais roupas para você nessa sacola e acho que Doug já tratou de seu uniforme escolar.

Uniforme? Nem sabia que já tinha uma escola nova.

— É um rapaz bonito — diz, como se eu não estivesse ali. — Seus olhos são muito chamativos, não? Uma cor incomum, esse verde-claro. Vamos ter que mudar isso. E acho que vamos escurecer o cabelo, mas vai ter que pintar sempre. Não vamos querer as raízes aparecendo. — Ela e Nicki começam a rir da expressão de horror que deve ter aparecido no meu rosto. Rezo para ninguém da minha escola jamais saber disso.

Logo o pequeno banheiro do quarto vira um salão de beleza e Maureen começa com Nicki. Nicki fica possessa ao ver a tesoura na mão dela.

---

2. *Reality show* em que pessoas mudam o visual com roupas novas e maquiagem. (N.T.)

— Esses apliques me custaram uma fortuna — reclama, vendo-os cair no chão. — Não acredito que precisa fazer isso. Já não basta nos tirarem de nossa casa?

Mas me lembro das chamas consumindo tudo, desde a revista *TV Quick* até a *Playboy*, e duvido que nossa casa sequer exista ainda, então não reclamo quando Maureen besunta uma substância malcheirosa nos meus cabelos e alguma coisa piniquenta e ardida em minhas sobrancelhas.

Ela lava meus cabelos e enrola minha cabeça em uma toalha, o que fica absolutamente ridículo, e me faz sentar na cama.

— Olhos bem abertos — ordena, e em seguida enfia um dedo neles. Eu puxo a cabeça para trás, gritando de dor. Quem disse que a polícia podia me torturar? — São só lentes de contato — diz Maureen. Mas não a deixarei chegar perto de mim de novo. Finalmente, após uma agonia enorme, eu mesmo consigo colocar.

Maureen seca meus cabelos e esfrega minhas sobrancelhas com uma toalhinha enquanto Nicki, em pé atrás dela, emite ruídos estranhos. Então eu posso me virar para o espelho. Por alguma razão, espero ainda ver olhos verdes e cabelos castanhos claros no meu reflexo. Mas, em vez disso, vejo um rosto pálido, cabelos pretos desarrumados, incríveis sobrancelhas pretas e olhos castanhos — bem vermelhos, injetados. Só mesmo o queixo comprido continua reconhecível e parece ainda mais pontudo do que antes porque meu rosto parece mais fino. Na verdade, meu corpo todo está mais magro do que antes.

— O que achou? — pergunta Maureen.

— Estou parecendo um desses góticos — resmungo, mexendo as sobrancelhas para experimentá-las. Na verdade, até gostei. Fiquei com cara de mais velho e parece que cresci pouco durante o cativeiro. O cabelo preto desarrumado ficou excelente.

Ela se vira para Nicki.

— Acho que fiz um bom trabalho nele. — Mas Nicki está infeliz com os cabelos pretos cortados em forma de capacete, estilo brega-do-ano, e nem olha para mim. Com apenas um corte de cabelo horrível e uma camiseta unissex, Maureen conseguiu transformá-la de alguém que se parecia um pouco com Nadine Coyle na maior baranga. Alguém que parecia ter 25 anos, no máximo, agora parece ter 40. Coitada da Nic. Na verdade, ela tem 31 anos. Se fizessem um programa de TV chamado *Dez Anos Mais Velha*, Maureen poderia ser a apresentadora. Doug entra no quarto e diz:

— Muito bom, Maureen, ótimo trabalho. Está tudo pronto para partirmos. Pela escada dos fundos, por favor. Não quero ninguém aqui vendo como estão agora. Não deve demorar muito para arrumarem as malas, certo?

Ele tem razão, deve levar uns cinco minutos. Nunca tivemos mesmo espaço suficiente para tirar tudo das malas.

— Vamos partir agora? — pergunta Nicki. — Mas para onde? — E Doug diz que vai explicar tudo no carro.

Ela senta na frente com ele, eu sento atrás com Maureen e saímos dirigindo toda a vida. Ele nos diz o nome da cidade onde vamos morar, mas nunca ouvimos falar nela. Fica a cerca de 80 quilômetros de distância de Londres — longe o bastante para ser um tédio, mas não o suficiente para as pessoas terem sotaque diferente.

Ele diz que vou começar na escola nova na segunda-feira e a mostra para nós, Academia Parkview, quando passamos por ela em uma subida.

— Você vai para o oitavo ano — diz ele.

— Não, eu estou no nono ano.

— Você vai para o oitavo ano porque é mais seguro. Queremos torná-lo o mais diferente possível do que era. E, por sorte, você não parece mais velho do que é — diz Doug com um sorrisinho irritante.

Babaca.

— Então quantos anos tenho?

— Agora você tem 13 anos e seu novo aniversário é no dia 5 de setembro.

Brilhante! Um ano inteiro perdido e um novo aniversário. Demais!

— Seu idiota! — eu resmungo, mas em urdu para ele não entender. Ele olha pelo retrovisor e vê a minha cara.

— O que foi? É importante que leve isso a sério, *Joe*. — Ele começou a usar nossos nomes novos, falando ligeiramente alto demais, como se fôssemos surdos, turistas ou burros. — Se fizer besteira, vamos ter que mudar vocês de novo, arranjar novas identidades. Algumas pessoas precisam fazer isso três, quatro vezes. Vamos tentar evitar isso, está bem?

— Tá bom, tá bom... — Três, quatro vezes? Ele não pode estar falando sério.

— Melhor mudar de atitude logo, rapaz, pois é uma questão de vida ou morte — ele avisa.

Não há nada que eu possa dizer. Doug é a única pessoa que conhece Joe Andrews e já o considera burro, espírito de porco e asqueroso. Talvez todo mundo venha a pensar o mesmo. Olho pela janela e me pergunto por que Joe e Michelle resolveram morar em um lugar tão medíocre.

Então descemos a rua principal com as mesmas lojas que sempre vemos em toda parte e chegamos a um condomínio em que todas as casas são idênticas, sem graça e malcuidadas, e paramos em frente a uma casa parcialmente geminada com uma porta vermelha. É isso, nossa casa nova. Uma casa segura. Mas será que algum dia ficaremos seguros outra vez?

CAPÍTULO 3
Ellie

A escola é o único lugar onde me sinto tranquilo. Fora dela, estou sempre na expectativa de lojas explodindo e bandidos surgindo das sombras. É exaustivo, pois nada jamais acontece, então estou gastando uma tremenda energia ficando constantemente ligado e me preocupando.

Mas quando cruzo o portão da escola, me sinto melhor. Ninguém vai me achar aqui. Estou camuflado no meio de centenas de crianças, todas vestidas do mesmo jeito. Não é como em Londres, onde todo mundo é diferente. No pátio, a maioria tem a mesma cor, o mesmo visual. Nunca imaginei que era possível ser tão invisível.

Mas essa invisibilidade não funciona na sala de aula. Aqui só tem bebês. O menino à minha esquerda, Max, é cerca de 15 centímetros mais baixo do que eu e tem uma voz tão aguda quanto a de James Blunt. A garota à minha frente, Claire, é menor ainda. Parece uma menina de 8 anos de idade que pegou emprestado um uniforme cinco números acima do seu.

Eu tinha gostado da ideia de uma turma com meninas, mas mesmo as de 13 anos de idade parecem novas demais. Só tem uma ou duas que realmente se esforçam e usam maquiagem e tal.

No meio dessa turma, eu realmente sobressaio. Sou o mais alto. Às vezes parece que preciso me barbear. Eu sei de tudo. Ajuda o fato de que a St. Saviour era tão inacreditavelmente rígida e nos fazia estudar tanto. Refazer o oitavo ano é moleza. E uma chatice.

Hoje estou dormindo acordado na aula de inglês, lembrando-me da imagem que vi em uma revista de uma mulher de uma tribo em algum lugar da Indonésia. Sua mão esquerda tinha apenas dois dedos, os outros foram cortados, um para cada membro da família que havia perdido. Era a forma de sua tribo lembrar os mortos. Não vejo isso virando moda na Inglaterra, mas, no momento, acho que tem potencial. As pessoas já saberiam algo a seu respeito logo de cara, sem fazer perguntas. Assim você nunca se esquece e sempre carrega a verdade em seu corpo.

Só que algumas perdas não merecem ficar sem um dedo inteiro. Quando meu pai foi embora, eu tinha apenas uns 2 anos e ele foi meio que sumindo de minha vida. Agora acho que ele partiu para sempre. Nunca nos acharia nem se procurasse. Talvez mereça um dedinho do pé. E quando perdemos um amigo? E quando vemos alguém morrer?

Brian, que senta à minha direita, cutuca minhas costelas com o cotovelo e de repente percebo que a sala está estranhamente silenciosa, todos olhando para mim. Algumas meninas estão dando risadinhas.

— Joe Andrews? — chama o professor. — Ainda está por aqui, Joe Andrews? — Droga! Há quanto tempo será que ele está me chamando?

— Sim, senhor — respondo, que é o que esperavam ouvir na St. Saviour, mas aqui faz todo mundo rir. Saco.

— Acorda, rapaz — diz o Sr. Brown. — Dormiu tarde ontem? — Levanto os ombros e aceno com a cabeça em um gesto que ele pode interpretar como sim, se quiser. — Poderia, quem sabe, fazer um comentário, Joe, sobre a mágica de Próspero em *A tempestade*?

Ele quer me pegar. Grande erro. Respondo a pergunta com a maior facilidade. Sou tão bom que chego a citar falas da peça. Quando termino, faço o possível para não parecer convencido.

Todas as meninas estão rindo. Até a pequena Claire me dá uma espiada por trás de sua franja comprida. Tenho recebido bastante atenção feminina. Pena não poder tirar vantagem disso sem me sentir um pedófilo.

O sino toca. O Sr. Brown faz cara de poucos amigos e sai pisando forte. Brian bate nas minhas costas e me acompanha até o refeitório junto com seus colegas.

Ty Lewis nunca fazia as pessoas rir na St. Saviour. Tampouco arrumava uma turma de amigos instantaneamente. Ele — eu — era só o parceiro do Arron. Eu nunca fiz muitas amizades. Tinha medo de que ele fizesse outros amigos.

Nunca fui a uma escola sem o Arron. Ficamos amigos quando andamos até a escola juntos no nosso primeiro dia na St. Luke porque nossas mães se conheciam de alguma aula noturna. Ele estava feliz por estar entrando em uma escola grande. Sabia tudo sobre ela porque seu irmão Nathan já estava lá havia três anos.

Fingi que estava contente também, pela minha mãe e pela Vovó, mas na verdade estava um pouco nervoso e não gostei da nossa professora, pois ela me chamava de Tyrone o tempo todo. Arron me mostrou onde colocar o casaco e como a fechadura da porta do banheiro funcionava. Ele me ensinou a subir no trepa-trepa e explicou à Srta. Eagles que meu nome na verdade era Tyler. Ele sempre estivera por perto todos os dias na escola. Até agora.

Agora estou sempre procurando por ele. Às vezes vejo um garoto moreno e alto no fim do corredor e tento alcançá-lo. Então me toco de que não é ele. Não tem como ser ele. Toda vez que isso acontece eu me sinto mal. Toda vez sinto a mesma sensação de, sei lá... decepção? Alívio?

Enquanto esperamos na fila da comida — hoje tem uma lasanha rala, o que é ótimo, pois tenho sorte de conseguir um ovo cozido em casa —, algumas meninas se aproximam de nós. São as meninas mais autoconfiantes do oitavo ano, as que já descobriram a maquiagem e as saias curtas e — se não estou enganado — os sutiãs.

A líder delas se chama Ashley Jenkins, e tenho uma vaga impressão de que ela fala alto demais e é uma pessoa irritante. Seus cílios se curvam como as pernas grossas de uma aranha, seus lábios brilham como gosma de lesma. Tento ignorá-la. Não dá certo.

— Foi legal a maneira como enganou o Sr. Brown — diz Ashley, passando a mão nos cabelos.

— Talvez, mas eu não fiz de propósito.

Ashley levanta os ombros.

— Tanto faz. Estava pensando, quer passear comigo depois da aula? Que tal irmos ao shopping?

Minha experiência prática com meninas é mínima após dois anos e meio em uma escola só de meninos, embora Arron e eu falássemos muito em teoria. Arron me passou algumas instruções básicas baseando-se nas oito semanas que passou namorando Shannon Travis no parque. Foram oito semanas em que me senti alienado e esquecido. Nunca imaginamos que um dia eu seria convidado para sair na frente de um monte de gente. Na verdade, nunca imaginamos que jamais seria convidado.

Pelo jeito que os meninos do oitavo ano se entreolham, parece que me está sendo oferecida a maior fantasia deles. Ashley não é o tipo de menina que aceita uma ofensa. Ty ficaria mudo, mas por sorte Joe é um cara superdescolado. Vejo um cartaz na parede e improviso:

— É muito tentador, Ashley, mas hoje não dá. Tenho que treinar para o time de atletismo. Lamento.

Ashley parece impressionada, mas acho que não acredita em mim, assim como Brian e seus amigos. O professor à nossa frente na fila, que só agora vejo que é o Sr. Henderson, também fica surpreso. Ele já me deu duas aulas de educação física e com certeza nunca mencionou nada sobre talento para o atletismo. Mas, entrando no jogo, ele vira para mim e diz:

— Será um prazer ter você na equipe, hã... Joe. Esteja lá às três e meia e traga seu uniforme de educação física. Vou querer repolho e cenouras, e pega leve na torta — diz ele para a moça atrás do balcão.

Ashley faz biquinho e diz:

— E quando você vai estar livre então?

— Eu te aviso — respondo, o que impressiona a turma do Brian quase tanto quanto minha suposta participação na equipe de atletismo. As meninas vão para outra mesa e eu preciso responder às perguntas impossíveis dos meninos. Quando fui escalado? O que ele disse? Eu já tinha competido antes? Eu tinha noção de que todos os outros membros da equipe tinham pelo menos 16 anos?

Os mesmos critérios se aplicam a Ashley.

— Ela nunca olhou para ninguém da nossa série antes — diz Brian.
— Ela acaba de terminar com Dan Kingston, do décimo ano. Ela não vai gostar de você ter dito não assim de cara. Ashley consegue tudo o que quer. Que sorte a sua. — Todo mundo ri e brinca comigo, e a lasanha entala na minha garganta. Tem gosto de cimento empedrado.

Tenho certeza de que o Sr. Henderson não vai me fazer treinar. Eles levam educação física muito a sério nessa escola, muito mais do que na St. Saviour, onde era uma sorte conseguir jogar bola no nosso pátio de cimento. Aqui eles têm campos e uma pista de corrida, um ginásio e até uma piscina. A escola é um centro de referência em esportes, ou o que quer que seja, e a equipe de atletismo é formada por pessoas que competem pelo município. Eu sou um idiota.

Mas, quando sua vida toda é uma mentira, mais uma não parece grande coisa. É irônico. Só estou aqui porque venho tentando dizer a verdade.

O sinal toca, e eu mando uma mensagem de texto para casa avisando que vou me atrasar. Ando vagarosamente até a sala de esportes que fica ao lado da pista de corrida. Vou dizer ao Sr. Henderson que cometi um erro idiota. Mas, quando chego lá, tem uma garota sentada atrás da escrivaninha dele. Ela é mais velha do que eu e não está de uniforme, mas é nova demais para ser professora.

Fico em pé ali, me sentindo sem graça enquanto ela me olha de cima a baixo. Ela demora a falar.

— Você é o Joe? — pergunta.

— Hã... sim — respondo, constrangido.

— Eu sou Ellie. O Sr. Henderson pediu para eu te avaliar na corrida. Depois falo para ele como se saiu.

Eu troco de um pé para o outro.

— Hã... é que, na verdade, não era para eu estar aqui.

Ela olha para mim. Olhos cinza, franja loura, um sorriso que pode tanto ser amistoso como de zombaria.

— Mas você está aqui — afirma.

— Sim, mas não era para estar. Eu não fui descoberto, não fui convidado para entrar para a equipe nem nada. Eu só... hã... cometi um erro.

— Pode não ter sido um erro. É o que o Sr. Henderson quer que eu descubra. — Então ela abaixa os braços por trás da mesa e meio que desliza em minha direção. Só então percebo que ela está sentada em uma cadeira de rodas e fico completamente sem graça.

— Se puder abrir a porta para mim, vou para a pista e te espero lá quando estiver pronto.

Eu fico parado, provavelmente de queixo caído. Ela conclui que estou com vergonha.

— Não se preocupe, Joe, está todo mundo treinando no ginásio hoje. Não vai ter ninguém vendo.

— Eu... você... você está numa cadeira de rodas? — A frase sai em forma de pergunta. Dãã! Dá para ser mais tapado do que isso? Nunca mais vou falar com essa garota. Por sorte, ela ri e diz:

— Nossa, como você é observador. Não se deixe intimidar por isso. Agora vai trocar de roupa e te vejo daqui a pouco.

Então ela sai deslizando, me deixando arrasado e absolutamente decidido a impressioná-la. Eu corro para a porta.

— Se apresse — ela manda, e eu obedeço.

Vinte minutos depois, estou aquecido e alongado, de acordo com as instruções dela, e correndo na pista. Me sinto tão bem, me concentrar na respiração e me mover faz todas as preocupações das últimas semanas desaparecer.

Quando corro, não importa se sou Joe ou Ty. Correr não é simplesmente uma fuga, tem a ver com poder e força, espantar o medo do desconhecido, as pessoas que querem me silenciar. Quando eu tinha 8 anos, achava que seria um super-herói quando crescesse, e aqui estou eu, voando pela pista de corrida como o Super-Homem, tão poderoso quanto o Incrível Hulk!

Sempre gostei de correr. O Sr. Patel achava ótimo que eu sempre pedia as rotas mais compridas de entrega de jornais. Não era só pelo dinheiro que eu gostava delas, era porque, depois de entregar o último exemplar do *Daily Mail*, eu podia voltar para casa correndo pelo parque. Naquela época eu não tinha medo do parque. Naquela época eu adorava o parque.

Paro ao lado da Ellie, apertando os olhos, suando e me sentindo um pouco tonto. Ela me passa uma garrafa d'água e eu bebo tudo. Queria ter trazido uma toalha.

— Não foi nada mau — ela diz em tom satisfeito. — Bastante promissor, na verdade. Se estiver disposto a dar duro, acho que pode render alguma coisa.

Não percebemos, mas o Sr. Henderson está atrás de nós.

— Fico feliz em ouvir isso, Joe — ele comenta com voz seca. — Não é todo dia que alguém anuncia que escalou a si mesmo para a equipe de atletismo.

— Eu sinto muito — começo a dizer, mas ele faz um gesto de descaso.

— Não estou a par dos detalhes, mas entendo que teve problemas na sua escola anterior.

Abro a boca para protestar, mas me calo. Não sei o que disseram para a escola.

— Eu acredito em segundas chances — continua o Sr. Henderson, o que é muito bacana da parte dele, considerando que provavelmente deve achar que sou indisciplinado, violento e ignorante. — Acho interessante ter escolhido a equipe de atletismo para se safar de uma situação difícil, e, se Ellie concordar, vou fazer uma sugestão.

Ellie acena que sim com a cabeça, e ele continua.

— Ellie é uma celebridade local. Ela é uma atleta muito bem-sucedida e está tentando uma vaga nas Paralimpíadas. Ela conta com o patrocínio de várias empresas locais e da Câmara para custear seu treinamento, e também está buscando uma qualificação em Ciências do Esporte. Temos muito orgulho dela. Ellie precisa de um estudo de caso para seu currículo e terá prazer em trabalhar com você. Talvez você consiga entrar para a equipe de atletismo pra valer algum dia. É um desafio para vocês dois, mas, se trabalhar duro e fizer o que ela mandar, aí quem sabe do que será capaz? O que acha?

O que realmente estou pensando é que o Sr. Lei, vulgo Doug, não vai gostar nada disso. "Não chame atenção", foi o conselho que me deu, e treinamento pessoal com uma celebridade local loura e paraplégica não é bem o que ele quis dizer. Por outro lado, como posso dizer não? Isso não vai chamar ainda mais atenção? O Sr. Henderson e Ellie obviamente acham que estão me oferecendo algo muito especial, embora não esteja tão certo de que correr em competições tenha a ver comigo.

— E então? — pergunta o Sr. Henderson, e eu faço que sim com a cabeça e sussurro um obrigado. Ellie me manda entrar e tomar uma ducha ou vou congelar ficando ali todo suado, e diz que me espera aqui amanhã na mesma hora. Ela é mesmo mandona, mas de uma maneira legal, e tem algo de relaxante em obedecer às suas ordens. Acho que não se incomoda com suor. Ela me dá um lindo sorriso.

Decido que vou treinar e depois arranjo um jeito de não competir se o problema surgir. Posso torcer um tornozelo ou qualquer coisa assim. Ficar em forma é uma boa ideia, só por precaução. Até Doug vai entender isso. Se eu contar a ele.

Afinal, nunca se sabe quando você precisará fugir, e, neste momento, tem um bocado de coisas das quais eu precisaria correr.

CAPÍTULO 4
Lar

Voltar andando para casa é a pior parte do dia. Tento variar a rota, em parte para o caso de estar sendo seguido, mas geralmente é para levar mais tempo mesmo. Não tem sido fácil conviver com minha mãe nos últimos tempos e eu já não tinha mesmo o costume de encontrá-la em casa quando chegava.

Ela costumava voltar do trabalho depois de mim e, quando estava em casa, geralmente estava estudando, conversando com as amigas ao celular ou se arrumando para ir ao karaokê no pub. Ela ficava feliz, cantando e rindo, e eu adorava como ela rodopiava, fazendo cinco coisas de uma vez.

Mas agora ela fica o tempo todo fumando na cozinha. Não cuida mais dos cabelos, e suas sobrancelhas parecem pesadas. Não a ouço discutir há dias, nem mesmo com Doug, e ela nunca liga o rádio. Não é nada bom vê-la assim, e logo ela vai começar a ligar para suas irmãs e as amigas, e as pessoas erradas vão nos achar. Os caras da bomba.

Chego na High Street, entro na WH Smith,[3] só para o caso de ter alguém me seguindo, então saio e pego um ônibus. Ninguém sobe comigo e me sinto razoavelmente seguro. Chego em casa, largo a mochila e o casaco e grito:

— Mãe, cheguei!

Pode não parecer nada demais chamar sua mãe de Mãe, mas para nós é. Ela tinha apenas 16 anos quando nasci e nunca me pareceu velha o bastante para eu a chamar de Mãe. Além disso, era a Vovó que fazia mais o papel de minha mãe de verdade. Mas, desde que se tornou Michelle, não consigo chamá-la assim e não posso chamá-la de Nicki. Então estou chamando ela de Mãe, pensando nela como Mãe e torcendo para ela assumir logo seu papel. Ela detesta, diz que isso a faz se sentir velha e faz uma careta toda vez que a chamo assim.

Ela está fumando na cozinha, como sempre. Tem cinzas sobre a fórmica branca. Eu comprei um jornal na WH Smith para encorajá-la a procurar um emprego. Abro o jornal na frente dela, na esperança de ela se interessar.

— Olha, vários empregos para administração e dois para secretária. Não pode se candidatar?

Ela dá uma olhada, mas balança a cabeça.

— Acho que não. O que diria no meu currículo? E as referências?

Onde está Doug quando preciso dele? Com certeza isso é algo em que ele deveria estar ajudando. Estou preocupado porque o dinheiro que a polícia nos deu vai acabar cedo ou tarde. Sem trabalho para ela e entrega de jornais para mim, do que vamos viver?

— Mãe, a polícia vai lhe dar referências falsas e tudo o mais. Tenho certeza de que Doug falou sobre isso. Pega, guarda para mostrar para ele quando ele vier.

Separo a página de empregos, e ela pelo menos a pega e coloca em uma gaveta. Ao dobrar o jornal, vejo a página de trás e mal consigo

---

3. Rede britânica de lojas que vendem livros, revistas, artigos de papelaria, jornais etc. (N.T.)

acreditar nos meus olhos. Tem uma foto da Ellie, toda sorridente, e uma manchete: "Ouro de novo para a corajosa Ellie".

Continuando a ler, descubro que Ellie acaba de vencer uma corrida crucial de qualificação para as Paralimpíadas — que são como as Olimpíadas, mas para portadores de necessidades especiais, o que me parece algo bem complicado de organizar — e que teve problema nas pernas após quebrar a coluna em um acidente de ginástica aos 12 anos.

Ela tem 17 anos agora, só três a mais do que eu. Mas três anos de diferença entre um menino de 14 e uma menina de 17, francamente, dá no mesmo que ela ter 30 anos. Especialmente se o menino de 14 anos está fingindo ter 13. Não é justo, penso, ainda mais lembrando que garotas como Ashley Jenkins podem escolher qualquer um de qualquer idade. Não que eu me interesse por Ellie, claro, é só essa situação que é sexista.

Tem a cadeira de rodas também, o que é interessante, pois é possível que isso dificulte as coisas para ela arrumar um namorado, o que talvez ajude a anular a diferença de idade... Tipo, ela pode até se interessar por alguém só um pouco mais novo que não tenha preconceito em relação à sua deficiência e que ficaria feliz em empurrar sua cadeira e carregar coisas para ela. Eu não acho que sou preconceituoso com deficientes... dependeria do que outras pessoas poderiam dizer... mas, em teoria, não sou. Não com alguém tão bonita quanto Ellie.

Está bem, eu admito. A Ellie meio que me interessa sim. Poderíamos ser um casal bem diferente, como... como... hã... Paul McCartney e Heather Mills McCartney, se ela fosse muito mais velha do que ele, em vez do contrário, e se eles não tivessem decidido se odiar e se divorciar, é claro.

— Talvez você queira jantar — diz minha mãe, que tem um talento especial para interromper meus pensamentos mais interessantes, e começa a mexer na geladeira como se esperasse aparecer magicamente alguma comida. Obviamente, nada aparece, então eu assumo o controle e acho um queijo pré-histórico e umas cebolas que já estão brotando. Eu pico as cebolas e ralo o queijo para fazer um espaguete.

Não temos nenhuma rotina de compras, o que não surpreende, pois nunca tivemos, mas a Vovó costumava cozinhar para nós e os kebabs[4] na esquina eram ótimos. E às vezes íamos de ônibus à Tesco. Agora suspeito que minha mãe não sai de casa há dias, mas não quero que ela comece a chorar, então eu ainda não a intimei a ir ao mercado.

Nem é uma casa muito legal para ficar enfurnado. É maior do que qualquer lugar em que já moramos — tem três quartos, um banheiro de verdade, não só um chuveiro, e uma cozinha separada grande o suficiente para ter uma mesa própria. Mas, comparada ao nosso aconchegante apartamento rosa e azul, essa casa jamais será nosso lar. Tudo é bege ou marrom — carpetes, mobília, cortinas —, as paredes cor de magnólia não têm quadros e a cozinha é branca de doer, como o consultório de um dentista.

A geladeira na nossa casa era coberta de fotografias, e a Rádio Capital estava sempre tocando. Eu podia me sentar na janela e ver pessoas sendo tatuadas ou fazendo a mão na manicure. Formando fila para o ônibus. Discutindo, beijando, gritando com as crianças. Comprando banana-da-terra, coentro, kebabs, sorvete, quiabo. Comprava-se de tudo na nossa rua. Eu sentia o cheiro de carne e de ônibus, caril e fixador de cabelos. Tudo era interessante. Cada dia era diferente.

Aqui é sempre tranquilo, e tudo o que se vê das janelas são casas cinzentas. O maior acontecimento da semana é quando o sujeito da casa em frente lava o carro aos domingos. Não me surpreende que ela esteja um pouco deprimida.

Enquanto comemos, ou melhor, enquanto eu como e ela enrola espaguete no garfo sem muito apetite, eu pergunto:

---

4. Sanduíche de carne assada e legumes no espeto em pão ázimo tipo árabe. Também conhecido por sanduíche grego ou *pitta*. (N.T.)

— Mãe, você sabe quem são as pessoas de quem a polícia está nos escondendo? Doug lhe disse alguma coisa?

Quero saber se Nathan está envolvido. O irmão de Arron é grande e forte. Ele sabe brigar e tem uns amigos meio barra-pesada. Arron adorava o Nathan, então a gente tentava o tempo todo acompanhar ele e seus amigos, geralmente no boliche. Às vezes eles deixavam e outras vezes mandavam a gente se mandar. Não exatamente com essas palavras, claro.

Dá para entender que Nathan seria um cara assustador para quem não o conhecesse e fosse burro o bastante para entrar em uma briga com ele. E com certeza ele quer que eu fique calado, pois foi o que me disse, mas não acho que ia querer me matar. Nathan parecia gostar de mim, ou era o que eu achava. Às vezes ele dizia para o Arron cuidar de mim. E ele também fazia entregas para o Sr. Patel. Será que atacaria sua loja?

Mamãe está com um olhar preocupado. Não sei se é porque tem alguma informação que eu não tenho ou se é porque sabe tão pouco quanto eu.

— Eu não sei quase nada, Ty, e não acho que vão nos contar. Mas me parece algo muito grande e muito organizado. Não acha?

Eu acho. Mas não gosto de pensar muito nisso.

CAPÍTULO 5
Intimidação

É tarde de sexta-feira, estou andando para casa e tenho todo o fim de semana pela frente. Eu poderia ir ao shopping amanhã encontrar alguns colegas da escola, mas me parece injusto abandonar minha mãe, apesar de não fazermos nada além de discutir.

Pode até ser bom poder parar de fingir o tempo todo, mas às vezes penso que fingir é só o que me faz continuar.

Entro pela porta da frente e ouço vozes masculinas na sala. Paro, tentando ouvir o que estão falando. Ouço as palavras "apenas temporário" e Doug aparece, todo amigo.

— Olá, meu jovem. Como vai a vida na escola nova?

Eu o ignoro e entro na sala. Mamãe está sentada, tomando chá com o detetive Morris e um de seus parceiros, um jovem sardento com cabelo ruivo. Lembro-me vagamente dele como um dos menos agressivos na delegacia. Apresenta-se como Detetive Policial Bettany.

— Ele acaba de chegar da escola. Posso pelo menos lhe fazer um lanche? — mamãe diz, como se estivessem aqui para me prender, e sai rapidamente. Ela me traz chá e biscoitos e volta para a cozinha com Doug. Espero que seja para falar de suas perspectivas de trabalho.

— Então, Ty, como está se adaptando à sua nova vida aqui? — pergunta o detetive Morris. Diferente de Doug, ele parece mesmo interessado. — Não deve ser fácil.

Levanto os ombros.

— Está tudo bem.

— Bom. Está fazendo amigos?

— Acho que sim.

— E os estudos? Qual é sua matéria favorita?

— Acho que francês.

Considero fácil aprender línguas. Em casa, além de aprender urdu com o Sr. Patel, aprendi um bocado de turco dos caras da loja de kebabs, e eu tinha conseguido um bico aos sábados limpando o estúdio de tatuagem e tinha convencido Maria, a recepcionista, a me ensinar português. Estou bem chateado de ter perdido essas oportunidades.

Minha maior ambição é ser fluente em umas 20 línguas e ser um desses intérpretes que trabalham para os times de futebol da Premiership League.[5] Conseguir aulas de português foi muito importante para mim, pois obviamente é uma língua-chave no futebol. Mas nunca falo muito sobre isso. Minha mãe está decidida que eu vou ganhar milhões na cidade, e Arron dizia que aprender línguas é coisa de gay.

— A escola está chata porque já fiz o oitavo ano. Mas o esporte é bom. Instalações incríveis.

O detetive Morris não sabe, mas acaba de descobrir mais da minha vida como Joe do que Doug e Mamãe juntos. Ele pergunta sobre o esporte, mas se interessa mais por futebol do que por atletismo, então não acho necessário falar sobre os treinos extras com Ellie. Para falar

---

5. Primeira divisão do futebol britânico. (N.T.)

a verdade, também gosto mais de futebol do que de atletismo. Esclarecemos que ele torce pelo West Ham e eu pelo Manchester United — sei que é errado para um londrino, mas Manchester é onde meu pai foi para a universidade — e ele chega ao motivo de sua visita.

— Ty, queremos conversar com você sobre os eventos que antecederam o ataque no parque. Apenas para apurar. Tenho certeza de que você também quer nos fazer algumas perguntas. Não há com que se preocupar.

Pode crer que tenho perguntas, penso, mas só concordo com a cabeça. O detetive Bettany está tomando notas, assim como fez na delegacia. Estão fingindo que é tudo muito amigável, mas não me sinto nada à vontade.

O detetive Bettany me mostra um livro de fotografias.

— Reconhece alguém aqui? Não só daquela noite, mas de qualquer lugar?

Indico alguns rostos que reconheço. Eles perguntam sobre a St. Saviour, com quem eu e Arron andávamos. Perguntam sobre a entrega de jornais. Perguntam sobre o que fazíamos depois da escola — dever de casa, geralmente, eu respondo. Acho que não acreditam muito em mim.

Eles perguntam sobre gangues. Alguém já tinha me convidado alguma vez para entrar em uma? Eu queria fazer parte de alguma? Isso depende. Depende muito do que você acha que é uma gangue. De acordo com os jornais, elas são mais para garotos negros e têm nomes, regras e tatuagens e coisas assim. Então respondo que não sem me preocupar.

Estou cansado e tento segurar um bocejo. Os policiais se entreolham. O detetive Morris pergunta:

— Você era amigo de Arron desde quando, uns 5 anos de idade?

Balanço a cabeça afirmativamente.

— Vocês foram os únicos meninos de sua escola primária a ir para a St. Saviour, certo? Os outros foram na maioria para a St. Jude ou Tollington?

Os nomes das escolas parecem saídos de um filme ou livro — longe e fictícios. Faço que sim de novo.

— Então você e Arron foram muito próximos no primeiro ano da escola secundária. As coisas continuaram assim? — Faço que sim novamente. A sala está quente e minha garganta está doendo, como se alguém a tivesse cortado com uma navalha. Meu braço está doendo tanto que mal consigo levantar a caneca de chá. Deve ser por causa do treino.

— Mas você fez novos amigos? Seu círculo aumentou? — pergunta o detetive Morris. Minha voz volta.

— Arron era bom em fazer novas amizades. As pessoas queriam ficar perto dele.

— Entendo.

Ele faz mais algumas perguntas. Coisas chatas. Nada que me preocupe. Mas não gosto de como ele parece achar que pode perguntar sobre qualquer coisa em minha vida. Faz eu me sentir exposto. Como na casa do *Big Brother*, só que lá seria bem mais legal do que nessa droga.

Então ele diz:

— Está bem, Ty, obrigado por responder às nossas perguntas. Sei que isso não é nada fácil para você. Agora pode perguntar o que quiser, embora lamente dizer que talvez haja coisas que a gente não possa lhe contar.

— Por que tem coisas que não podem me contar se eu tenho que lhes contar tudo? — pergunto.

— Como testemunha, não pode saber sobre nossa investigação, pois isso poderia afetar seu depoimento. É um caso de grande repercussão e é bom que tenha sido retirado da área local.

— O que quer dizer com grande repercussão?

— Há a possibilidade de racismo no caso. Há muita tensão no bairro.

— Mas não houve... Ninguém disse nada racista...

— Sim, mas você entende por que as pessoas pensam isso — ele diz, mas na verdade, quando penso na mãe negra de Arron e seus vários pais brancos e como seus irmãos eram todos de diferentes tons de marrom, não concordo com isso.

— Quem são as pessoas que querem me matar? — pergunto. — Quem detonou a loja? Eles podem me encontrar aqui? Essas pessoas... elas... são pessoas que a gente conhece ou são outras?

Lembro-me de Nathan, seu rosto próximo do meu, o suor escorrendo da testa para os olhos de modo que parece que está chorando, cuspindo as palavras.

— Fica de boca fechada ou eu vou tratar de fechá-la pra você. — Como ele pretendia fazer isso?

Morris me observa atentamente, como se considerando alguma coisa, então se decide.

— Como sabe, Ty, estamos lidando com três suspeitos. Três pessoas foram acusadas de um delito muito sério. Como são três, seus advogados vão tentar jogar a culpa para cima uns dos outros, além de lançar dúvidas sobre sua integridade como testemunha. Precisamos ter certeza absoluta de que está falando a verdade. Você certamente terá de responder perguntas difíceis no tribunal. Depois do incidente da bomba, ficamos preocupados que você pudesse ficar sujeito a intimidação. Por isso estamos tomando cuidados especiais com você e sua mãe na reta final antes do julgamento e, se acharmos necessário, depois também.

— Quem são eles? O que eles fazem? Por que não conseguem prendê-los? Por que querem me calar?

Morris hesita.

— Estamos confiantes de que podemos protegê-los — ele diz, o que nem de perto responde minhas perguntas.

— E quanto a minha avó e minhas tias? Vocês vão cuidar delas?

— Vamos ficar de olho nelas, sim. Por sorte, somente sua avó mora no bairro, certo?

— Sim, mas tem minhas tias também.

— Estamos fazendo o melhor que podemos, Ty, mas eu estaria mentindo se dissesse que podemos proteger cada membro de sua família.

Por que não? São só mais três pessoas, não um clã inteiro.

— Quando vai ser o julgamento?

— Os tribunais demoram. Espero que por volta do fim do outono. Quanto antes, melhor.

— Então serei Joe até lá?

— Sim. A não ser que haja motivo para mudá-los. Mas isso só acontecerá se você ou sua mãe fizerem algo errado, como entrar em contato com algum familiar ou amigo antigo, voltar a Londres para uma visita ou contar às pessoas aqui sobre suas identidades verdadeiras.

— O que as pessoas estão pensando? Por que acham que partimos?

— É bem possível que a maioria ache que você estava envolvido na briga no parque aquela noite, Ty. Os acusados são todos menores de idade e seus nomes não foram divulgados, então ninguém sabe quem são de verdade. Outros pensam que vocês se mudaram. No trabalho de sua mãe, por exemplo, acham que ela recebeu uma proposta de transferência para outra cidade e se mudou.

Ah, é? Duvido muito que tenham acreditado nisso. Primeiro, minha mãe amava seu trabalho. Segundo, se estivesse de partida, teria dado a maior festa do século, terminando com sua versão karaokê de "Love Machine", com minhas tias completando o resto do grupo Girls Aloud. Elas são conhecidas por isso. As pessoas dizem que deviam se apresentar no programa *The X Factor*.[6]

— Os acusados, eles estão presos?

— Estão em um instituto para delinquentes menores e até agora tiveram a fiança negada. — Devo parecer perdido, pois ele acrescenta: — Isso quer dizer que ficarão detidos até o julgamento.

---

6. *Reality show* que revela novos talentos. (N.T.)

— O que acontece depois do julgamento? Eu continuarei sendo Joe?

— É possível. Quando for testemunhar, certamente vamos pedir para proteger suas identidades, mas, depois do julgamento, pode ser mais seguro mudá-los novamente. No seu lugar, eu pensaria nessa fase como algo temporário.

Quero perguntar sobre Arron e sua família, mas a sensação na garganta voltou.

— Minha mãe pode conseguir um emprego? Vocês podem ajudá-la? Não sei se teremos dinheiro suficiente.

— Doug está aqui para ajudar nisso, e ele tem que assegurar que haja dinheiro suficiente de qualquer maneira, com ou sem emprego. — Morris se inclina para a frente. — Seria melhor se ela tivesse um emprego? Você acha que ela pode estar um pouco deprimida, se sentindo solitária?

É claro que sim, quero gritar, mas em vez disso apenas faço que sim com a cabeça.

— Está bem, vou falar com Doug. Tente não se preocupar demais. Obrigado, Ty. — E ele me dá seu cartão. — Se quiser falar comigo, ligue para esse número.

Por que eu ia querer fazer isso? Falar com ele é como assistir a um filme com o volume desligado. Você sabe que está perdendo partes importantes, mas só pode mesmo tentar adivinhar o que são. Você fica preenchendo as lacunas com ideias que podem ser piores do que a realidade.

Tem muita coisa que ele não está me dizendo. Mas será que ele tem ideia de quanto eu não estou dizendo?

CAPÍTULO 6
Ônibus vermelho

Estou agitado e sem sono, os nervos à flor da pele. Sinto um enjoo constante que tira completamente meu apetite. Estou vivendo quase exclusivamente de uma dieta de cafeína pura, Coca-Cola light para ser exato. Já me servi de alguns cigarros de minha mãe.

Não é a melhor maneira de começar um programa de treinamento pesado. Ellie ficou comigo no primeiro dia e me fez uma série de perguntas sobre saúde. Eu disse exatamente o que ela queria ouvir. Então eu durmo nove horas por noite, tenho uma dieta equilibrada e saudável e nunca fumei. Mais ou menos verdade até seis meses atrás, exceto por um ou outro kebab. Quase verdade há apenas algumas semanas. Mas agora me forço a mordiscar um bocado de cereais, que é tudo o que comi hoje antes de encontrá-la para a terceira sessão de treinos da semana.

É um dia limpo e ensolarado, mas, em vez de irmos para a pista de corrida, vamos para o ginásio da escola. Não é como qualquer outro ginásio escolar que já vi. Eles chamam de Fitness Suite e é cheio de equipamentos caros.

Faz silêncio, pois está todo mundo lá fora. Ela estabelece um programa para mim, me mostra como funcionam as coisas e escreve tudo.

— Não vou poder lhe dedicar tanto tempo nas próximas semanas — ela diz. — Tenho uma competição importante, então você precisa de um programa que possa fazer sozinho. — Parece que vai ser um treino puxado. — Você precisa de um cartão de acesso — ela acrescenta.

— Um o quê?

— Um cartão de acesso. É para poder usar as instalações esportivas da escola a qualquer hora. O problema é que não costumam dar cartões para alguém tão novo como você, mas eu posso falar com o Sr. Henderson se você quiser.

Ela dá um sorriso, e então estraga tudo.

— De qualquer jeito, você parece bem mais velho do que é. Não consigo acreditar que tem só 12 anos.

— Eu não tenho 12 *anos* — digo, me sentindo devastado, e remendo. — Tenho quase 14 anos, na verdade. — Que insulto! Vou fazer 15 anos em novembro.

Ela sorri.

— Desculpe. Eu vou pedir de qualquer jeito. — Ela me mostra quais botões apertar para programar a esteira para correr 40 minutos. — Eu volto logo.

É estranho correr na esteira, e eu não gosto muito. Sinto que estou prestes a perder o passo ou que vou me desequilibrar. Faço algumas tentativas até conseguir e enfim descubro que é mais fácil se fecho os olhos e imagino que estou ao ar livre. De início é difícil, então o ritmo e a respiração assumem o controle, e o movimento físico fica cada vez mais fácil.

Eu corro e corro, e em minha cabeça tem uma longa estrada que leva a Londres. Então estou de volta ao parque, correndo sem parar, o coração batendo forte no peito. Os pensamentos disparam em minha cabeça como ratos no lixo: ambulância, Arron, ambulância, Arron.

Estou correndo e correndo e não tem ninguém para me ajudar, então vejo o ônibus vermelho na estrada e sei que posso conseguir ajuda e que posso ajudar Arron, e o ônibus vermelho é sangue vermelho e está encharcando minha camisa branca...

Aperto o botão de parada de emergência da esteira e desço da máquina cambaleando. Vou desmaiar ou vomitar ou algo assim. Caio de joelhos e me encolho em uma bola. Tento parar a tremedeira que me dominou. Ainda estou assim quando Ellie volta.

— Meu Deus! — ela exclama. — Você está bem?

Não consigo falar. Concentro-me em parar de tremer. Ela estende a mão, se inclina em minha direção, esfrega meu ombro e pergunta, preocupada:

— Joe, o que houve? Você está bem?

Com um esforço gigantesco eu consigo sentar, mas não consigo falar. Respiro fundo e abraço meus joelhos contra o peito. Tenho que parar de tremer, tenho que parar de enxergar o sangue, a lama, a carne exposta, parar de pensar na ambulância, parar o pânico. Deus do céu, Ty, controle-se.

Ellie me dá uma garrafa de alguma bebida doce para esportistas.

— Tome isto. Talvez esteja desidratado. — Eu tomo um gole. Ajuda. — Devo pedir ajuda? Está sentindo dor?

Balanço a cabeça negativamente, envergonhado. Quero falar, mas toda vez que abro a boca, fecho de novo porque estou com muito medo de que o que sair vá soar como um grito.

Ellie esfrega meu ombro, e eu agarro sua mão. Sinto como se ela fosse a única coisa que me mantém seguro. Olho em volta. Ainda bem que estamos sozinhos. Ellie segura minha mão e lentamente eu me acalmo. É estranho olhar para ela de baixo para cima quando foi sempre o contrário.

Ficamos sentados em silêncio durante o que parece ser horas, mas ela acaba dizendo:

— Você parece estar melhor agora. Pode me dizer o que houve?

Ainda estou segurando a mão dela, como um bebê patético. Eu a solto imediatamente. Ela se endireita e imagino como deve ter sido desconfortável para ela ficar inclinada para a frente para me tocar. Gostaria de sair correndo, mas devo a ela um pouco da verdade.

— Eu fechei os olhos enquanto corria e esqueci onde estava. Foi como um flashback.

— Um flashback de uma lembrança bem assustadora — diz ela, obviamente morrendo de vontade de saber mais.

— E não comi bem hoje. Imagino que isso não tenha ajudado.

Ela olha para o relógio.

— São seis horas agora. Você consegue trocar de roupa? Podemos ir até a High Street tomar um café, comer um lanche e conversar um pouco. Não quero que isso aconteça sempre que estiver treinando, ainda mais se eu não estiver por perto. E olha... — ela enfia a mão no bolso. — Consegui um cartão de acesso para você, mas foi a maior briga. Por isso demorei tanto. Tem um garoto do seu ano, Carl alguma coisa, que é o capitão do time de futebol sub-14. Ele ficou furioso por ele e seu time não ganharem cartões também. Discutiu por horas. Mas o Sr. Henderson disse que podia abrir exceção para um, só que, se deixasse eles entrar, teria que abrir para centenas. Espero que não tenha problemas por causa disso.

Eu levanto os ombros em descaso.

— Obrigado, de qualquer jeito.

Ela parece pensativa.

— A não ser que isso tenha lhe desanimado de continuar treinando. Acha que pode acontecer de novo?

Eu paro para pensar.

— Não, eu gosto de treinar. Na maior parte do tempo faz eu me sentir muito melhor. Foi só hoje que não estava bem.

— Bom. Pode levantar? Devia fazer um pouco de alongamento também.

Eu levanto, me alongo. Trinta minutos depois estamos sentados em um café de comida orgânica na High Street.

— Não acho que vamos encontrar ninguém de seu fã-clube aqui. Devem estar todas tomando *frappuccinos* no Starbucks — diz Ellie, e pede um prato com arroz integral para nós dois.

— Como assim, meu fã-clube?

Ellie ri.

— Joe, você precisa entender que tomou a escola de assalto. A maioria das meninas do oitavo ano, e do sétimo e do nono também, está louca por você. Você é o assunto da cidade.

Ela só pode estar brincando.

— Como você saberia? — pergunto cautelosamente.

— Ah, eu tenho fontes impecáveis — responde. — Tenho uma irmã no oitavo ano. Além disso, superviso um grupo de jovens atletas femininas. Pode acreditar, eu sei de tudo.

— Você tem uma irmã no oitavo ano? — Não sei como não percebi alguém parecida com Ellie, especialmente se estivesse de olho em mim.

— Na sua sala. Claire. Óbvio — ela acrescenta apressadamente — que ela só me diz o que as outras meninas pensam. Ela não é de seguir a maioria.

Claire? Aquela ratinha toda encolhida que senta na minha frente? Como pode ser irmã da Ellie?

— Ah, sei. Ela não é de falar muito. — Estou procurando um jeito de saber mais sem parecer convencido.

— Todas pensam que você parece mais velho do que realmente é. Por isso brinquei com você sobre ter 12 anos. Pelo que dizem, você é muito misterioso. E tem seu rosto também.

Acho que ela ainda está de gozação comigo, mas parece que meu disfarce não está dando muito certo. Mordo os lábios. É o que faço quando fico preocupado.

— Você não gosta disso? É bom, não é? — Ellie pergunta.

— Eu não sei. É meio complicado.

— Posso imaginar.

— Ellie, por favor, você não vai contar para ninguém o que houve, vai?

— É claro que não. Mas queria que você não estivesse sozinho. Se tivesse desmaiado na esteira, poderia ter se machucado.

— Sim, sim. Mas não aconteceu nada. Eu nem cheguei a desmaiar.

— Quanto você está comendo, Joe? Aquilo foi tudo embromação, não foi, quando fizemos o questionário de saúde?

— Hã, bem, na verdade nem tanto, porque costumo comer e dormir bem e tudo o mais. É só que as últimas semanas têm sido um pouco... hã... difíceis. Quer dizer, eu respondi de maneira geral. — Eu tinha respondido sobre quando a Vovó estava por perto para ficar de olho em mim, na verdade.

— Então, agora, como está se alimentando e dormindo? Está fumando, bebendo?

— Bem, acabamos de nos mudar, então a alimentação está meio caótica. Quer dizer, não temos uma rotina de mercados locais e coisas assim. E venho tendo dificuldade para dormir. E minha mãe diz que fumar ajuda a acalmá-la, então resolvi experimentar para ver se ajuda. — Cutuco o arroz integral. É estranho, mas é legal comer uma refeição de verdade que eu mesmo não precisei preparar.

— Pelo amor de Deus, Joe, você ficou maluco? Acaba de ganhar a chance de pertencer a uma das melhores equipes de atletismo escolar do país e resolve começar a fumar?

— Hã, bem...

— Por que vocês se mudaram, afinal de contas?

Por quê? Hmm...

— Minha mãe rompeu com o namorado e queria um novo começo.

— Penso que é até uma boa história para inventar assim de improviso.

— E quanto ao seu pai?

— Eu nunca o vejo.

De repente me lembro de algo que minha avó disse uma vez sobre meu pai. "Aquele Danny Tyler", resmungou, "tão bonito que tinha o próprio fã-clube. E claro que sua mãe tinha que superar todas as outras." Vovó parecia não gostar muito de meu pai, mas o comentário de Ellie sobre meu fã-clube me faz sentir mais próximo dele. Me chamo Tyler por causa de meu pai, e mudar de nome significou perder essa pequena ligação.

— Então você e sua mãe devem estar se sentindo solitários em uma cidade nova, começando de novo.

— Nós estamos bem.

— Eu ficava assim quando estava no hospital, logo depois de meu acidente. — Fico espantado com a facilidade que ela tem para falar sobre isso mesmo quando sua vida deve ter ficado destruída. Entendo um pouco como é isso. — Eu fiquei em um estado horrível. Eu me culpava, culpava os outros... não conseguia ver um futuro. Só queria voltar no tempo. Um dia uma fisioterapeuta veio me ver. Eu me recusei a cooperar com ela. Só gritava e berrava. E ela disse: "Grite o quanto quiser, nada vai mudar se você não mudar".

— O que aconteceu? Por que você mudou?

Ela sorri.

— Ela me deu algo em que pensar e isso me ajudou muito. Comecei a me trabalhar, a assumir o controle. Mas o melhor de tudo foi descobrir que estar em uma cadeira de rodas não era assim tão ruim.

— Como assim?

— Quando você corre em uma cadeira de rodas, é como voar. Sério, Joe, é melhor do que ciclismo ou esqui.

Penso se um dia no futuro voltarei a ser Ty de novo e poderei dizer: "Uma vez tive que me esconder porque testemunhei um crime. Não foi tão ruim assim quando eu era Joe". É inimaginável. Isso nunca vai ser algo sobre o qual poderei falar.

— Então, Joe — ela diz —, você tem que deixar o passado para trás. Esqueça. Seja positivo e mantenha o foco naquilo que você pode conseguir agora, pois você pode se dar muito bem. Você pode chegar ao topo.

Eu levanto os ombros.

— Vou tentar. — Bem que eu queria, mas o passado não vai me deixar em paz. Entraram umas pessoas no café, e já começo a ficar apreensivo enquanto dou uma conferida nelas.

Ellie bate na mesa.

— Isso não basta. Não fique aí sentado, dando de ombros e tentando dar uma de descolado. Estou desperdiçando meu tempo? Quero que mostre um pouco de comprometimento. Deus, é frustrante ver alguém com tanto potencial não dando cem por cento.

Não sei o que dizer. As pessoas estão olhando.

— Farei o melhor que puder.

— Melhor que sim. — Ela é um pouco assustadora quando fala assim. Mas não me importo de ela me cobrar. Ela é tão incrivelmente bonita.

Ela anota uma dieta de treinamento para mim e pergunta se posso segui-la por uma semana para ver como me sinto. Pergunta se posso tocar música em meu iPod para manter minha mente ocupada quando treino. Sim, ótima ideia. Ela diz que não devo só correr na esteira. Devo fazer treinos escalonados de modo que precise me concentrar e mudar o programa.

— Você tem que prometer que não vai fumar ou eu vou à sua casa falar com sua mãe.

— Mas que droga, Ellie.

— Olha que eu vou.

E iria mesmo. Melhor mantê-las separadas.

Deixamos o café e combinamos o treino do dia seguinte. Ao sairmos, ela tem que manobrar em volta de um buraco na calçada, e eu me pergunto se não deveria ter me oferecido para empurrá-la para casa ou se estava sendo grosseiro. Não faço a menor ideia de como agir com uma cadeira de rodas. Geralmente finjo que nem está ali.

Deve ser tão difícil para ela nunca poder ser normal. E, quando se está presa a uma cadeira de rodas, deve ser mais do que irritante ver gente sem problemas não aproveitando a vida ao máximo. Gente como eu. Eu vou dar o melhor de mim pela Ellie.

Então corro todo o caminho de volta para casa, pois está ficando tarde e quero chegar antes de escurecer.

Ao abrir a porta da frente, sinto imediatamente que tem algo errado. O cheiro não é o de sempre de cigarros e poeira. É mais forte... mais esfumaçado. Cristo, tem alguma coisa queimando.

Abro a porta da cozinha — nada —, então a sala de estar. A televisão está ligada, sem som, e lá está minha mãe, esparramada no sofá, cabeça para baixo, imóvel, e uma fumaça espessa e negra cobrindo tudo.

CAPÍTULO 7
Balamory

Corro até ela, seguro-a sob os braços e a arrasto até a porta da frente. Está viva. Ao ar livre, ela começa a acordar e a tossir, engasgando e cuspindo. Eu a deixo ali, pego uma toalha na pilha de roupa suja que se acumula há uma semana na cozinha e corro de volta para a sala.

Bomba de gasolina... incêndio proposital... estou em pânico, mas percebo que isso é algo completamente diferente. Não tem fogo em lugar algum, nada de chamas. É o sofá que está ardendo. A fumaça sai de um buraco escuro no tecido bege. Eu abafo com a toalha e olho em volta. Ainda ouço Nicki tossindo na porta da frente.

Será que alguém a atacou? Alguém bateu nela, deixou-a inconsciente e botou fogo no sofá? Olho em volta, mas não há sinais de briga, nada quebrado ou algo assim.

Há garrafas espalhadas sobre o carpete marrom. Finalmente ela saiu para fazer compras: até a loja de bebidas para comprar uma caixa de *alcopops*.[7] Pelo visto, ela bebeu todos. Tem uma ponta de cigarro no sofá. Se eu não tivesse chegado a tempo, ela estaria morta.

---
7. Bebidas parecidas com refrigerantes, mas com teor alcoólico. (N.T.)

Abro todas as janelas, jogo fora as garrafas, verifico se o fogo apagou mesmo. Vou até a porta no momento em que ela vomita todos os Breezers e Coolers[8] e tudo o mais na calçada. Um vizinho passando em frente faz cara de nojo e sai apressado. Queria poder fazer o mesmo. Em vez disso, busco um copo d'água para ela, então pego um esfregão e o alvejante e jogo um pouco de água na calçada. Ela está chorando.

— Eu sinto muito, desculpa, Ty.

— Que droga, *Mãe*, dá pra ficar calada? Espera até entrarmos em casa.

Ela soluça, e eu acabo de passar o esfregão no escuro. Passado um tempo, entramos e fechamos a porta da frente. Tudo ainda cheira a fumaça. Sentamos na cozinha e faço um chá para ela. Quando procuro leite na geladeira, vejo que ela até comprou frango e verduras para o jantar. Se pelo menos eu tivesse vindo direto para casa.

Claro que já vi minha mãe embriagada antes. Quando ela sai com as amigas, todas elas tomam algumas, talvez muitas bebidas. Já a vi alegre e, às vezes, ela fala um pouco alto demais, mas fica feliz, canta e é divertida. Quando planeja uma grande noitada, eu vou para a casa da Vovó e tudo o que vejo é a ressaca e a cara pálida dela no dia seguinte. Mas ela nunca fez isso antes. Beber sozinha? Desmaiar?

Ela não consegue parar de chorar. Não consigo achar lenços de papel, mas pego um rolo de papel higiênico e coloco na mesa da cozinha em frente a ela. Então ficamos sentados ali, ela chorando, eu de braços cruzados, em silêncio. É como se eu fosse o pai e ela, a adolescente malcomportada.

— Ty, eu estava me sentindo tão só. Achei que uma bebida iria me animar.

— Uma bebida ou seis.

— Eu não sabia onde você estava. Fiquei preocupada com você. Eu pensei, vou tomar só mais uma, então perdi a noção do tempo.

Isso não é culpa minha.

---

8. Idem nota anterior. (N.T.)

— Ou seja, desmaiou e causou um incêndio.
— Desculpa, desculpa. Sou uma péssima mãe.

Sei que ela quer que eu a abrace e diga quanto a amo e como ela é uma ótima mãe. Ty teria feito isso, mas Joe é duro e frio e impiedoso. Detesto o antigo Ty quase tanto quanto a odeio. "Garotinho" era como Arron às vezes me chamava, e eu ardia de vergonha. Agora Joe vai ser frio e insensível.

Digo as palavras que mais vão magoá-la.

— Queria que a Vovó tivesse vindo comigo, e não você — e vou desligar a televisão. O cheiro ruim continua na sala, mas preciso fechar a janela para podermos dormir sabendo que ninguém vai entrar. Somente quando retiro a toalha do sofá é que vejo. O celular da minha mãe. O que ela estava fazendo com ele enquanto bebia?

Eu pego e aperto o botão de histórico de chamadas. O número de minha avó aparece. Eu sabia. Sabia que ela tinha feito alguma burrice tremenda. Lembro-me de Doug dizendo que as redes móveis são extremamente perigosas. E se houver alguém grampeando as chamadas da Vovó? O que faço agora? Conto para o Doug? Isso quer dizer que não posso mais ser Joe?

Volto para a cozinha. Entrego a ela o celular, e ela olha para mim. Está se perguntando se eu sei o que fez. Não vou dizer.

— Está tarde e devíamos dormir — falo, mas, deitado, acordado no meu quarto vazio, escuto ela chorando lá embaixo por um longo tempo. Não consigo dormir. Abri todas as janelas de nossos quartos para não morrermos intoxicados pela fumaça, e está congelando.

Lembro-me de uma vez em que eu devia ter uns 6 anos. Estava na casa da Vovó, debaixo da mesa, brincando com meus carrinhos. Minha Tia Louise estava conversando com Vovó. Lou disse:

— Nicki precisa se acertar ou isso vai acontecer de novo, e você é que vai ter que segurar as pontas.

E Vovó disse:

— Louise, você sabe que vou sempre estar aqui para meu xodó.

Então empurrei meus carrinhos — *brrrrrm* — saindo da garagem, e elas pararam de falar. Eu não tinha entendido do que estavam falando, mas tinha guardado na memória. E mesmo sendo Joe, o sujeito durão, o cara descolado, queria poder ficar com a Vovó e ser seu xodó novamente.

Na manhã seguinte, Mamãe ainda está dormindo na hora em que preciso ir para a escola. Sento à mesa vestido em meu uniforme e não sei o que fazer. Finalmente pego o telefone e ligo para a escola.

— Sou Joe Andrews da turma 8R e não vou à escola hoje — digo, e não consigo mais mentir hoje. — Minha mãe está doente e preciso cuidar dela.

A secretária que atendeu fica surpresa.

— E você é a única pessoa que pode cuidar dela?

— Ela geralmente não precisa que cuidem dela, mas hoje sim, e é comigo.

— Eu não sei. Talvez precise colocar isso como ausência não autorizada.

— Não importa. — Desligo o telefone. Em seguida, olho na bolsa da Mamãe e pego 50 libras. Tomo o ônibus até o supermercado e compro ovos, pão, arroz integral, macarrão, verduras e frutas. Tudo que tem na lista da Ellie. Recebo olhares curiosos no ônibus, devia ter tirado o uniforme escolar, mas ninguém me questiona. Subo a ladeira de casa com as compras e entro silenciosamente. São dez da manhã e minha mãe ainda está dormindo.

Mando uma mensagem por celular para Ellie: "*Desculpe, não posso ir ao treino hoje. Mãe doente*". Então abro todas as janelas de novo e passo um desodorizante forte em tudo. Limpo a cozinha — algo que não é feito há tempos — e depois o banheiro. Verifico a calçada da frente e limpo de novo, pois meu esforço da noite anterior não bastou para dar conta do serviço.

Faço um chá com torradas e levo para cima. Mamãe está começando a acordar, então largo tudo ao seu lado e desço novamente, pisando forte. Viro a almofada do sofá para esconder o buraco queimado, deito e assisto a um programa sobre preços de casas, depois outro de culinária. Então perco o fio das coisas completamente e mudo para o CBeebies.[9]

Quando Mamãe finalmente consegue descer, estou assistindo a *Balamory*.[10] Queria eu ter os problemas deles, todas aquelas pessoas engraçadas morando em uma ilha em casas coloridas. Ela se senta ao meu lado e timidamente toca meu ombro. Eu me esquivo como se ela tivesse me mordido.

— Ty, querido — sussurra ela.

— Estou vendo televisão — respondo rosnando, e viro as costas.

— Por que não foi para a escola? — pergunta. Eu me concentro em Archie, o Inventor, que não quer atravessar a rua. — Estou bem, Ty. Você não precisava matar aula.

— Não matei aula. Liguei e disse que você estava doente.

— Ah.

Ficamos sentados assistindo a *Balamory*, igual a quando eu tinha 4 anos, mas então era *Thomas e Seus Amigos*, e ficávamos abraçados. Agora estamos sentados longe um do outro o máximo que o nosso pequeno sofá permite. O policial Plum está ajudando Archie a atravessar a rua. Dois homens crescidos de mãos dadas. Talvez seja a coisa mais boba que já vi na televisão, mas tem algo ali que me faz querer chorar. Estou com certeza ficando louco. Então ela diz:

— Ty, liguei para a sua avó ontem à noite. Sei que foi uma burrice.

— Você foi mesmo burra. Como ela estava?

— Nem consegui falar com ela. Só deixei um recado.

---

9. Canal infantil da BBC (British Broadcasting Company). (N.T.)
10. Programa infantil ambientado em uma ilha fictícia chamada Balamory. (N.T.)

— Ah, maravilha. Você nos põe em risco só para deixar Vovó preocupada reclamando de como sua vida é uma droga aqui. — E de como é tudo minha culpa, mas eu não falo essa parte.

— Acha que devemos contar ao Doug?

Eu só tinha passado a noite inteira pensando nisso.

— Não faz diferença. Ele nos deu os telefones, não deu? Então deve receber as contas. Ele vai saber.

— Ah. Eu sinto muito.

— Não faça de novo.

Volto para a cozinha, faço ovos mexidos para nós e sentamos para comer sem nos falarmos. Ao terminar, eu me levanto, mas sua mão agarra meu pulso.

— Me solta!

Estamos ambos exaltados.

— Você tem que parar com isso e me ouvir, Tyler, ou juro que vou enlouquecer.

— Eu não tenho que fazer nada que você me diz.

Ela começa a gritar.

— Você tem sim! Senta aí e me escuta. Se não fosse por você correr atrás do Arron quando ele não queria, não estaríamos aqui para começo de conversa.

Ele queria que eu o seguisse, acho. Mas não falo nada. Fico sentado. Escuto. Mas não olho para ela.

— Isso está sendo difícil para nós dois, Ty, e nossa única vantagem é que temos um ao outro. Podemos nos ajudar a atravessar essa fase. Se brigarmos o tempo todo, não temos nada.

Não é verdade, eu acho. Eu sou Joe, atleta em potencial. Tenho treinamento especial e um cartão de acesso. Tenho um fã-clube de candidatas a namorada e um monte de garotos no meu time. É você quem não tem nada. Vacilona.

— Isso está sendo muito difícil para mim, Ty. Tenho só 31 anos. Tenho meus próprios sonhos: conseguir o diploma em Direito, qualificar-me como advogada, encontrar alguém especial, talvez até casar, talvez até te dar um irmão ou uma irmã. Como vou conseguir isso se mudarmos de identidade a cada seis meses? Que tipo de vida vamos ter? Você tem a escola para ir todos os dias, mas eu só fico sentada aqui imaginando se você está seguro até que chegue em casa. Quando saio, fico o tempo todo olhando para trás para ver se tem alguém me seguindo. — A voz dela treme, mas ela consegue segurar o choro. — Não sei o que está acontecendo com você. Está tão alto e parece tão diferente. Não são só os cabelos e olhos escuros, é tudo em você. Você costumava me contar tudo, Ty, agora nunca mais conversamos.

Ela achava mesmo que eu ia ser o bebezinho Ty para sempre? Será que ela acredita mesmo que venho contando tudo para ela nos últimos anos? Estou zangado demais para sentir pena dela, mas tem uma parte pequena de mim que não quer deixar essa discussão se aprofundar mais.

— Livre-se dos cigarros — digo, e ela fica chocada.

— Eu vou diminuir, prometo, mas não acho que conseguirei parar assim de repente.

— Livre-se dos cigarros, senão vou ficar o dia todo na escola preocupado se você vai botar fogo na casa como quase fez ontem.

Ela pega a bolsa, tira de dentro o maço e joga no lixo da cozinha. Então, dois segundos depois, enfia a mão no lixo e pega de volta. É patético.

— Prometo que só fumo lá fora — diz ela.

— Então você tem que sair. Tem que fazer compras e quem sabe arranjar um emprego, ou ir para uma academia ou fazer um curso ou qualquer outra coisa, Nicki. Não pode só ficar sentada aqui o dia todo.

— Esta é a primeira vez que você me chama de Nicki em semanas — ela diz em um tom mais feliz.

— Isso não vai acontecer de novo.

— Ah, vai sim. — Ela está sorrindo agora.

— Olha, a gente tem que fazer isso direito. Temos que ser pessoas novas, não só fingir.

— Como podemos ser pessoas novas se tenho que pintar seus cabelos a cada duas semanas? Eu não quero ser uma pessoa nova. Dei o maior duro para conseguir uma vida para nós, para sairmos da casa de sua avó. Fiz tudo sozinha. Para quê?

— *Cê num* tem escolha — falo errado de propósito, pois sei que vai deixar ela louca. Minha mãe é obcecada por falar direito, como falam na televisão. Diz que é o meu passaporte para uma vida melhor e que, se ela consegue, eu também posso. Claro que, quando ela perde a paciência, xinga como qualquer um, mas nunca é uma boa ideia dizer que ela está dando mau exemplo.

Quando eu disse que urdu e português seriam meu passaporte para uma vida melhor, ela ameaçou me proibir de falar com o Sr. Patel e especialmente com Maria, do estúdio de tatuagem. Tem horas em que ela simplesmente não me entende.

Ela reage exatamente como esperado.

— Fale direito, Ty, e não seja abusado. Por que lhe mandei para uma escola tão boa quanto a St. Saviour se vai falar como um ignorante?

— Não devia ter se dado ao trabalho — respondo. Queria que ela nunca tivesse me mandado para a St. Saviour. Era uma escola pública posando de particular e tinha pais e alunos à altura.

Ela suspira.

— Seu pai foi para a St. Saviour, Ty, e eu sempre disse que você estudaria lá para usufruir de algumas das vantagens que ele teve. Ele recebeu uma ótima educação lá e foi para a universidade. Você ainda pode conseguir o mesmo. Não precisa ser como eu e arruinar sua vida ainda adolescente.

— Muito obrigado — digo educadamente, em um tom perfeito de noticiário das oito. — É bom saber que arruinei sua vida.

— Você não arruinou minha vida. Fui eu, porque eu era uma burra. Você ainda pode fazer algo da sua vida.

— E você também. É só tocar para a frente.

Ela revira os olhos.

— Eu sei que tenho sido um desperdício de espaço. Quer saber, por que não vem comigo fazer umas compras no fim de semana? Se eu comprar umas roupas novas, talvez me sinta melhor. Você deve estar precisando de alguma coisa também. Vai ser bom fazermos alguma coisa juntos.

Não tenho escolha senão aceitar. Ainda estou com raiva, mas não posso negar que a amo. Sinto por ela uma pena de doer e muita falta de vê-la feliz.

Mas também sei o suficiente sobre minha escola para lembrar que todo mundo vai ao shopping no sábado de manhã, e tenho certeza de que ninguém vai com a mãe. Como saio dessa? Joe Andrews não vai cometer suicídio social se eu puder evitar.

CAPÍTULO 8
Relatório completo

São 6h30 da manhã, estou me preparando para ir à escola e usar a academia antes de as aulas começarem, quando alguém bate na porta. Quem diabos pode ser tão cedo? Puxo a cortina da sala de estar para olhar e vejo Doug — uma versão amarrotada, barbada e com cara de poucos amigos do Doug. Abro a porta relutantemente e fico diante dele com a mochila da escola e minha bolsa de educação física na mão, pronto para partir imediatamente.

— O que você quer? — pergunto. — Minha mãe está dormindo e eu estou indo para a escola.

— Por que a pressa? Mal amanheceu. — Poderia dizer o mesmo a ele, mas não vale a pena. Ele boceja. — Sua avó me ligou. Disse que você andou deixando mensagens no telefone dela. Este é o tipo de problema que me faz dirigir a noite toda para resolver.

— Foi Mamãe, não eu. E foi só uma mensagem.

— Bem, sua avó está apavorada. — Não acredito nele. Nada assusta a Vovó. — Estou encarregado da segurança dela também, e ela está sob instruções severas para me contar qualquer acontecimento que possa pôr em risco a segurança de qualquer um de vocês. Ao contrário de você e sua mãe, sua avó tem a cabeça no lugar.

Então Doug está encarregado de cuidar da Vovó também. Isso não me deixa nada confiante.

— E aí, o que vai acontecer? Estamos em perigo? Vamos ter de mudar?

— Isso cabe a mim discutir com sua mãe. Pode acordá-la?

— Não — respondo. Estou farto disso tudo. — Acorda você ou espera. Eu vou pra escola. — Passo por ele e desço a calçada correndo. Mereço pelo menos um dia de uso do cartão de acesso, mesmo que amanhã tenha de ir para... onde?

Tiro Doug da cabeça e faço uma sessão de malhação fantástica na academia. Coloco minha música — o iPod que Arron me deu no meu aniversário de 14 anos, o aniversário que foi removido da história — e deixo o ritmo preencher minha cabeça. Mergulho tão fundo no treino e na música que apago toda a preocupação e as lembranças e sinto uma espécie de alegria me tomar.

Quando termino, estou encharcado de suor e só tenho dez minutos para me arrumar para a chamada. Mas assim que entro no vestiário caio da minha nuvem de endorfina. Carl e o resto do time sub-14 me cumprimentam aos gritos. Não me sinto à vontade, nessas circunstâncias, para tirar a roupa e seguir para os chuveiros, então me sento e fico mexendo na mochila, na esperança de que saiam logo.

Carl é um garoto corpulento com cabelos tão curtos que dá para ver a pele rosa do escalpo. Ele tem olhos azuis típicos de Manchester City, cílios curtos quase brancos e uma boa dose de sardas pelo rosto. É o único menino do oitavo ano mais alto do que eu e tem o dobro da largura. Parece mais um jogador de rúgbi do que de futebol, mas aparentemente é uma parede na defesa e já foi sondado para a escola de um time de primeira divisão. Se fossem fazer um filme dele, seria interpretado pelo Shrek.

Ele mete o rosto em minha cara.

— Você se acha o esperto, não é, fazendo sua namorada te arranjar um cartão de acesso?

Não vou entrar nessa discussão.

— Olha, parceiro, a decisão não é minha. Por mim, todos vocês teriam cartões de acesso.

— Ah, não vem com essa. Você se acha melhor do que a gente só porque veio de Londres. Pois é melhor ficar ligado ou pode descobrir que não é tão esperto assim, e as garotas também não vão te achar isso tudo. A gente pode ter que reorganizar esse seu rostinho.

Deus, esse cara não consegue nem fazer uma ameaça decente! Não consegue nem acertar as palavras quando faz uma ameaça.

O sino toca para a chamada — droga — e eles saem. Eu corro para o chuveiro e tomo a ducha mais rápida da história, mas ainda estou abotoando a camisa com a gravata voando por cima do ombro quando chego correndo na sala. Estão todos descendo em fila para a assembleia. Ashley Jenkins e as amigas assobiam para mim, mas eu me concentro na porcaria dos botões.

Nosso coordenador, o Sr. Hunt — pode imaginar seu apelido,[11] e ele faz o possível para merecê-lo —, não parece nada feliz comigo.

— Gentileza sua aparecer hoje, Joe — diz, bem sarcástico. — Embora prefira que os alunos apareçam vestidos em sala de aula.

— Desculpe, senhor. — Estou dando o nó na gravata e tentando fechar os punhos da camisa ao mesmo tempo.

— Pode explicar sua ausência não autorizada ontem? Uma crise doméstica, pelo que entendi.

Se ele sabe, por que pergunta?

— Sim, senhor.

— Não precisa me chamar de senhor, Joe. Não está na escola militar aqui.

---

11. Referência a uma rima com palavra pejorativa equivalente ao termo "babaca" em português. (N.T.)

Oi? Não tenho paciência para isso. Tenho problemas maiores do que o Sr. Hunt imagina e posso nem estar em sua classe amanhã.

— Devo ir à assembleia, senhor, ou prefere que lhe explique sobre como minha mãe estava doente? — pergunto, no tom mais entediado que ouso.

— Um dia de detenção para você por aparecer semidespido. Agora vá para a assembleia — ele diz. Eu chego bem a tempo de entrar em forma com minha turma ao lado da pequena Claire, que fica toda rosa quando me inclino para ela e sussurro:

— Eu não sabia que você era a irmã de Ellie.

— Silêncio! — grita o Sr. Hunt, e todos ficamos catatônicos enquanto o diretor discursa sobre escolhas morais e como isso está ligado aos uniformes escolares. Tomar a decisão correta se torna um hábito, assim como estar bem-vestido — ordem externa, disciplina interna — blá, blá, blá. Não faz o menor sentido para mim.

No intervalo, Brian, da mesa ao lado, diz:

— Espera aí, Joe. — E pega uns papéis da bolsa. — É o dever de casa que você perdeu ontem. Achei melhor guardar para você. Tem que fazer este para segunda-feira e este aqui... — ele folheia vagarosamente uma pilha enorme de matemática —, páginas quatro, cinco e seis até quarta-feira.

Claro que poderei estar em qualquer lugar até lá. Mas ele foi legal pegando o dever para mim. Não é o tipo de coisa que Arron teria pensado em fazer. Na verdade, Brian, agora que paro para pensar nisso, parece ser um sujeito legal. Alguém em quem posso confiar.

— Obrigado, Bri, isso é ótimo. Ajuda muito. — Coloco os papéis em minha mochila. — Bri, posso lhe pedir um conselho confidencial sobre uma coisa?

Brian está radiante.

— É claro.

— Bem, sabe Carl e sua turma? Quando eles fazem ameaças, o que acha que eles têm em mente? Eu preciso, você sabe, me preocupar com eles?

Brian não faz ideia do que estou falando. Posso ver isso em seus olhos de menino de 13 anos de cidade pequena.

— Ele é metido a valente, mas na maior parte é só conversa — ele diz. — Geralmente escolhe gente menor do que você.

Isso me parece bom, mas preciso ter certeza.

— Então eu não preciso estar, sabe, preparado? — Ele não entende, e eu preciso ser claro. — Armas, facas, Bri. Ninguém aqui usa isso, usa?

A ficha cai. Ele balança a cabeça negativamente.

— Nossa... não, eu acho que não. — Ele parece curioso. E impressionado. — É com isso que está acostumado?

Não vou entrar nessa e mudo de assunto, habilidoso como um drible do Ronaldo.

— Sabe esse negócio de todo mundo ir ao shopping no sábado de manhã?

— Sim... Quer vir com a gente? — pergunta Brian, meio nervoso, meio esperançoso.

— Bem, sim, mas o negócio é que minha mãe... é aniversário dela, sabe, e ela quer que eu vá às compras com ela e não sei como vai parecer. — Eu paro de falar. Percebo que sou bem mais claro falando sobre brigas e facas do que sobre etiqueta e compras.

— *Você* provavelmente consegue sobreviver a isso — diz Brian sem hesitar. — Eu nunca conseguiria. Claro que depende de sua mãe. Ela é legal?

As palavras não ditas "como você" ficam no ar entre a gente, e de repente já me sinto bem melhor com a história toda do shopping. Há seis meses, quando minha mãe era muito mais legal e eu nem um pouco, isso nem teria sido um problema.

— Ela é legal. E talvez eu dê um jeito de despachar ela e ficar com vocês — digo, e Brian fica obviamente encantado. Não consigo deixar de comparar seu entusiasmo amigável com Arron. Arron, que nunca parecia ter tempo para mim. Arron, com seus novos amigos assustadores. Arron, com suas piadinhas e derrubadas que me faziam pensar se na verdade ele não queria mais ser meu amigo... mas aí veio o iPod... Lembro-me do Ty, paciente e ansioso, examinando todos os sinais misturados que seu amigo enviava e fico enojado com o pobre coitado — digo a mim mesmo. Está cada vez mais difícil me lembrar de que eu era Ty, que ele era a mesma pessoa que eu sou agora.

Vamos para o pátio e jogamos bola com os amigos do Brian, e está tudo bem até que Carl e seus amigos decidem jogar conosco. Eles bicam a bola para todo lado e então Carl acerta minha canela em um ataque disfarçado de tomada de bola.

— Ai! — Eu caio estatelado. Carl e seus comparsas estão gritando e rindo de mim. Ainda bem que ele não estava usando chuteira de travas, ou minha perna estaria pulverizada. — Se liga! — grito, mancando para fora de campo e imaginando se vou poder treinar com a Ellie hoje. Durante a tarde um hematoma enorme surge e dói bastante quando corro ao encontro dela na pista de atletismo.

— O que houve? — ela pergunta na hora, e eu lhe mostro. — Ai, isso está bem feio. O que aconteceu?

— Ah, nada. Estava jogando futebol quando um gorila me atropelou.

— Posso adivinhar quem foi.

— Sim, sim. Eu vou ficar bem.

— O que houve ontem? Sua mãe está melhor?

— Sim, acho que sim — respondo, então me pergunto como estará minha mãe hoje. O que terá acontecido com Doug de manhã? Será que ela bebeu de novo? O que vou achar quando chegar em casa? Lembro-me do maço de cigarros retirado do lixo.

— Ellie — eu digo —, às vezes minha mãe fala sobre... a gente se mudar daqui.

— Voltar para Londres?

— Talvez — começo, curioso sobre como todo mundo parece saber que viemos de Londres. Fui eu que disse alguma coisa? Acho que não. Talvez eu tenha algum ar de sofisticação urbana. Talvez não. — Se eu, sabe, simplesmente tiver que partir de repente, não se preocupe comigo. Eu vou estar bem.

Ela me olha estranhamente.

— Se está dizendo, Joe, mas seria gentil de sua parte manter contato.

Acabo fazendo uma promessa que nunca poderei cumprir. Então começamos a aquecer na pista e a correr contra o relógio. Ela parece feliz com os resultados e tem algo de satisfatório em superar a dor na canela com a corrida. Eu consigo aguentar, eu consigo persistir. Com certeza é uma habilidade útil.

Estamos quase terminando quando o Sr. Henderson se junta a nós. Ele parece meio zangado e não alivia o humor nem quando Ellie lhe mostra a prancheta com os tempos.

— Muito bom. Bom trabalho — ele diz. — Joe, quando terminar, preciso ter uma conversa séria com você.

— Devemos terminar em dez minutos. Está bom para você? — pergunta Ellie.

— Estarei na minha sala — ele responde.

Enquanto esfrio e me alongo, procuro na memória razões para ele estar zangado comigo. Até onde me lembro, não fiz nada de errado, mas quem sabe? Ellie parece perplexa também e diz:

— Provavelmente não é nada demais, não se preocupe. Conversei com ele ontem e disse que você estava indo muito bem.

A sala do Sr. Henderson é uma mistura de equipamentos esportivos fedidos e cheiro de suor. Mas é bem aconchegante assim mesmo. Tem uma poltrona estofada em um canto e ele aponta para ela quando entro. Eu sento na ponta, me sentindo um pouco nervoso.

— Joe, por que foi para a pista de atletismo quando o Sr. Hunt me disse que devia estar na detenção esta tarde?

— Ah, eu esqueci completamente.

— O Sr. Hunt não está nada feliz com você. Diz que "beirou a insolência" esta manhã e chegou na sala de aula atrasado e ainda se vestindo.

Para meu espanto, me senti ficando nervoso.

— É que ele acha que estou sendo insolente quando digo "senhor", mas é o que estou acostumado a dizer e não é minha intenção, e na verdade estou tentando ser educado e não pretendia me atrasar, mas quando terminei o treino o vestiário estava cheio de gente e não foi minha culpa na verdade, mas ele não quer saber e não é justo o que ele está dizendo... — Eu perco o fôlego. Pareço um bebê chorão.

— Há dois dias eu lhe estendi o grande privilégio de ter um cartão de acesso para usar as instalações fora do horário de aula. Não preciso lhe dizer a vantagem que isso lhe dá e quantas pessoas gostariam de ter esse cartão. Fiquei surpreso ontem por não te ver utilizando-o e ainda mais surpreso quando minha esposa disse ter visto um aluno da Parkview na Morrisons no meio da manhã. Não foi difícil adivinhar quem era a partir da descrição que ela me fez.

Caramba. Essa cidadezinha tem espiões por todo lado. Apoio a cabeça nas mãos.

— Sr. Henderson, minha mãe não estava bem ontem. Ela... nós... não tínhamos comida na casa. Precisei cuidar dela. Eu queria vir para a escola e treinar e tudo, mas não tive como. Somos só minha mãe e eu e ninguém para nos ajudar. Sou muito grato pelo cartão de acesso, eu levantei bem cedo hoje de manhã e treinei muito e eu gosto muito e por favor não tira ele de mim — eu imploro.

Vejo que o Sr. Henderson está louco para perguntar o que houve com minha mãe, e estou desesperado para contar tudo e dizer: "Ela ficou bêbada e quase botou fogo na casa". Mas ambos nos seguramos, o que é bom, já que a última coisa de que preciso é a visita de um assistente social.

— Ellie me disse que você parece estar sob algum estresse emocional e ficou preocupada que o treino possa ter te colocado sob ainda mais pressão.

— Não, não, não. Não está. Ela não me disse isso.

— Não, ela gosta de trabalhar com você e quer continuar. Mas é apenas uma aluna e está sendo supervisionada. Foi correta em me falar de sua preocupação.

Ela gosta de trabalhar comigo! Sinto uma sensação calorosa e feliz me preencher. Mas também sinto uma sensação desconfortável, quente e envergonhada deixando meu rosto vermelho quando imagino o que ela pode ter dito ao Sr. Henderson.

— Acho melhor pedir desculpas ao Sr. Hunt de manhã. Explique que você é novo na escola e às vezes as coisas ficam um pouco difíceis.

— Ele sabe disso... O que vai acontecer com a detenção?

— Provavelmente vai ter de cumpri-la amanhã. Talvez ele lhe dê uma detenção dupla. Você já está com um pedido de relatório completo, então ele não pode fazer mais do que isso.

— O que isso quer dizer?

Ele fica sem graça.

— Acho que provavelmente você não devia saber disso se ninguém lhe contou. Erro meu.

— Mas você me contou e eu nem sei o que significa. — Não parece nada bom.

— Significa apenas que o diretor pediu relatórios regulares sobre seu comportamento e progresso. É o que fazemos com alunos problemáticos. Quando tem um pedido de relatório completo da coordenação para um aluno novo, geralmente se trata de alguém que teve problemas na escola anterior, talvez um aluno que tenha sido expulso, algo assim.

Eu nunca sequer conheci o diretor. Será que é assim que o Doug fica de olho em mim na escola? Será que o coordenador sabe a história toda?

— Isso não parece surpreendê-lo, Joe.

— Não, eu sei por quê — digo. — Não posso explicar direito, mas não sou um encrenqueiro e quero aproveitar ao máximo essa oportunidade.

Ele percebe que não vai conseguir mais nada de mim e pergunta:

— Você não tinha como treinar na sua escola anterior? Eles não viram que podia correr? Seus pais não perceberam que tem esse talento?

A St. Saviour não tinha um programa de atletismo. Era uma atividade optativa e era preciso se matricular e levava meia hora para chegar ao centro esportivo depois da escola. Eu estava interessado, mas Arron disse que de jeito nenhum, eu não ia para lá com todos os garotos ricos sem ele.

Fui uma vez ao clube de corrida local, mas todo mundo lá era negro, e, embora fossem bem receptivos, me senti meio deslocado e nunca voltei. Isso faz de mim um racista? Espero que não.

— Nunca vi nada igual a essa escola — digo. — Não tínhamos instalações como essas. E minha mãe se preocupava mais com matérias como matemática.

— Hmm — diz ele. — Olha, no domingo vamos receber uma competição entre escolas. Você terá uma chance de correr. Talvez possa trazer sua mãe e mostrar do que é capaz. Estou certo de que Ellie vai achar uma boa ideia.

Ellie talvez. Eu não.

— Chegue às onze horas — ele diz. — E eu vou falar com o Sr. Hunt para ver se esclareço as coisas por você. Sinta-se à vontade para vir conversar comigo sempre que precisar.

Andando para casa, os medos todos que eu vinha segurando voltam com toda a força. Como pude ter abandonado minha mãe para enfrentar Doug sozinha? Será que ela nos colocou em risco? A Vovó está bem? Vamos ter que mudar de novo? O Joe está prestes a desaparecer por completo?

A casa está em silêncio e às escuras. Não sei se Mamãe está, mas então ela aparece no topo da escada.

— Estou no meu quarto — ela diz, e eu subo correndo e a sigo até seu quarto.

Sua mala está na cama. O armário está vazio. Olho ao redor, desesperado.

— Eles vão mudar a gente, então? Acham que é perigoso demais?

— Não — ela responde. — Eles querem que a gente fique. Acham que ainda é seguro. Mas eu já me enchi. Disse a eles que você não vai testemunhar. Vamos para casa.

CAPÍTULO 9
Mentiras

Há um grande risco aqui. O risco é que ela vai bancar a fria e durona e determinada e eu vou ser o descontrolado que vai gritar e espernear. Quero sacudi-la. Quero bater em alguma coisa... em alguém. Não posso. Não devo.

Respiro bem fundo e sento na cama.

— Como assim? Não podemos voltar para casa. — Estou tentando soar calmo e racional.

— Por que não? Você não testemunha, ninguém se interessa por nós. Não estamos envolvidos. Eles sabem disso. Por que iriam querer nos machucar então?

— E quanto ao processo judicial?

— Não é da nossa conta. Você fez o que podia na hora, nada vai mudar isso agora. — Ela está dobrando roupas freneticamente e continua: — E por quem está fazendo isso, afinal? Pelo Arron? É tarde demais, já era.

— Mas tem outras pessoas também.

— Sim, eu sei. — Sua expressão é dura. — Mas temos que pensar em nós mesmos primeiro.

— Como podemos ir para casa? Como pode achar que podemos voltar e tudo será como antes? Nossa casa foi incendiada.

— Doug me disse que conseguiram apagar o fogo antes de causar muitos danos ao nosso apartamento no andar de cima.

Ora, obrigado por me contar. Estou sendo tomado por uma fúria silenciosa.

— Não podemos voltar — falo quase rosnando, travando os dentes para não gritar.

— Podemos sim. Por que não? Ninguém vai ter mais nenhum interesse na gente.

Toda a sua determinação voltou, a energia que achei que havia perdido. Sinto-me sufocado por sua força. Voltamos ao normal — ela lidera, eu sigo.

Imagino a vida no apartamento antigo, vendo minhas tias, voltando a entregar jornais. Penso como será voltar para a St. Saviour. Cabelos curtos, toneladas de dever de casa, os meninos, o pátio. Mas sem Arron. Então lembro o cheiro da bomba de gasolina e ouço a explosão e como as chamas crepitavam consumindo a loja. Ela está errada. Está louca.

— Não é assim. — Começo a elevar o tom agora. — Eles iam querer ter certeza de que não iríamos mudar de ideia. A gente ia ter que ficar o tempo todo alerta. E a polícia também não ia ficar nada feliz. E se tentassem alegar que... que eu estava envolvido?

— Eles não fariam isso.

Sinto-me cem anos mais velho do que minha própria mãe.

— Fariam sim. Por que não? Eu estava no local, não estava? Podia facilmente ser um deles. E se descobrirem que eu tinha uma faca?

Assim que falo, tento voltar atrás. Minha boca meio que engole as palavras — pareço uma galinha cacarejando — e mordo a língua. Mas já falei e ela ouviu.

— Você tinha uma faca? O que você está dizendo, Ty? — A voz dela parece tremer.

— Eu tinha uma faca comigo no parque.

Ela está olhando para mim como se eu estivesse com uma faca no pescoço dela neste momento.

— Você tinha uma faca? Você estava carregando uma faca? Você está mentindo para a polícia? Seu moleque burro! — E ela me bate, com força, no rosto.

— Ai! Não faça isso!

Dói muito. Eu viro de costas para ela não ver as lágrimas nos meus olhos.

— O que quer que eu faça? Você merece isso. Cristo, Ty, faltou eu fazer alguma coisa para lhe dar uma vida melhor? Eu dei o maior duro para conseguir um lar para nós, para alimentá-lo, vesti-lo, lhe passar, assim pensei, alguns valores, boa educação. Quando você foi para a St. Saviour, fiquei tão orgulhosa. E você andando por Londres com uma faca no bolso de trás! Eu não fiz esse esforço todo para você terminar com uma ficha criminal.

Ela levanta as mãos e vejo que está se coçando para bater em mim de novo, mas ela as deixa cair. Eu quero bater de volta. Odeio quando ela me faz sentir culpado por precisar de comida e roupas.

— Eu nunca usei — digo, e me lembro de como a lâmina parecia pesada na minha mão.

— O que diabos você pensava que estava fazendo?

Não sei o que dizer. Arron dizia que era normal andar com uma faca. A gente fingia que era para a aula de marcenaria ou de culinária ou que era um presente para nossas mães, mas na verdade era porque tínhamos certeza de que um dia íamos acabar sendo assaltados ou levando uma surra ou algo assim e queríamos estar preparados. Não se vai a lugar nenhum em Londres sem acabar conhecendo alguém que foi assaltado ou levou uma surra ou coisa parecida. Facas são baratas e fáceis de conseguir, e era tão normal ter uma que não sei por que simplesmente não incluíam na lista como parte do uniforme escolar. Era o que Arron dizia, pelo menos.

— Todo mundo tinha faca — digo. — Era só uma faca de cozinha, não um canivete automático de verdade nem nada. Comecei a carregar algumas semanas atrás, quando Arron foi assaltado. Ele precisava de uma faca para se proteger e falou para eu carregar uma também.

— Você está falando uma tremenda besteira. Você não tem que fazer tudo o que seu amigo lhe diz. Olha o que aconteceu com Arron.

Estou assustado com a maneira como ela está me olhando. Tenho medo do que ela pode fazer. Ela não ia me denunciar para a polícia, ia? Não minha própria mãe.

— Mãe, eu não me envolvi na luta. Eu realmente vi o que disse que vi. Se disser a eles que eu tinha uma faca, eles podem não acreditar em mais nada do que eu disse. Eu estaria muito encrencado. E não podemos mais voltar para casa e viver normalmente. Poderíamos ser mortos.

— Não... Sim... Eu não sei... Talvez a gente possa ir para o exterior um tempo e deixar as coisas esfriarem.

Isso me soa melhor. Podemos ir para Portugal talvez, ou Espanha... qualquer lugar onde não falem inglês e onde produzam jogadores de futebol de nível internacional. Começo uma lista fantasiosa de países em minha cabeça para sugerir à polícia. Então caio na real.

— Não temos passaportes, temos?

— Não. Mas, se dissermos à polícia que você não vai testemunhar e que precisamos deixar o país, certamente vão ter que nos ajudar.

— Por que deveriam?

Ela para de arrumar as malas e olha para mim.

— Por que está discutindo comigo, Ty? Isto é por você tanto quanto por mim. Não pode estar gostando de viver aqui, sentindo falta de todo mundo e me vendo virar um lixo depressivo.

— Eu gosto daqui. — Ela saberia *se* me desse a menor atenção. — A escola é legal. Estou praticando esportes.

— Esportes?

Talvez possa distraí-la falando de meu incrível potencial.

— Mãe, meu pai era bom em esportes? — É assim que descubro qualquer coisa sobre meu pai. Pequenas perguntas que consigo fazer quando ela está pensando em outras coisas. Ela nunca se deu ao trabalho de sentar comigo e falar sobre ele.

Ela ri, mas não é uma risada muito calorosa. Talvez hoje não fosse o melhor dia para tentar esse truque.

— Na verdade, não. Preguiçoso demais. Gostava de futebol, mas não suportava a ideia de alguém poder ser melhor e derrotá-lo. Babaca arrogante, seu pai, acho que já te disse antes. Não, era eu a boa em esportes.

— Verdade, você? — Como eu nunca soube disso? — Como assim, boa?

— Eu corria pelo distrito. Cheguei em segundo lugar na corrida feminina sub-16 de 1.500 metros de Londres.

— Nossa... E por que parou?

— Pense na cronologia. O que me aconteceu aos 16 anos? Experimenta correr quando tem um bebê crescendo sob sua roupa de ginástica — ela responde amargamente. — Por que está perguntando isso?

— Porque eles me acham bom na corrida. Recebi treinamento extra.

Não tinha falado antes porque queria que sua resposta fosse a melhor possível, mas ela só deu uma fungada indiferente.

— Preferia que lhe dessem mais matemática.

Ela não está interessada e muda de assunto.

— Ty, está dizendo que prefere ficar aqui a voltar para casa?

Dou de ombros. Ela não entende. Ela não está interessada no que eu quero.

— Aqui não preciso carregar uma faca aonde quer que eu vá.
— Talvez ela se importe com minha segurança.
— Você não *precisa* carregar uma faca em nenhum lugar. Não acredito que pôde ser tão burro.
— É mais seguro aqui. E, de qualquer forma, o que a Vovó diria?
— Como assim o que a Vovó diria? Ela ficaria felicíssima por nos ver de novo, por nos ter de volta, por tudo voltar ao normal...
— Não, não ficaria. Foi ela quem disse para ir à polícia. Foi ela quem disse que não tínhamos escolha, que eu tinha que fazer a coisa certa.
— Ela não sabia o que isso ia significar. Não tinha como saber que isso ia acontecer.
— Sim, mas assim mesmo. — Como foi mesmo que a Vovó falou? "Uma criança preciosa foi morta, e Tyler tem que fazer o que for possível para ajudar aquela pobre família." Tenho certeza de que foi sincera.
— Ty, se continuarmos assim, vamos ter uma vida baseada em mentiras.

Estou cansado, com raiva e confuso, e não consigo expressar o que quero dizer, mas sinto que, se perder essa única chance de contar a verdade quando ela importa, então minha vida será baseada em mentiras de uma forma ou de outra.

— Não podemos fugir, as mentiras não irão embora — eu digo, e sei que falei do jeito errado.

Não consigo mais falar. Não sei se consigo fazê-la mudar de ideia. Faço o que ela queria que fizesse no outro dia e lhe dou um abraço — meu Deus, ela está tão magra e cheira a cigarro em vez de flores — e digo:

— Por favor, por favor, Nic, me deixe ficar aqui. Não conte a eles sobre a faca, não mude as coisas...

Ficamos sentados na cama, com as cabeças encostadas, sem falar, quando alguém bate na porta. Eu pulo, mas ela fala:

— Deve ser o Doug. Eu disse a ele que íamos embora e ele foi dar uns telefonemas. — Ela desce e abre a porta. Ouço-a dizer: — Eu não mudei de ideia.

Então escuto algumas vozes, e Doug chama:

— Tyler, pode vir aqui embaixo? — Ele sempre fez questão de me chamar de Joe e agora não quero que ele pare. Consigo sentir que Joe está desaparecendo.

Desço a escada, de cabeça baixa, e é só quando chego ao *hall* que vejo que o detetive inspetor Morris também veio. Está com seu parceiro, o detetive policial Bettany. Não parecem tão amistosos quanto da última vez.

— Olá, Ty — diz Morris. — Acho que precisamos ter uma conversa.

— Quero estar do lado — diz Mamãe. — Vocês não devem conversar com um menor sozinho.

Quero falar com Morris sem ela. Quero dizer que isso tudo não é ideia minha. Quero perguntar o que vai acontecer se formos para casa — não só comigo, mas com todos os envolvidos. Mas ela vem junto, virando-se para Doug na porta da sala de estar para dizer:

— Talvez você possa nos fazer um pouco de chá, Doug.

Morris senta e tira uma pasta da valise. Bettany abre o caderno de notas.

— Sei que Tyler decidiu retirar seu depoimento — Morris diz para minha mãe —, mas este é um caso que se move muito rápido e novas evidências surgem a todo momento. Temos mais algumas perguntas a fazer a ele, e esta não será a última vez.

Eu interrompo.

— Eu nunca decidi retirar meu depoimento. Ela decidiu. É meu depoimento, não é? É minha a escolha se vou ou não testemunhar?

— Sim, mas é claro que a cooperação e a permissão de sua mãe são vitais para mantermos o programa de proteção à testemunha. — Ele coça a cabeça. — Suponho que, se você insistisse em manter seu depoimento e em testemunhar, e ela não quisesse cooperar, teríamos que encontrar uma pessoa que pudesse ser o que chamamos de adulto apropriado para salvaguardar seus interesses. Sua mãe poderia ir para casa e você permaneceria sob a proteção do programa.

Um adulto apropriado? Essa não teria que ser a minha avó?

— Quem... poderia ser? — pergunto, sem olhar para minha mãe.

— Provavelmente teríamos que chamar um assistente social e colocá-lo sob a guarda temporária de uma família de acolhimento — responde ele, observando tanto minha mãe quanto a mim atentamente. Ele percebe que ela fica irrequieta quando menciona o assistente social. Devem ser duas das palavras de que ela menos gosta.

Perco logo o interesse no adulto apropriado.

— Mesmo que fôssemos para casa e eu não testemunhasse, essa gente ainda pode querer nos machucar? Só por precaução?

Morris suspira.

— É difícil dizer. Mas eu não confiaria que os deixariam em paz. Tem sido um caso de muita repercussão. Vocês podem atrair certa hostilidade se voltarem para casa.

— O que quer dizer com isso? — pergunta Mamãe. — Até onde sabemos, você pode estar inventando isso tudo para fazer Ty testemunhar. Você não pode influenciá-lo.

— Mãe, seria muito mais fácil para todo mundo se não tivessem que nos colocar sob proteção. E como eles poderiam ter inventado a bomba?

Morris apenas nos observa. Então fala:

— Tyler Lewis, tenho de lhe dizer algo. Vou lhe fazer algumas perguntas que podem levar você a ser acusado de um delito. Você não é obrigado a falar nada, mas pode atrapalhar sua defesa se não mencionar, quando indagado, algo de que pode depois precisar no tribunal. Qualquer coisa que diga pode ser usada como evidência.

Minha mãe ofega. Eu sinto vontade de vomitar. Sei que ambos estamos pensando a mesma coisa. De alguma forma, descobriram sobre a faca.

— Certo — ele continua. — Vou lhe perguntar sobre drogas na St. Saviour. Você alguma vez aceitou dinheiro em troca de drogas? Temos razões para acreditar que você pode saber algo sobre a venda de maconha.

Um pandemônio se instala. Mamãe não sabe qual de nós atacar primeiro. Por sorte, decide por Morris.

— Está acusando meu filho de traficar drogas? — pergunta. — Porque, se está, acho que precisamos de um advogado aqui imediatamente.

— Estou apenas fazendo ao Tyler algumas perguntas adicionais — diz Morris, sem se alterar. — Ele sabe que tem o direito de ficar em silêncio.

— Então quer chantageá-lo para testemunhar, é isso?

— De forma nenhuma. É uma alegação muito séria a que está fazendo. Se não está gostando de como esta investigação está sendo conduzida, sugiro que fale com a Comissão Independente para Reclamações da Polícia.

— O que aconteceu? Alguém o acusou? Algum adolescente viciado foi encontrado com um pouco de haxixe e mencionou Tyler e Arron porque sabe que estavam envolvidos na briga no parque? — Minha mãe está com tanta raiva que cospe gotas de saliva com as palavras.

Enquanto isso acontece — e é impressionante ver Nicki supersônica novamente, de volta à ação —, estou pensando rápido. Acho que sei do que ele está falando. Estou aliviado por não estarmos falando de facas.

— Foi o Kenny Pritchard? — pergunto.

— Cala a *boca*, Ty — diz Mamãe, com um olhar ameaçador do tipo lido-com-você-depois.

— O que tem Kenny Pritchard, Ty? — Vejo pelo sorriso escondido no canto da boca dele que acertei o nome.

Mamãe interrompe.

— Isto é um absurdo. Não diga nada, Ty. — Então sibila para Morris: — Como ousa? Arranje um advogado para ele.

— Ele me deu um envelope uma vez — continuo — e me disse: "Entrega para o Mackenzie". Eu não sabia o que era e Arron não me contou. É só.

— Viu? — diz Mamãe. — Aquele imprestável do Arron. Nada a ver com Ty.

Morris não parece convicto.

— Verdade, Tyler? Quer pensar um pouco melhor?

Arron realmente nunca me contou o que estava acontecendo e eu também nunca perguntei. Então, oficialmente, eu não sei de nada. Tinha minhas suspeitas, mas aí é pura especulação pessoal, certo?

— *Num* sabia de nada — respondo, o que deixa Morris ainda mais pensativo e faz Nicki franzir a testa em irritação com meu inglês ruim.

— Sra. Lewis — ele diz —, se eu prometer que Tyler não será acusado de nenhum delito envolvendo drogas na St. Saviour, você nos deixaria, por favor, falar com ele a sós?

Ela parece incerta.

— Cabe somente à Procuradoria da Coroa decidir quem será ou não processado, não é? — ela pergunta.

Morris parece um pouco desconfortável, e ela ataca.

— Então se está fazendo promessas como essa, obviamente você sabe que não tem nada contra meu filho. Rá! Podem falar com ele por cinco minutos, mas eu vou perguntar a ele tudo o que disserem, e se qualquer coisa estiver fora de ordem, vou chamar os advogados, a mídia, meu deputado e o Tribunal Europeu dos Direitos Humanos e você não vai saber o que foi que lhe atingiu. — Então ela vai para a cozinha ver o que Doug está aprontando.

Fico a sós com o detetive Morris. Abro a boca para falar, mas ele levanta a mão para que eu me cale. Bettany fecha o caderno de notas. Morris diz:

— Tyler Lewis, você vai me escutar. Ou prefere que lhe chame de Joe?

Dou de ombros, mas fico grato por ele entender como é difícil trocar de nome o tempo todo.

— Tanto faz.

— Estou começando a formar uma ideia sobre você, Tyler. A ideia é de que você diz, sim, a verdade, mas talvez não toda a verdade. Estou certo?

Eu me contorço um pouco. Às vezes sim e outras vezes obviamente não. Mas parece um tanto injusto, acabo de entregar o nome de Kenny Pritchard.

— Bem, hã, depende do que... e de quando... e do que quer dizer *toda a verdade*.

Ele espera.

— Eu sempre tento dizer a verdade.

— Mas é sempre o mínimo. E às vezes você finge não se importar com suas respostas quando na verdade está sendo extremamente cauteloso. Agora, não tenho a menor dúvida de que você sabia muito bem o que Arron estava aprontando na escola.

— Hmm... ele nunca me contou nada, mas eu achava que... talvez...

— E você sabia que ele estava se metendo com gente errada.

— Bem, mais ou menos... — É fácil julgar, mas, quando se cresce no bairro em que Arron vivia, não dá para evitar conhecer gente perigosa. É questão de quanto tempo acaba convivendo com essas pessoas.

— Você precisa contar a verdade, Ty, porque vão lhe interrogar no tribunal, e, pode acreditar, três equipes de advogados de defesa não vão ser nada gentis com você. Concorda com sua mãe que devia ir para casa e não testemunhar?

— Não. Acho que ela está louca. Quero continuar sendo Joe e acho que devo testemunhar.

— Por quê?

— Porque é a coisa certa a fazer... acho...

— Está bem. Vamos falar com ela outra vez. Mas, agora, tem mais alguma coisa que possa me contar sobre o serviço de entregas do Arron? E tem mais alguma coisa pesando na sua consciência que nós ainda não perguntamos?

Aceno a cabeça positivamente, relutante.

— Tem uma coisa. — Levanto para pegar minha mochila de educação física, de onde tiro meu bem mais precioso: meu iPod. O que Arron me deu de aniversário.

Morris pega o iPod e o examina.

— É seu? — pergunta.

— Arron me deu no meu aniversário. Estava pronto para usar, com música e tudo. Fiquei curioso... e ele disse que tinha sido do Nathan.

Ele vira o aparelho e abre o diretório de arquivos. Tem um diretório que me preocupa um pouco, "Favoritos da Rachel" é o nome, e não consigo imaginar Nathan ouvindo porcarias como Dido e Alanis Morissette. Por outro lado, tem um bocado de rap e hip hop também.

— Acha que pode ser roubado? — pergunta Morris.

— Eu não sei... talvez Nathan tivesse uma namorada ou algo assim... mas não tenho certeza.

— Vou levar isso — diz Morris, e fica surpreso quando pego de volta dele e digo com firmeza:

— Não, eu preciso dele. Muito.

— Você precisa?

— Para treinar. Não vou conseguir outro e tem muita música boa aí. É difícil me concentrar sem ele.

— Você pode comprar outro.

— Mas não teria nenhuma música nele e não temos um computador em casa. Além disso, não teria dinheiro para comprar músicas novas. Por favor, não leve.

— Vou deixar com você por enquanto. Agora, Arron e as drogas. Tudo bem, penso, eles já sabem mesmo. Bettany está tomando nota de novo.

— Tudo o que sei é que às vezes ele entregava coisas para as pessoas. Conhece Mikey? O Sr. Bling do parque? Ele pode estar envolvido.

— Por que acha isso?

— Porque uma vez vi Mikey dando alguma coisa para o Arron na rua em frente à minha casa. Não sei o que era, mas Arron ficou contente e comprou um peixe com batatas fritas para mim. Achei que fosse dinheiro.

Tenho outras razões também, mas ele parece satisfeito com isso.

— Pode me dizer nomes de pessoas para quem você o viu entregando pacotes?

— Hã... a maioria era mais velha. Não os conhecia, mas Kenny Pritchard com certeza me deu algo para entregar ao Arron uma vez, e teve Cas O'Leary e Adam Comerford e o garoto polonês do décimo ano.

— E você nunca perguntou a ele o que estava acontecendo?

— Bem... mais ou menos...

— Como assim?

— Uma vez eu perguntei: "Está recebendo dinheiro por isso?". E ele disse: "Sim, mas não tanto quanto imagina". — Deixo de fora o debochado "garotinho" que o Arron falava.

Morris suspira. Coça a cabeça de novo e fala com Bettany como se eu nem estivesse ali.

— O que não entendo é por que dois meninos inteligentes estavam se envolvendo com algo assim. Estavam em uma ótima escola, uma escola católica, e tinham mães boas e trabalhadoras que cuidavam deles.

Não acho que seja meu papel explicar por que Arron podia estar fazendo o que fazia quando eu não sabia oficialmente se ele estava fazendo alguma coisa. E eu estava tomando muito cuidado para não me envolver em nada.

Bettany está me observando.

— Sabe, Ty, se tivesse contado sobre Arron quando tudo isso começou, pense bem no que poderia ter sido evitado.

Fica tudo meio confuso depois disso. Morris sai para falar com Mamãe na cozinha, e, sozinho na sala de estar, deito minha cabeça na almofada...

... *Estou correndo e correndo e a pessoa que está me perseguindo quer me machucar. Tem uma faca na sua mão, ele vai me ferir, mas se parece comigo...*

Nicki está me chamando. Nicki vai me salvar. Acordo estremecendo e seguro a mão dela.

— Nic... tinha alguém atrás de mim...

— Está tudo bem, Ty, foi só um sonho. — Ela está sentada ao meu lado no sofá. — A polícia acaba de sair. Vão colocar um adendo em seu depoimento e voltarão outro dia para colher sua assinatura. Hora de ir para a cama. Você tem escola de manhã.

Lentamente, lembro o que aconteceu.

— Vamos embora? Você está com raiva?

Se ela me bateu por causa da faca, o que vai fazer agora que sabe das drogas?

Ela balança a cabeça negativamente.

— Vamos conversar amanhã. Mas não, não vamos partir agora. Eles me convenceram. Disseram que vão arranjar um feriado com a família e me ajudarão a conseguir um emprego. Usaram meu sentimento de culpa. Perguntaram como me sentiria se fosse você morto lá no parque. Pode não dar em nada no final. A procuradoria tem que examinar o caso antes de decidir se pode ir a julgamento.

Tudo isso por um julgamento que pode nem acontecer.

— Eu não estava vendendo drogas, juro, mas também não perguntei ao Arron o que ele estava fazendo.

— Aquele Arron — diz ela. — Ele tem muito pelo que responder. Ty, você não está mais carregando uma faca, está?

Balanço a cabeça negativamente. Não estou carregando uma faca porque já vi o que elas fazem. Mas preciso de uma pela mesma razão. É um problema que me incomoda o tempo todo.

De noite, na cama, não consigo dormir. Sinto calor e frio e vontade de vomitar. Fico ouvindo as palavras de Bettany na cabeça. É tudo minha culpa, posso ver isso agora. Eu não fiz nada na época porque Arron não ia mais ser meu amigo. Mas agora perdi meu amigo para sempre e tem uma morte na minha consciência.

CAPÍTULO 10
Top Shop

O dia seguinte é uma luta. Bocejo o tempo todo e só quero voltar para casa e dormir. O Sr. Hunt não está de bom humor, então recebo uma detenção dupla e até mesmo o treino na pista fica difícil. Cumpro minha função, mas Ellie fica decepcionada.

— Vê se descansa um pouco no fim de semana — diz. — Vejo você no domingo na corrida intercolegial.

Chega a manhã de sábado. Ficaria feliz em só ficar na cama, mas Mamãe está pronta para sair. Ela achou seu estojo de maquiagem e fez as sobrancelhas, o que a faz parecer mais nova e mais perspicaz. Andou mexendo nos cabelos, colocando um prendedor e fazendo umas luzes ruivas com algum spray. Está esquisito — ela sempre foi loura desde que me lembro —, mas combina com ela. Tia Emma diria que está "estilosa". Digo que está ótima, e ela fica feliz.

— Vamos gastar um pouco de dinheiro com a gente — diz ela. — Você cresceu tanto que todas as suas calças jeans estão ficando curtas. E podemos comprar algumas camisetas também. Odeio te ver de capuz o tempo todo.

Ela não lembra que estou usando o capuz o máximo possível por recomendação da polícia?

— O que preciso mesmo é de bons tênis de corrida — digo, e ela concorda em comprar um par.

Andamos até o ponto de ônibus e percebo que estou mais alto do que ela. Vejo de cima as luzes que aplicou. São só uns dois centímetros de diferença, mas faz diferença. Estava começando a achar que nunca iria crescer e agora aconteceu mesmo. Com todo o treinamento das últimas semanas, estou mais forte e em forma também. Meu corpo todo está diferente. Ser Joe turbinou todas as mudanças que diziam que iam acontecer nas aulas de educação pessoal, social e de saúde. Ele é mais alto, tem mais cabelo, tem mais músculos. Sua voz é quase sempre grave. Ele conseguiu não ter sardas. Ty era um menino, mas Joe é quase um homem. Eu gosto. Gosto muito.

Ao atravessar as portas do shopping, sinto como se cem pares de olhos estivessem nos observando. Viro-me para ela rapidamente.

— Posso ir procurar meus tênis de corrida enquanto você vai à New Look? — E combinamos de nos encontrar em frente à Top Shop em meia hora.

— Tudo é legal na New Look — ela diz —, mas não vou fazer nenhuma compra maior sem seu conselho.

A loja de esportes tem coisas boas — não é uma dessas lojas de moda disfarçadas —, e eu começo a ver os tênis. Então vejo o marrentinho, Carl, comprando chuteiras com a mãe dele. Ela está fazendo o maior alarde sobre comprar para ele exatamente o que quer e parece ter bastante dinheiro para fazê-lo. Sei que ele ia odiar ser visto, então espero até a mãe dele se ocupar com o atendente, passo por ele e digo:

— Oi, Carl, como vai?

Carl grunhe como um porco quando acaba a lavagem.

— Fazendo compras com a namorada? — pergunto inocentemente.

Carl bufa, irritado. A mãe retorna com um par de chuteiras laranja que parecem ter sido cobertas de vômito e pergunta:
— Carl, queridinho, este é um de seus colegas do time?
— Não — rosna Carl. Ela faz uma cara de desentendida, e ele é forçado a resmungar: — Seu nome é Joe. Do meu ano.
— Belas chuteiras — falo, admirado. — Ninguém vai deixar de ver você, não é, Carl?
— Era exatamente o que eu dizia — diz a mãe do Carl, e estou adorando a cara que ele está fazendo.

Já fiz o bastante. Tenho munição para usar contra ele caso venha me zombar por causa da minha mãe mais tarde. Escolho os tênis que quero e peço ao atendente para reservar para mim. Então, enquanto estou saindo, me viro e falo baixinho:
— Tchau, queridinho. — Sem a mãe dele ver. Ouço-a dizer:
— Parece um bom menino. — E Carl só falta explodir de fúria.

Andar pelo ambiente iluminado e agitado da Top Shop me faz sentir uma enorme saudade da Tia Emma. Ela costumava combinar a tarefa de cuidar de mim com fazer compras. Minhas primeiras lembranças envolvem bijuterias faiscantes e sapatos brilhantes, brincar de vê-não-vê nos espelhos dos trocadores e esconde-esconde entre os cabideiros cheios de roupas.

Quando eu tinha 9 anos, as amigas de Emma decretaram que era eu ou elas, e Mamãe também decidiu que aquilo estava comprometendo minha masculinidade. Arron e eu fomos levados para a academia de boxe do Nathan, onde passávamos as tardes de sábado imitando os garotos mais velhos, batendo em um saco de pancadas e torcendo para ninguém nos fazer lutar de verdade. Mas sou conhecido em minha família por ser um ótimo consultor de estilo. Não é um talento que costumo divulgar.

Sigo atrás de minha mãe enquanto ela escolhe itens e coloca na pilha enorme de roupas para experimentar. Logo percebo que estamos no quartel-general do fã-clube de Joe Andrews. Já vi cerca de umas 20 meninas da escola e cada uma delas acenou, deu uma risadinha ou sorriu para mim. E, quando chegamos aos trocadores e no sofá providencialmente colocado ali para namorados, parceiros ou filhos sem sorte, lá está ela. Ashley Jenkins. E não está nada feliz.

— Eu venho lhe mostrar o que eu gostar — diz Mamãe, desaparecendo atrás das cortinas. Eu me sento ao lado de um sujeito grande que está lendo uma revista *What Car?*[12] e remexo as outras revistas colocadas ali para as pessoas lerem. Mas Ashley não se deixa ignorar.

— Oi, Joe — diz, fazendo beicinho e sentando-se no braço do sofá. — O que o traz aqui? Não era para a gente fazer compras juntos?

Tenho que admitir que ela agora parece bem melhor do que quando está de uniforme escolar. Hoje ela está vestindo um top amarelo apertado e calças jeans realçando curvas que normalmente não parecem tão perfeitas sob o agasalho cinza da escola. Vejo a borda de renda preta de uma alça de sutiã sob a camiseta de cor chamativa. É uma combinação bastante atraente.

— Ah, sim. Desculpe, Ashley, vamos ter que combinar isso melhor, mas o aniversário da minha mãe está chegando e prometi fazer compras com ela hoje.

As meninas devem ver essas coisas de forma diferente dos meninos. Ashley esfrega meu braço e ronrona.

— Ai, isso é tão doce.

Ou talvez esteja querendo me gozar? Justo nessa hora Mamãe resolve aparecer vestida em uma saia curta e um top vermelho decotado. Ela pergunta em tom esperançoso:

— O que acha, Ty?

Droga. Por que tinha que me chamar de Ty na frente da Ashley? E o que é isso que está vestindo? O decote é para lá de exagerado. O Sr. *What Car?* está lambendo os beiços.

---

12. Revista sobre carros. (N.T.)

— É um pouco demais, *Mãe* — respondo, tentando transmitir total reprovação com os olhos. — A cor é legal. — Espero que ela entenda o toque. Não entende.

— Mas eu adorei. Espera aí, vou lhe mostrar os jeans.

Ashley está de queixo caído.

— Essa não pode ser sua mãe. Ela é nova demais!

Tenho orgulho de ter uma mãe que é jovem e bonita. Tenho mesmo. Mas, neste momento, estou me sentindo extremamente ansioso por ela estar esquecendo tudo que Maureen falou sobre ficarmos anônimos.

— Ela é mais velha do que parece — falo para Ashley.

— Por que ela te chamou de... Do que foi mesmo?

— Ela é metade turca — minto. — É a palavra turca para filho. — Se Ashley souber o mínimo de turco, cometi um grande erro. Mas por sorte ela não parece saber.

— Você fala turco, então? — pergunta Ashley, e eu embarco em uma longa reclamação sobre varejistas desonestos que roubam você no troco no mercado. Ela fica espantada, mas acho que acredita em mim.

Mamãe sai de novo, desta vez vestida em um jeans apertado e top branco. Combina com seu cabelo agora escuro, mas também é indecente. Transparente, na verdade. Não a vejo tão feliz há semanas, o que é bom, mas neste momento eu preferia que estivesse vestindo uma burca, como a que a mãe do Imran vestia quando eu estudava no colégio St. Luke.

— Mãe — digo com firmeza —, é legal, mas você está começando a parecer demais com sua amiga.

— Que amiga? — ela pergunta, admirando pelo espelho o traseiro apertado pela calça. — Sabia que visto tamanho 36 agora? — diz ela, um pouco ansiosa.

— Não tem como você parecer gorda — digo enfaticamente. Estas palavras mágicas são a chave para o sucesso ao comprar roupas com mulheres. David Beckham provavelmente diz a mesma coisa para as mulheres o tempo todo. Tendo amolecido mamãe, volto ao ataque. — Você sabe, sua amiga Nicki. Sabe... *Nicki*. Você não quer se parecer com ela. Por que não procura algo mais parecido com o que sua amiga Maureen veste?

— Maureen não tem o menor bom gosto ou estilo — retruca minha mãe. — *Nicki* costumava receber um monte de elogios. — E ela dá uma rodada em frente ao espelho.

— Sra. Andrews — interrompe Ashley —, eu sou Ashley. Sou da turma do Joe na escola. Adorei os jeans. Você está linda. Onde achou?

Mamãe adora ouvir isso e começa a conversar com Ashley sobre jeans e marcas, e quando vejo estão entrando juntas no trocador. Quando Ashley entra à sua frente, Mamãe se vira e faz uma careta para mim, ficando vesga e tudo. Evidentemente ela não capta meu aviso. Evidentemente ela não faz ideia de que quase revelou nossas identidades. Estar na Top Shop é como três Bacardis com Coca-Cola para ela. Eu me enterro em uma revista *Maxim* e torço para ficar tudo bem.

Dois minutos depois aparecem duas... três... não, quatro amigas da Ashley. O Sr. *What Car?* fica impressionado. Lauren e Emily se enfiam no sofá, Dani senta no braço, Becca senta sobre a pilha de revistas.

— Onde está Ashley? — pergunta Becca.

— Lá dentro, experimentando roupas.

— Então vocês estão aqui, você sabe, *juntos*? — pergunta Lauren. O jeito como ela fala *juntos* faz parecer que Ashley e eu vamos dar uns amassos em público na vitrine da frente e ela está pronta para vender entradas.

— Não, estou aqui com minha mãe. Ela está escolhendo roupas novas por causa do aniversário dela.

— Aaah... — fazem as meninas em coro.

— Você é tão bacana — diz Emily.

— Minha mãe ia adorar ter um filho como você — comenta Dani. É óbvio que não dá para sair rastejando e me esconder atrás de uma arara como faria quando tinha 9 anos — nem faz tanto tempo assim —, então faço um gesto de descaso e digo:

— Não é nada demais.

Mamãe aparece carregando uma pilha enorme de roupas.

— Vai comprar *tudo* isso? — pergunto.

— *Todas* essas meninas são amigas suas? — ela retruca. Ashley está logo atrás.

— Joe é muito popular — ela diz, gesticulando para as amigas irem embora, mas é ignorada.

— É mesmo? — pergunta Mamãe, obviamente surpresa.

— Achamos muito legal ele vir fazer compras com você, Sra. Andrews — diz Emily.

Mamãe se recupera.

— Digo, sim, ele é ótimo. Tenho muita sorte. Bem, ele sempre foi muito popular, não é, meu bem? Sempre rodeado de meninas. Devem ser seus grandes olhos verd... hã, castanhos. Vou só pagar isso e talvez colocar a calça jeans e aí vamos comprar seus tênis de corrida.

Eu sabia que fazer compras com Mamãe ia ser dureza, mas não imaginava que teria que fazer uma preparação completa estilo CIA antes. Primeiro meu nome, depois meus olhos... Talvez seja mais seguro mantê-la em prisão domiciliar.

— Encontro você do lado de fora. Tchau, meninas — digo, e fujo dali. Por sorte, encontro Brian e seus amigos, Max e Jamie, de bobeira perto do topo das escadas rolantes.

— Caraca — exclamo, debruçando sobre o parapeito. — Ashley Jenkins acaba de emboscar minha mãe na Top Shop.

Os meninos assobiam ao ouvir o nome de Ashley, e Brian pergunta:

— Suas amigas estavam com ela? Emily e as outras?

— Sim, a matilha inteira!

— Você pode escolher qualquer uma delas — diz Brian com um suspiro. — Se você se decidir logo, talvez a gente ainda tenha uma chance de se arranjar com alguém até a festa de fim de ano.

— Que festa de fim de ano? — O fim do ano letivo ainda vai demorar várias semanas.

— A escola dá uma festa no fim do ano para todos os alunos até o décimo ano. Costuma ser legal, e este ano é nossa melhor chance de conseguir, você sabe, alguma coisa. — Ele parece desconfortável, e tenho a impressão de que Brian só começou a pensar em garotas há muito pouco tempo. Já eu venho pensando nelas sem parar há pelo menos um ano — principalmente na Maria, do estúdio de tatuagem —, mas nunca antes senti que tinha a menor chance de conseguir chegar em alguém.

— O negócio é o seguinte, Joe. Se você ficar com a Ashley, poderia dar um toque nas outras para nós... Quem sabe armar uns encontros duplos, esse tipo de coisa...

Está fora do seu alcance, parceiro, eu penso. Mas digo:

— Claro, se der, eu agito.

Sou interrompido por Max assobiando ao olhar para o andar de baixo.

— Quem é aquela gata com Ashley?

Eu olho. Claro. É a minha mãe toda arrumada em seu jeans novo e top transparente, e a distância ela parece, bem, nada mal. Não posso tolerar moleques como Max assobiando para minha mãe. Tenho que dar um basta nisso imediatamente.

Viro para ele com um olhar ameaçador, olhos apertados, os punhos cerrados.

— Se liga como tu fala da minha mãe — digo em meu tom mais agressivo de gângster.

Funciona.

— Sua mãe? — ele exclama em uma voz esganiçada. — Desculpe, Joe, eu não fazia ideia — e os outros meninos se entreolham meio assustados. Fico imaginando se Brian contou a eles nossa conversa supostamente confidencial.

Eu abaixo os punhos.

— Sem problema, irmão, qualquer um se engana. — Especialmente quando ela está vestida como Hannah Montana. — Melhor eu resgatá-la da Ashley.

Quando as alcanço, Mamãe está me procurando.

— Você não se parece com uma boa moça muçulmana — falo em turco. Salik, da loja de kebab, sempre dizia isso para sua filha e é uma piada antiga entre mim e minha mãe, porque é o que sempre digo quando ela sai para o pub. Ela ri e vira os olhos. Ashley parece completamente convencida, acena para mim e manda um beijo.

— Vamos comprar seus tênis — diz Mamãe — e depois vamos comprar uns jeans e camisetas para você. Podemos ir aonde quiser. — Isso me deixa secretamente contente e a guio para a loja da Nike, já que as roupas do Ty sempre vieram da Asda ou de brechós ou do mercado. Joe marca ponto de novo. Pergunto-me quantas vezes poderemos fazer compras antes que acabe o dinheiro da Scotland Yard.[13]

Algumas horas depois, estamos saindo do shopping carregados com um monte de coisas legais e vejo Carl de novo. Dessa vez ele está com a família toda: o pai com o rosto vermelho, a mãe gorducha e — isso! — Carl está empurrando um carrinho com um par de bebês com os narizes escorrendo.

— Até mais, Carl — digo, e coloco o braço sobre os ombros de minha mãe como se ela fosse minha namorada um pouco mais velha, mas incrivelmente glamourosa. Ela fica um pouco surpresa, mas vale a pena ver os olhos azul-claros do Carl se esbugalharem quando passamos por ele. É um bom momento.

---

13. Sede da Polícia Metropolitana de Londres. (N.T.)

CAPÍTULO 11
Corrida

Hoje é a competição intercolegial de atletismo e não tenho a menor intenção de contar à minha mãe. Ela já teve sua cota do meu tempo e atenção ontem. Mas quando desço para o café da manhã, lá está ela vestida em seu jeans e top vermelho novos. Seria maldade não dizer a verdade quando ela quer saber aonde vou.

— Posso ir? — ela pergunta. — Gostaria de te ver correr, de saber que história é essa. Estou achando bom você se envolver com esportes. Vai te manter longe de problemas.

Ambos sabemos de que tipo de problemas está falando. Problemas com facas. Digo sim imediatamente para ela se calar, mas faço-a trocar de roupa e vestir algo mais discreto.

Então aqui estamos nós, no campo, na fila para a inscrição. Tenho esperança de dispensá-la rapidamente, pois já vi vários de meus novos amigos. Max e Jamie estão aqui, mas não vejo tantos pais assim.

Ellie e o Sr. Henderson estão na mesa de inscrição, e o rosto da Ellie se ilumina quando vê minha mãe.

— Olá, é um grande prazer conhecê-la, Sra. Andrews — ela diz. — Eu sou Ellie. Joe já deve ter lhe contado que estou supervisionando seu treinamento.

Minha mãe já registrou a cadeira de rodas e está com sua melhor expressão sou-uma-assessora-jurídica-e-nada-me-surpreende estampada no rosto. Ela aperta a mão da Ellie e diz:

— Eu sou Michelle. Obrigada pelo tempo que está dedicando ao Joe.

O Sr. Henderson me dá um formulário para preencher. É bastante simples, mas me sinto mal quando tenho que preencher a data de aniversário falsa. Estou fingindo ser dez meses mais novo do que sou de verdade. Isso não é trapacear? Não me dá uma vantagem injusta? Não é tão errado quanto tomar drogas para melhorar o desempenho?

O Sr. Henderson percebe que estou demorando e diz:

— Tem alguma coisa o incomodando, Joe? É tudo bem claro, não?

— Não... sim... estava só pensando em que corrida devo me inscrever.

— Ora, é bem simples, Joe. Você está no oitavo ano, é um menino, então deve entrar na corrida masculina do oitavo ano.

— Ah. Certo. Hãã... Sr. Henderson?

— Sim?

— Será que eu não poderia correr contra os meninos do nono ano? Seria um desafio maior.

Assim que termino de falar, percebo que estou parecendo um moleque convencido. O Sr. Henderson ri, Ellie sorri e minha mãe vira os olhos.

— Fique na sua faixa etária — diz o Sr. Henderson. — Mas, se quer mesmo um desafio, tem um evento de 1.500 metros mais tarde aberto a todos com menos de 16 anos. Normalmente não inscreveria um garoto de treze anos, mas se quiser tentar...

Então, obviamente, tenho que fingir entusiasmo e falar sim, por favor. Quando chegar por último, vou me sentir completamente humilhado.

Ellie pergunta ao Sr. Henderson se ele pode se arranjar sem ela e se oferece para apresentar minha mãe à sua família.

— Estão todos aqui — diz. — Vamos ter uma corrida de cadeirantes. Este é um bom evento para juntar portadores de necessidades especiais com outras pessoas. E meu irmão menor vai participar da corrida de 200 metros para até 11 anos.

Os pais dela estão perto de uma fileira de bancos para os espectadores. Dois meninos estão correndo em círculos e fazendo barulho. Claire, da minha turma — a pequenina e tímida —, tem a mesma atitude tanto com roupas normais como com o uniforme escolar. Está vestindo uma camisa enorme e calças jeans folgadas, e está sentada no banco e debruçada sobre um livro. Estou em pé bem ao lado dela, então digo oi. Ela olha rapidamente para mim e volta a ler. Nem sequer me cumprimenta, e sinto uma ponta de irritação.

A mãe da Ellie se chama Janet e se parece um pouco com ela — o mesmo sorriso caloroso e olhos brilhantes —, e Gareth, o pai, é um sujeito grande de cabelos ruivos. Está todo orgulhoso falando da Ellie para minha mãe.

— É impressionante o que ela consegue fazer na cadeira de rodas. Não vai acreditar quando vir a corrida, é tanta habilidade, tanta velocidade. Não vou negar, Michelle, esperávamos o pior quando ela sofreu o acidente. Ela era uma ginasta campeã, destinada a chegar ao topo. Tínhamos tanto orgulho dela. E então... Mas ela foi em frente e deu a volta por cima e... bem, ela está prestes a se classificar para as Paralimpíadas.

— Isso é fantástico — diz Mamãe, então Ellie me manda ir me trocar e começar a aquecer, pois a corrida da oitava série vai começar em 45 minutos.

Encontro Max e Jamie no vestiário. A corrida é de 800 metros, o que é uma boa distância para mim.

— Tem quatro atletas para cada escola — diz Max. — O mais importante é conseguir abrir caminho no meio do pelotão. — Eu vou ter que começar rápido e manter o ritmo, decido. Olho para as pernas curtas do Max. Devo chegar na frente dele, pelo menos.

Eles não se dão ao trabalho de fazer um aquecimento completo.

— Não tem mesmo a menor chance de eu vencer — diz Jamie —, então por que o esforço? — Mas eu corro um pouco e faço todos os exercícios de alongamento que Ellie me passou. Depois verifico se Mamãe não estragou nosso disfarce. Ela está sentada ao lado da Ellie, que só fala do meu potencial e sobre o grande futuro que poderei ter se eu me dedicar totalmente ao atletismo.

Ellie chama:

— Joe, vem aqui um instante. — Vou até ela obedientemente. — Veja — diz Ellie —, veja as pernas dele. São longas em relação ao resto do corpo. Isso lhe dá uma vantagem enorme logo de cara. — Aí ela aponta para o comprimento de minha coxa, o que significa que sua mão roça a minha virilha. As sobrancelhas de minha mãe estão ligeiramente levantadas e acho que está tentando não rir.

Por sorte, anunciam a corrida do oitavo ano e consigo fugir desse assédio sexual. Ainda me incomoda que na verdade eu esteja trapaceando, mas então decido que não importa. Estou no oitavo ano, certo? E com certeza sou um menino. Além disso, alguns dos outros meninos na linha de partida são bem grandinhos também.

Bang! A corrida começa e corro para a frente do pelotão. Estou respirando bem, alongando a passada, me distanciando dos outros corredores. Tem quatro de nós buscando a liderança e, ao fazer a curva, nos alinhamos. Primeiro um louro grandalhão, eu em segundo e mais dois logo atrás de mim. Estou bem. Estou firme. Vai ser fácil para mim...

E é mesmo. Eu me seguro até a volta final e disparo. Ultrapasso o louro. Vejo seu rosto vermelho e espantado e o deixo para trás. Não é sequer difícil. Nem dou o máximo de mim. Então acelero para marcar o tempo e estou na linha de chegada e, nossa, foi tão fácil, mas é uma sensação tão boa vencer. Tão incrivelmente boa.

Está todo mundo aplaudindo e os aplausos são para mim. Eu soco o ar, mas logo abaixo o braço. Afinal, é só uma corrida boba para meninos de 13 anos. Não é bem o ouro olímpico. Alguém me passa uma garrafa de água, e eu a bebo toda.

O Sr. Henderson bate no meu ombro.

— Muito bom — diz, me mostrando meu tempo. — Excelente. O nono ano vem a seguir. Vamos ver o que seu tempo lhe traria.

É estranho ver os meninos do nono ano se alinhando. Eu devia estar com eles. Nesse grupo eu não sobressairia. Seria da mesma altura que a maioria, só mais um garoto de 14 anos. Nada especial. Não como Joe... Vejo-os correr, vejo o vencedor comemorar e então o Sr. Henderson enfia um pedaço de papel debaixo de meu nariz e vejo que fui cinco segundos mais rápido. Poderia ter vencido essa corrida também. Não consigo parar de sorrir.

Jamie e Max vêm falar comigo e nos cumprimentamos espalmando as mãos levantadas.

— Sabia que ia conseguir — diz Max. — Você vai ser um atleta internacional, não vai? Eu ouvi o Sr. Henderson falando com o diretor e ele disse que você tem mais potencial do que qualquer outro na escola.

Ele está me enrolando, tenho certeza.

— Deixa disso — digo, dando-lhe um empurrão. — Não fala besteira. Olha o que vem aí. — E nos viramos para admirar as meninas do oitavo ano entrando na pista. Algumas delas ficam muito bem em trajes de corrida.

Imagino como Ellie se sente vendo corridas como essa. Será que se sente mal por ter de usar uma cadeira de rodas para competir?

Claro que deve. Ela é tão incrível, tão positiva, que é fácil esquecer como sua vida deve ser difícil. Ela tem que depender dos outros o tempo todo. Eu odiaria viver assim.

O que é pior: fazer o melhor que pode com uma vida tão limitada fisicamente ou ter que aceitar que sua vida será para sempre ditada pelo medo, pelas mentiras e pela incerteza? Ainda acho que prefiro ser eu — Ty ou Joe ou quem quer que seja — a ficar preso a uma cadeira de rodas.

Então me ocorre que, se essas pessoas que gostam de intimidar testemunhas puserem as mãos em mim, eu seria sortudo se apenas acabasse em uma cadeira de rodas.

Minha corrida de 1.500 metros só começa em uma hora. Deveria comer alguma coisa. Procuro minha mãe para pegar um dinheiro, porém ela sumiu. Mas Claire está lá, ainda lendo seu livro.

— Hãã... Claire, você viu para onde minha mãe foi? — pergunto.

— Não — ela responde, sem tirar os olhos do livro.

— Ela disse se ia voltar?

— Não.

— Hãã... ela estava bem aqui. Acho que vou esperar por ela. — Estou só pensando alto, mas Claire fecha o livro violentamente.

— Faça como quiser — diz ela em tom irritado, então se levanta e sai andando.

Hein?

Corro atrás dela.

— Escuta, não queria te incomodar nem nada... O que fiz de errado?

Ela está toda vermelha e parece que tem lágrimas nos olhos, só que é difícil dizer por causa dos cabelos despenteados cobrindo seu rosto. Que esquisita. Ela precisa de um visual completamente novo.

— Nada — ela diz. — Só me deixa em paz, por favor. Sua mãe está ali, olha. — Ela aponta para uma mesa onde estão vendendo refrescos. Quando me viro de volta, ela já partiu andando rapidamente.

Eu, hein. Esquisito. Claro que eu poderia ir atrás dela, mas não vejo por que me incomodar. Só que é estranho. A maioria das meninas da escola aproveitaria qualquer deixa para falar comigo. Sei que pareço convencido, mas é verdade.

Encontro minha mãe, consigo arrancar dela cinco pratas e compro um sanduíche e uma lata de Tango.[14] Max, Jamie e eu comemos juntos, deitados na grama, dando notas para as meninas do 11º ano, especulando sobre a possibilidade de saírem com garotos mais novos. Mamãe parece satisfeita com a companhia da família da Ellie. Eles encontraram alguns amigos e ela parece estar bem, embora sejam todos uns 20 anos mais velhos do que ela.

Mil e quinhentos metros. É isso. Hora da humilhação. Ao nos alinharmos na partida, ouço um burburinho entre os espectadores. Posso estar só imaginando coisas, mas algumas pessoas parecem estar apontando para mim. Penso ouvir meu nome. Balanço a cabeça. Devo estar ficando paranoico. Estou observando os outros corredores. São todos do 10º ano. Tudo bem, sou só um ano mais novo, não dois, mas mesmo assim...

Bang! Partimos. Começo devagar, mantendo o ritmo, tentando não me preocupar com o fato de que estou ficando para trás no grupo, tentando acreditar que posso ultrapassá-los, que posso acelerar quando precisar. Tentando manter o foco. Tudo o que importa é minha passada e minha respiração. Esqueço a multidão, esqueço tudo. Todo o medo desaparece.

E então, gradualmente, gradualmente, indo mais rápido, mais rápido, respirando mais fundo, aumentando a passada. Não falta muito e estou entre os líderes, e meus pulmões estão queimando, estourando. Estou indo tão rápido e não há nada para me segurar... continuo, aperto o ritmo e... Isso! Alcanço a fita uma fração de segundo antes do sujeito que liderou a prova toda. Ouço Jamie e Max

---

14. Refrigerante com sabor de laranja ou de uva. (N.T.)

gritando e comemorando. Estou arquejando, respirando fundo, tentando recuperar o fôlego... e, por dentro, estou explodindo de felicidade porque consegui provar que sou mesmo bom nisso. Eu sou capaz. Eu ganhei!

Todo mundo da Parkview está batendo nas minhas costas e dizendo como sou bom. Ellie aparece e todos abrem caminho para a cadeira de rodas. Ela segura minhas mãos e grita:

— Muito bem! Isso foi fantástico! — E posso ver minha mãe de pé atrás da multidão. Ela está sorrindo. Parece estar um bocado espantada.

Um sujeito do jornal local quer me entrevistar, mas eu digo:

— Não, desculpe, tenho que ir — e consigo despistá-lo no meio das pessoas. O resto da tarde parece passar em um borrão. Tem a corrida de cadeirantes da Ellie, que é incrível — como a corrida de bigas daquele filme de que a Vovó gosta, *Ben-Hur* —, com as rodas girando a toda velocidade e os braços musculosos da Ellie empurrando loucamente. É um pouco como um Grande Prêmio, só que sem o barulho dos motores. Ela vence. E vence com folga.

Estou com a família dela e estamos todos gritando e comemorando, exceto por Claire, que continua lendo seu livro. Talvez tenha ciúme da Ellie por ser uma estrela. Mas como se pode ter ciúme de alguém presa a uma cadeira de rodas?

Então é hora da premiação, eu ganho um troféu e uma pequena taça de prata. O Sr. Henderson os pega de mim, diz que meu nome vai ser gravado neles, e sinto um nó na garganta porque queria que pudesse ser meu nome verdadeiro. Só por causa do meu pai. Aposto que, se ele estivesse aqui, estaria bem impressionado comigo hoje.

Então troco de roupa e andamos até a casa da Ellie, pois fomos convidados por sua mãe para comer.

Achei que ela morava em uma dessas casas que a gente vê na televisão quando dizem que você pode vender sua casa em Londres e comprar algo bem maior no campo com um jardim enorme e uma garagem. Acho que imaginei que tudo na vida dela era perfeito antes, até ser destruído em um instante de má sorte.

Mas, na verdade, ela mora em uma pequena casa geminada cinza, precisando de manutenção, com uma porta azul e uma pilha de lixo no pequeno jardim da frente. Janet nos conduz até uma grande cozinha nos fundos, explicando que tiveram que estender e adaptar a casa quando Ellie sofreu o acidente, para ela poder dormir no andar de baixo.

— Já era um caos então, agora é um hospício — diz em tom bem-humorado. — Mas a gente vai se virando como dá.

— Você deve viver muito ocupada — diz minha mãe. — Quatro filhos. É bastante trabalho. — E Janet diz que sim, que há dias em que ela não sabe como consegue e que fica feliz por ter um emprego, pois a mantém sã. Minha mãe diz: — Ah, eu sei exatamente como se sente — o que é meio um insulto, já que ela só tem a mim.

Os irmãos da Ellie perguntam se quero jogar Wii com eles. Claro que quero. Mamãe nunca me deixou ter algo como um Wii ou um DS ou um Playstation. Não tínhamos dinheiro para comprar um, ela dizia, e iria me distrair do meu dever de casa. Então minha vida toda venho desejando coisas que todo mundo tem.

É uma diversão incrível. Jogamos tênis uns contra os outros e estamos em nossa batalha final entre mim e o irmão da Ellie, Sam — eu sou o Nadal e meu *backhand* é fantástico, ele é Murray e tem espírito guerreiro — quando Claire entra e diz:

— Está na mesa. — Ela parece chateada por me ver ali. Eu já estou mais do que irritado com ela a essa altura. Dá para ser mais mal-educada?

Faço questão de evitá-la quando nos sentamos na cozinha para comer frango frio com salada e batatas cozidas. É a melhor refeição que como há séculos, e já estou repetindo pela terceira vez antes mesmo de os outros terem terminado o primeiro prato.

Ellie continua falando de meu potencial.

— Você viu hoje do que ele é capaz — ela fala para minha mãe. — Se ele se empenhar, pode ir longe.

Boa sorte. Está falando com a mulher que me levou de ônibus um dia até o centro de Londres. Ela me mostrou um monte de arranha-céus, olhamos as pessoas de terno andando às pressas para todo lado, e ela disse: "É aqui que as pessoas ricas trabalham. Se você se esforçar bastante na aritmética e alfabetização, poderá vir trabalhar aqui e ganhar muito dinheiro". Eu tinha apenas 6 anos.

— Não sei se ele vai poder viajar tanto e tudo o mais — diz Mamãe. — Lembro-me que é preciso ir a muitas competições por todo o país. Não é nada prático.

— Como assim, você se lembra? — pergunta Ellie. Lá vamos nós. Mamãe explica como ficou grávida no auge de sua carreira atlética escolar. Eu me concentro em enfiar batatas na boca, mas vejo de relance o rosto da mãe da Ellie e percebo certa cautela por trás da expressão amigável.

Mas Ellie está excitadíssima.

— Ora, então você entende por que ele tem que treinar.

— Eu prefiro que ele se concentre em ir bem nas outras matérias da escola — diz Mamãe. — Ele tem que se esforçar em matérias como matemática e inglês tanto quanto no esporte. Ele vai começar os GCSEs[15] em breve.

— Nem tanto, Mãe — falo rapidamente. — Estou só no oitavo ano, lembre-se. Ainda falta um ano.

— Mas, se você tem um talento de verdade, então com certeza deve colocar isso em primeiro lugar, não? — insiste Ellie.

— Às vezes isso não é possível — diz Mamãe. — Ele precisa pensar na carreira que vai seguir.

---

15. General Certificate of Secondary Education — Certificado Geral de Educação Secundária. (N.T.)

— Bom, justamente por não ter sido possível para você, eu achava que você iria querer o Joe aproveitando ao máximo seu potencial. — O rosto da Ellie está ficando rosa e sua voz, mais alta.

— Vai com calma, filha — diz sua mãe. Ela se vira para minha mãe. — Eu sinto muito. Ellie costuma ter ideias fixas. Só vê o que quer e não importa que obstáculo tenha pela frente.

— É bom que seja assim — diz Mamãe. — É disso que ela precisa para avançar na vida. Queria que Joe fosse mais assim.

Estou silenciosamente indignado, pois sou muito dedicado ao meu futuro. Só não é a carreira em bancos de investimento ou direito internacional que ela escolheu para mim.

— Exatamente, então nós concordamos — exclama Ellie triunfante, e até Mamãe ri.

— Bom, só depende do Joe — ela diz —, mas, se seu rendimento escolar cair, vai ter de responder a mim. Eu me pergunto se ele vai ser tão determinado quanto espera que ele seja.

Hã! Só porque quer controlar completamente minha vida. Ellie começa a listar para Mamãe uma série de atletas famosos que também conseguiram diploma universitário, e eu fico exausto só de pensar que essas duas mulheres mandonas têm tantos planos para mim. Não importa. Nada importa muito quando tenho um prato enorme de torta de maçã e manjar para dar conta.

Depois jogo futebol no jardim com Alex e Sam. Mamãe ajuda com a louça, e é a tarde mais normal que temos há meses.

Nenhum de nós quer realmente ir embora. Mamãe diz:

— Muito obrigada. Foi realmente ótimo. — Ela e Janet se abraçam. Os meninos exigem que eu volte em breve. Ellie acena para mim e diz:

— Treinamento normal amanhã. Sem preguiça.

Somente a Claire não aparece. Mas, ao sairmos pelo portão, ela está esperando na calçada, escondida por uma cerca viva. Ela coloca alguma coisa em minha mão sem uma palavra e corre para dentro de casa.

— O que foi isso? — pergunta Mamãe, vendo-a entrar. Eu levanto os ombros.

— Não faço ideia. Ela é toda esquisita.

— Estranho isso, o resto da família é tão gentil. — Então ela diz: — Sabe, Ty, fiquei orgulhosa de você hoje — e isso torna meu dia praticamente perfeito.

Bem mais tarde, depois de terminar meu dever de matemática e estar seguramente sozinho no meu quarto, tiro do bolso o pedaço de papel. Claire o dobrou umas cem vezes e está tão vincado que mal dá para ler as palavras quase apagadas escritas a lápis. "Joe, desculpe não poder falar com você", é o que leio. "Por favor, não conte a ninguém que esteve em nossa casa. E não mostre este bilhete a eles. Por favor. Eu confio em você. Claire."

Não faço a menor ideia do que isso quer dizer, mas tem alguém aqui que parece estar quase tão assustado quanto eu.

CAPÍTULO 12
Qual é o seu segredo?

Não faço ideia de qual é o problema da Claire. Acho que ela é só maluquinha. Recuso-me a acreditar que ela pode estar sendo ameaçada como eu. Como poderia estar? E por que está me incomodando com isso?

Ainda estou tendo problemas para dormir. Sozinho, no escuro, fica difícil evitar o redemoinho de pensamentos que mantenho sob controle o dia todo. Tento fugir das memórias — da lama, do sangue, do corpo sem vida — e bato de frente com os medos: matadores de aluguel, assassinos, sombras e fogo. Preciso de uma nova direção, algo que apague tudo. Então me lembro da Ashley tocando em meu braço na Top Shop.

Apesar de tudo, estou começando a sentir certo entusiasmo com o interesse da Ashley por mim. Estava bem jeitosa naquela camiseta. Ela é muito segura de si e parece muito... disposta, a fim, experiente... Cheira a bolo, bolo de baunilha. Como será a sensação de tocar a pele dela? Rendo-me de corpo e alma a uma Ashley de fantasia. Encontrei a distração perfeita para me ajudar a relaxar.

Na manhã seguinte, correndo na esteira, decido arriscar. Convidá-la para sair. Tentar a sorte. Por que recusar algo que está sendo oferecido de bandeja? Se houver qualquer perigo de eu morrer cedo, não quero partir sem ao menos um beijo.

O único problema é que ela está sempre cercada pelas amigas, e eu normalmente estou com Brian, Jamie, Max e mais alguns agregados. Não consigo imaginar convidá-la na frente de todo mundo. Acabo escrevendo um bilhete que diz "Starbucks hoje às 6h?" e passo para ela a caminho da aula de francês no primeiro tempo. Ela lê, dá um sorriso e, quando começamos a conversar, se inclina para o meu lado, me permitindo um vislumbre de pele e um aroma de baunilha, e sussurra:

— *Oui.*

— *C'est bon* — respondo, então Brian interrompe com uma pergunta sobre o clima, e Ashley volta-se para Lauren.

Brian quer saber o que está havendo.

— *Avez-vous un assignation avec cette jeune fille?* — pergunta, embora com um sotaque tão terrível que é como se tivesse inventado uma língua nova.

— *Oui, c'est vrai* — respondo, orgulhoso de mim.

— *Oh lá lá* — ele diz, e levanta o polegar em aprovação. Claro que no intervalo todo mundo de nosso ano já parece saber tudo. Vejo Claire a distância olhando para mim, o rosto pálido. Ignoro-a. Afinal, é o que ela quer, não é? Ela vira de costas. Qual é o problema dela?

Ellie me dá uma sessão de treino puxada depois da aula. Não se satisfaz com nada do que faço, fica mandando ir mais rápido, ser mais forte. Há algumas semanas eu teria desistido. Mas ainda estou na adrenalina e me esforço mais do que jamais fiz antes.

Ellie parece pensativa quando termino minha última volta.

— Você realmente gostou de vencer no domingo, não? — pergunta.

— Sim — respondo honestamente. — Mais do que imaginaria.

Estou espantado de ver como gosto da sensação. Nunca fui competitivo antes, nunca senti que tinha algo para ser competitivo. Mas isso, isso pode ser viciante. Não ligo se Joe Andrews ganhar uma medalha olímpica e for morto. Neste momento parece valer a pena.

No caminho de volta ao vestiário, lembro-me do bilhete da Claire.

— Ellie, obrigado por nos convidar para sua casa no domingo. Foi divertido.

— Foi bom conhecer sua mãe — diz Ellie. — Devia tentar convencê-la a entrar para um clube de corrida ou algo assim. Ela age como se fosse tarde demais, mas ainda é bem jovem.

— Sim, tem razão — concordo, querendo dizer não, de jeito nenhum, nunca mesmo. — Ellie, está tudo bem com Claire? Ela parecia meio, hãã, estranha.

Ellie pensa um pouco.

— Pelo que sei, está tudo bem. Ela não é de falar muito. Tive que fazer um verdadeiro interrogatório para conseguir mais informações sobre você. Mudar do primário para o secundário foi um pouco difícil para ela no ano passado, mas acho que já se adaptou. Todas as amigas dela do primário — Lauren, Emily, Ashley — estão na sua sala, não estão?

Ashley! Vou encontrá-la em uma hora. Faço que sim com a cabeça, digo tchau e corro para o vestiário, onde tomo uma ducha e visto o jeans e a camiseta que coloquei na mochila de manhã. Tenho o tempo exato para ir para casa, deixar a mochila e ainda chegar na High Street às 6 horas. Ashley me mete medo e não quero me atrasar.

Em casa, encontro o Doug, e — excelente — ele e Mamãe estão olhando o jornal local, procurando emprego. Entro correndo e digo:

— Vou encontrar uns amigos. Vejo vocês depois. — E saio correndo de novo. Chego à High Street faltando cinco para as seis. Diminuo o passo e ando até o Starbucks. Estou me sentindo um pouco tímido, como se Ashley soubesse o que imaginei sobre ela na noite passada.

Ela já está lá, sentada no sofá, vestida em uma blusa rosa pálido e uma saia de brim. Ela fica mil vezes melhor assim do que de uniforme — mais macia, mais bonita, menos maquiagem.

— Quer um café? — pergunto. Peguei 20 pratas da bolsa da minha mãe de manhã, mas ela balança a cabeça negativamente.

— Vamos dar uma volta — diz. — Está cheio demais aqui.

Descemos a High Street olhando as vitrines. Ela é boa companhia quando quer ser. Então entra em uma rua transversal.

— Aonde vamos? — pergunto.

— Vamos para o parque — ela responde. — Ele fica aberto até as nove no verão.

Ao parque? Nem sequer sabia que havia um parque nesta cidade. Mas, pensando melhor agora, minha escola se chama — dãã, Ty — Parkview.[16] Mas eu não vou lá.

— Não — digo, na mesma hora, percebendo que devo parecer maluco. — Não quero ir ao parque.

— Por que não?

— Não posso te dizer.

Ficamos em pé ali sem saber o que fazer.

— Vem — ela diz. — Não precisa ter medo.

E ela me pega pelo braço e me conduz pelos portões do parque.

É maior do que nosso parque em Londres. Tem vários playgrounds e um bosque também. Alguns grupos de encapuzados e um grupo de meninas bebendo vodca perto dos balanços. Alguns idosos passeiam com seus cachorros. Parece seguro, mas continuo muito apreensivo enquanto caminhamos. Ashley me leva até um banco com vista para o lago. Estamos meio escondidos por um arbusto, e é o máximo de privacidade que dá para ter.

Ela se senta e gesticula para eu me sentar ao lado dela. O que faço agora? Coloco o braço em volta dela?

---

16. Literalmente "vista do parque". (N.T.)

— Então, Joe Andrews, e agora? — ela pergunta.

Eu me recosto com as mãos atrás da cabeça. Espero parecer tranquilo e seguro de mim.

— É com você, Ash. Você parece sempre saber o que quer.

— Boa resposta — ela diz, e se inclina em minha direção e muito, muito levemente, me beija na boca.

Nossa! Tenho que dizer que esta foi uma das melhores experiências da minha vida até agora. Seu gosto é incrível. A coisa toda é incrível. Meu corpo está fervendo como uma porção de frango *karahi*. Ou salsichas na frigideira. Supondo que o frango e as salsichas nunca tenham se sentido tão bem. Não que sintam qualquer coisa... Ela me beija de novo.

Luto para manter a calma do Joe. Joe provavelmente já esteve com centenas de garotas. Meu braço envolve os ombros dela, de forma bem natural, e logo estamos nos dando o tipo de beijo garganta-profunda de que Arron sempre se gabava. Um atrás do outro, de novo e de novo. Por sorte, me lembro de tudo que ele falou sobre respirar pelo nariz, relaxar o maxilar, manter a cabeça vazia para não se excitar demais...

Meu outro braço está em volta da cintura dela e minha mão se insinuou sob as dobras de sua blusa rosa. Sinto sua pele de seda e seu cheiro de bolo. É incrível que há cerca de 24 horas eu achava essa garota uma ameaça incômoda.

Finalmente paramos para respirar.

— Nossa — digo —, você é bem direta.

Ela ri.

— Não vou ficar dando bobeira e deixar alguma piranha pegar você primeiro.

Ah, bacana. Mas talvez Joe goste de meninas que falam assim.

— Você só tem que me manter ocupado — sugiro.

Ela ri.

— Sem problemas. Fale comigo em turco.

Eu sussurro em um tom grave com sotaque de Istambul que tem baratas na cozinha e que tenho medo de receber uma visita da vigilância sanitária. Ela suspira e diz:

— Isso é tão *sexy*. — Eu a beijo de novo, então digo em inglês:

— Isso foi tão obsceno que não posso dizer o que significa. — Queria poder dizer ao Arron o quanto não é *gay* falar línguas.

Estou curioso sobre ela. Como ela sabe que pode conseguir o que — ou quem — ela quiser? Ela não é a garota mais bonita da turma. Quer dizer, neste momento ela me parece uma deusa do amor, mas Emily e Lauren certamente são mais bonitas. E, embora esteja bonita agora, o uniforme escolar não ajuda nada. Se Ellie estava falando a verdade e eu sou a sensação da temporada, então como a Ashley sabia que eu ia chegar nela?

Toco seu nariz com a ponta de um dedo.

— Qual é o seu segredo? Como sabia que eu ia querer sair com você?

Ela faz uma carinha inocente.

— Ah, não se preocupe. Eu me certifico de que não haverá competição.

— Ah é?

— Se quero um cara, primeiro não deixo ninguém chegar perto dele. Então eu dou o primeiro passo.

— É mesmo? E por que eu?

Ela olha para mim um longo tempo.

— Bem, primeiro porque você é o cara mais malhado que já frequentou aquela droga de escola.

O que posso dizer?

— E segundo porque você é um sujeito supermisterioso. Por que se mudou para cá de Londres? Por que a polícia quer saber de você? Por que o diretor pediu que o observassem? Qual é o *seu* segredo, Joe?

Como é que é? Estou tão chocado que saio de seus braços e me afasto até a outra ponta do banco.

— Do que você está falando? — consigo dizer. Meu tom é bastante calmo, mas meu coração está batendo como louco e minhas mãos se fecharam em punhos.

— Não se preocupe, só eu sei sobre isso. Eu não contei a ninguém.

— O quê? — Começo a imaginar o que ela realmente sabe e com quem falou. Não confio nela. É assim que todo mundo soube que vim de Londres?

Seguro-a pelos ombros.

— Do que você está falando? — Não estou sacudindo-a, mas bem que gostaria. Ela está começando a ficar com medo. — Me conta, senão... senão...

— Minha mãe é secretária do diretor — ela diz, contra a vontade. — Sei de muitas coisas sobre muitas pessoas.

Que droga. Solto-a. Isso pode ser um desastre. Terei que falar com Doug, mas falar com ele pode ser o apito final para a vida de Joe. E eu gosto de viver como Joe. Há apenas alguns minutos era a melhor vida que já tive.

— Olha, Ashley, eu não sei exatamente o que você sabe, mas vai me contar tudo o que sua mãe te disse. Tudo o que disse. Isto é muito sério. Ela pode perder o emprego por causa disso.

Ela vira os olhos e diz:

— Não sei por que tudo isso. Ela disse que vocês vieram de Londres e que havia circunstâncias especiais.

— E o que mais?

Ela faz beicinho.

— E que a polícia está envolvida e que você está sob observação e o diretor não queria aceitá-lo, mas foi obrigado por alguma razão. Mamãe não sabia por quê.

Merda. A mãe devia trabalhar para o *Sun*.[17] Sendo filho de uma secretária, estou chocado. Mamãe trabalhava para uma firma de advocacia e era muito, muito firme quanto à confidencialidade. Ela nunca me dizia nada.

— O que mais?

— Bem, só quanto ao relatório completo. A maioria dos professores acha você muito inteligente, mas alguns te acham abusado. O Sr. Henderson acha que você será uma estrela no futuro.

— Ah. — Eu paro e penso. Não consigo decidir o que fazer. Estou tão irado que sinto enjoo. E o que digo para Ashley?

— Ashley, você não deve falar disso com ninguém. Você não falou, não é?

— Não... — ela responde, mas não parece muito segura.

— Você quer ficar comigo ou não?

— Sim... — ela diz, mas ainda não parece muito convencida.

— Está bem, então faremos um acordo. Diga à sua mãe para não falar nada sobre mim. Você não fala nada sobre mim. E, quando eu puder, explico tudo. — E isso nunca vai acontecer, penso.

Ela concorda e vejo lágrimas em seus olhos.

— Não queria aborrecer você, Joe. Não sabia que ia ficar zangado. Não é culpa dela ter uma mãe burra e antiética.

— Não chore. Não estou zangado com você. — E de repente estamos nos beijando de novo. Dessa vez é ainda melhor do que antes, e ainda mais do que antes. Quando nos desenrolamos um do outro, já está ficando escuro e tem um sino tocando para avisar que o parque vai fechar.

Descemos até a High Street.

— Lá vem meu ônibus — ela diz, e eu digo que vou vê-la na escola amanhã. Então corro o mais rápido que posso para casa, pois odeio ficar sozinho na rua quando escurece.

---

17. Tabloide de grande circulação no Reino Unido. (N.T.)

Estou dobrando a esquina de minha rua quando um homem sai das sombras e segura meu braço. Eu dou um safanão, gritando.

— Me solta! — Então o reconheço. É só o Doug. Por que quer me assustar desse jeito? — Por que fez isso? — grito com ele. — Já tenho o bastante com que me preocupar sem você me perturbando.

— Calma — ele diz. — Só queria te parar antes de chegar em casa.

— Por quê? — Olho para ele, apavorado. — O que aconteceu com minha mãe?

— Espera... — ele diz, mas já saí correndo e estou voando para nossa porta da frente. Entro a toda a velocidade pelo *hall* e irrompo na sala de estar. Mamãe está chorando nos braços de Maureen, a mulher da maquiagem. Eu tiro Maureen da frente com um empurrão e abraço minha mãe.

— Nicki? Nic? O que houve? Alguém machucou você?

— Não eu. — Ela soluça. — É sua avó. Está na terapia intensiva. Os desgraçados a atacaram.

CAPÍTULO 13
Bebê chorão

Estou de volta àquele estado de nenhuma emoção, em que tudo fica abafado e distante e você fica tão desesperado para sentir alguma coisa, qualquer coisa, que quer morder a língua até sangrar. Mamãe está chorando. Está furiosa e gritando com Doug. Eu me sinto como um robô morto que teve as placas de circuito arrancadas.

— Era para você protegê-la. Você nos deixou na mão! — Mamãe grita. Doug está incrivelmente desconfortável e não consegue responder. Maureen finalmente abraça Mamãe e diz:

— Vamos, Nicki, vamos fazer uma mala para você e levá-la ao hospital.

— Nós vamos ao hospital? — pergunto, e, apesar de tudo, é bom pensar que verei minhas tias de novo. Mas não, Maureen faz que não com a cabeça.

— Eu vou ficar aqui com você, Ty, por enquanto. Doug vai levar sua mãe. É perigoso demais para você. Não sabemos quem pode estar vigiando o hospital.

Começo a tremer, imaginando essas pessoas, esses bandidos, esperando no hospital, prontos para atacar, uma por uma, Mamãe, Louise e Emma. Imagino como Vovó deve estar.

— O que aconteceu? — pergunto. — O que fizeram com ela?

Doug não consegue sequer me olhar nos olhos.

— Não temos muita certeza dos detalhes ainda porque sua avó continua inconsciente. Ela não conseguiu nos dizer nada até agora. Mas... sinto muito... houve violência considerável.

— Eles a torturaram — soluça Mamãe. — Eles a torturaram para que dissesse onde estamos. E, como ela não disse, bateram nela e a deixaram para morrer.

— Não tem como saber se foi assim mesmo — diz Maureen, tentando acalmá-la, mas Mamãe balança a cabeça.

— Eu conheço a minha mãe.

— Como a encontraram?

— Louise foi até a casa, pois não conseguia falar com ela por nenhum telefone. Se ela não tivesse... — Mamãe para de falar e de repente sai do aposento correndo. Ela mal chega ao banheiro e começa a vomitar.

Maureen vai cuidar dela e eu fico a sós com Doug.

— Tente não se preocupar demais, Ty.

— Quando poderei vê-la? Quanto tempo minha mãe vai ficar fora? — Ao mesmo tempo que falo, percebo que é inútil perguntar.

— Temos que ver como as coisas se desenrolam, como ela vai se recuperar. Na semana que vem começam as férias de meio de ano letivo e ficará mais fácil movê-lo, mas obviamente nossa prioridade é mantê-lo a salvo.

Eles esperam até cerca de meia-noite para partir. Mamãe me abraça e diz:

— Tome cuidado, meu querido. — Vendo-a partir, me pergunto se a verei novamente. A sensação é de que está desaparecendo na noite escura para sempre.

Maureen dorme no quarto de minha mãe. Eu fico acordado na cama. Acabo desistindo de dormir e ligo o iPod. Lembro de meu aniversário de 11 anos, quando eu e Arron fomos nadar, comemos bolo e sorvete, assistimos a *Star Wars*. Como foi que chegamos daquele ponto até aqui? O que deu tão errado?

De manhã, Maureen ainda está dormindo quando saio para o treino. Deixo um bilhete e desço a ladeira de casa. As ruas vazias me assustam um pouco e fico olhando para trás o tempo todo. Leva vinte minutos para eu chegar à escola e, a essa altura, até um gato atravessando a rua é capaz de me apavorar. Passo pelo portão da escola tremendo, como se tivesse tomado dez litros de Coca-Cola.

O ginásio é meu santuário. Eu treino mais rápido e mais forte do que Ellie me mandou, como se pudesse fazer algo pela Vovó forçando meus limites. Quando termino, estou molhado de suor e tonto com o esforço. "Dê um tempo para esfriar", diria Ellie, mas não tenho tempo. Vou me atrasar para a chamada. Corro para o vestiário, tirando a camisa ao mesmo tempo. Empurro a porta e — que diabos — voo pelo ar e caio aos pés do Carl.

— Opa — exclama Carl em tom de zombaria e me chuta nas costelas. Eu me encolho, xingando. Ele dá uma gargalhada e chuta de novo. Deus sabe o que teria acontecido em seguida, mas a porta se abre e o Sr. Henderson aparece.

— Quem foi o idiota que deixou a bolsa aqui para as pessoas tropeçarem? Vamos com isso e saiam daqui — ele comanda. Então ele me vê. — Para de brincar aí no chão, Joe. Vá se trocar imediatamente.

— Eu vou para os chuveiros e a turma do Carl vai embora.

Estou atrasado de novo e isso quer dizer mais uma detenção. Ashley está me esperando quando chego correndo na assembleia, e guardou um lugar para mim. Ao me sentar, sinto uma dor aguda do lado onde fui chutado. Me pergunto se a bolsa foi colocada ali de propósito.

Não importa. Nada parece importar quando estou pensando na minha avó o tempo todo. Não presto atenção nas aulas de inglês e geografia e recebo dois deméritos. Esqueci do dever de matemática, o que me vale uma detenção dupla. Ashley quer que fique com ela e as amigas no intervalo, mas já estou cheio.

— Não — eu digo. — Não estou a fim.

Ela fica chateada. Quer desfilar comigo pelo pátio como um poodle premiado na Crufts.[18] Então ela pergunta:

— Vamos para algum lugar só nós dois?

— Onde?

— Eu sei...

Ela sabe tudo, essa garota. Neste momento, é o caminho até um armário poeirento do departamento de teatro. Nos enfiamos dentro dele, e mal tem espaço para os dois. Minhas costelas doem cada vez mais onde Carl me chutou, mas é impressionante como me sinto melhor só de abraçá-la. Ela parece gostar das besteiras que falo em turco, então estou falando palavras aleatórias na orelha dela — carne, vegetais, esse tipo de coisa, tentando evitar coisas óbvias como *shashlik*[19] e *kebab*. Eu nem consigo enxergá-la, mas posso sentir... e provar... e tocar... e...

O sinal anuncia o fim do intervalo. Imagino se ela não consideraria a possibilidade de ficarmos aqui durante a próxima aula. Durante o resto do dia, na verdade. Não só me sinto seguro como não estou mais pensando em nada assustador. Mas ela está enfiando a blusa de volta na cintura e se abotoando.

— Vamos, Joe, não queremos nos atrasar para a aula de educação física.

Esqueci que tinha educação física hoje. Ótimo. Outro encontro com Carl. E minha roupa já está molhada de suor do treino da manhã. Somente quando chego ao prédio do ginásio e vejo os meninos

---

18. Maior exposição de cães do Reino Unido. (N.T.)
19. Espetinho de carne. (N.T.)

formando uma fila é que lembro que hoje é a primeira vez que vamos nadar na piscina do colégio. Eu não só não trouxe roupa de banho como estou usando as lentes de contato, que vão sair se eu mergulhar.

O Sr. Henderson faz a chamada e eu levanto a mão.

— Esqueci minhas coisas — digo.

— Não faz mal, eu tenho sungas e toalhas extras na minha sala. Pode pegar. Estão na terceira prateleira do armário.

Droga. Vou ter que manter os olhos fechados ou fora da água ou algo assim. Talvez possa pegar emprestados os óculos de natação de alguém? É uma chateação, porque nadar costuma ser uma das coisas de que mais gosto. Trocamos de roupa e ouço Carl e seus amigos rindo quando veem meus hematomas. Não me importo. Eles são patéticos.

Nadamos algumas voltas em estilo livre para aquecer. Depois ficamos no lado raso enquanto o Sr. Henderson explica o que vamos fazer a seguir. Logo fica evidente que manter a cabeça fora da água não será possível. Temos que mergulhar da lateral, nadar *quilômetros* debaixo d'água e então atravessar uma parede de poliestireno com um buraco no meio. Impossível. Vou entrar com os olhos marrons e sair com os olhos verdes.

Levanto a mão.

— Sr. Henderson, tem óculos de natação?

— Não, Joe. Se estivesse escutando, saberia que este é um exercício de natação de sobrevivência, portanto deve ser realizado sem o uso de óculos ou nadadeiras. O governo sabiamente decidiu que crianças demais estão se afogando e quer se assegurar de que vocês tenham capacidade para sobreviver a quedas acidentais de barcos ou em rios. É um programa novo, e nós, como uma academia de esportes, fomos escolhidos para testá-lo. Então temos que fazer do jeito certo.

— Não posso fazer sem óculos. Desculpe.

Alguns dos meninos riem de uma forma nada gentil. Carl diz:

— Algum problema em molhar os cabelos? Acha que vai estragar sua aparência? Vai borrar sua maquiagem? Bom, deixa a gente te ajudar. — Dois de seus gorilas seguram meus braços e Carl empurra minha cabeça debaixo d'água.

Eu luto e me contorço e esperneio. Respiro água pelo nariz e pela boca... bolhas de ar escapam em grandes lufadas e meus pulmões estão queimando... vejo faíscas e pontos e... estou morrendo... De repente eles soltam meus braços, eu me levanto e respiro de novo.

Estou tossindo e arfando, e escuto o Sr. Henderson gritando que nem louco.

— O que diabos vocês acham... — Mas eu não paro para escutar. Me jogo para cima do Carl, meu braço se estica e — *pow!* — meu punho acerta seu rosto rechonchudo. Ele grita, a mão cobrindo o nariz, e cai para trás espirrando um jato de sangue que mancha minha mão e forma uma nuvem vermelha na água.

— Segurem-no, tirem-no da água! — grita o Sr. Henderson, então Brian e Jamie pescam Carl e o levantam. Eles o carregam até a borda, onde ele fica tremendo e chorando, com sangue escorrendo pelo rosto, e então vomita o café da manhã na lateral da piscina.

— Pelo amor de Deus — diz o Sr. Henderson —, arranje uma toalha — ele grita para Brian, que sai correndo e volta com a toalha de Carl. O Sr. Henderson manda Brian se vestir o mais rápido possível e buscar a enfermeira da escola. — E diga a ela que provavelmente terá que chamar uma ambulância. Depois chame Terry, o zelador, para vir limpar essa sujeira.

Não consigo parar de olhar para o sangue na minha mão e na água. Estou começando a tremer como da outra vez no ginásio. O sangue está pingando na água e está em minha pele, e vou me afogar nele. É a voz gélida do Sr. Henderson que me traz de volta ao presente.

— Todo mundo fora da água e vão se vestir. Depois podem ir lanchar. Joe, vá se trocar e apresente-se na minha sala imediatamente.

Assim que entramos no vestiário, Jamie e Max batem nas minhas costas.

— Você estava totalmente certo — diz Max. — Ele estava tentando afogá-lo.

— Onde aprendeu a bater assim? — pergunta Jamie. — Pode me ensinar? — A turma do Carl, percebo, se mantém o mais longe possível de mim.

Eu tomo uma ducha — lavando todo vestígio de sangue das mãos — e me visto o mais devagar que me atrevo, tentando protelar ao máximo a entrevista com o Sr. Henderson. Brian volta ao vestiário para pegar suas coisas e me encontra sozinho, exceto por Jamie e Max, que estão perguntando se devem ir comigo.

— Porque não é justo — diz Max. — Você estava só se defendendo, mas ele deixou Jordan e Louis escapar.

Brian está todo alvoroçado.

— Carl foi levado para o hospital em uma ambulância, ainda de sunga, enrolado em uma toalha. A enfermeira da escola tem certeza de que quebrou o nariz, e estão preocupados que ele pode ter inalado sangue e vômito para os pulmões, porque ele não consegue respirar fundo.

— Ele também bate nas minhas costas. — Muito bom, cara. Não temos uma aula tão divertida há meses. Desde quando Ashley deu um tapa na cara do Kelvin na aula de geografia porque ele ousou chamá-la para sair.

— Melhor eu ir logo — digo. — Ele vai ficar ainda mais zangado se eu demorar.

Brian se oferece para ir também, mas eu digo que o Sr. Henderson pode não gostar de ver um grupo de apoio.

— Está bem — diz Max —, mas, se ele for injusto e te expulsar, estamos a postos para fazer um protesto. Faremos uma petição ou algo assim.

— Obrigado — eu digo, e me sinto grato de verdade. Estou me sentindo muito só no momento, e é bom saber que tem gente disposta a se arriscar por mim.

O Sr. Henderson está ao telefone quando entro em sua sala. Ele indica a poltrona e eu me sento de cabeça baixa enquanto ele fala.

— Sim, com certeza. Sim, sim, na emergência. Não. Não, nada desse tipo. Sim, com certeza. — É uma dessas conversas que parecem que nunca terão fim, e quase me surpreendo quando ele finalmente desliga o telefone.

— Era o diretor — diz —, e você não ficará surpreso em saber que ele quer vê-lo, com seus pais, na sala dele na sexta-feira de manhã, às dez horas. Você ficará suspenso até então.

Minha garganta está seca e é difícil até falar.

— Minha mãe está fora da cidade e não sei se ela estará de volta na sexta-feira. Eu só tenho ela.

— Ela viajou e você está sozinho?

— Não, tem alguém ficando comigo.

— Então, se ela não voltar a tempo, essa pessoa servirá como *in loco parentis* e terá de vir com você.

Tento imaginar Maureen Maquiadora, a quem só vi duas vezes, do meu lado enquanto sou expulso da escola e a explosão global que vai acontecer quando minha mãe descobrir.

— Eu vou ser expulso?

— Não faço ideia, Joe. Acho que você deu razão para tanto. O que deu em sua cabeça? Você podia ter matado ele.

— Podia?

— Nocauteando alguém na piscina? E se ele tivesse batido a cabeça na lateral? E se não tivessem tirado ele da água a tempo? Ele provavelmente teve uma concussão e quebrou o nariz. Onde você aprendeu a bater assim?

— Ah, eu costumava ir a uma academia de boxe. — Na verdade estou surpreso que eu consiga socar tão forte. Eu era o garoto mais imprestável na academia. Todo esse treino deve ter aumentado drasticamente a minha força.

— Academia de boxe? Deus nos acuda.

— E quanto a ele e seus amigos? Estavam me afogando.

— Não há desculpa para o que fizeram, mas você ficou debaixo d'água menos de um minuto, e eles o soltaram assim que mandei. E não havia razão para você revidar da forma que fez, não importa a provocação.

Eu levanto os ombros e sinto de novo uma dor aguda nas costelas. Devo ter feito uma careta, pois o Sr. Henderson pergunta:

— O que houve?

— Minhas costelas doem. Levei uns pontapés de manhã.

— Quando estava de bagunça no chão?

— Não estava de bagunça. Eu tropecei na bolsa de alguém.

— Você tropeçou na bolsa de alguém e então te chutaram?

— Carl.

— Entendo.

— Ele não gostou de eu ganhar um cartão de acesso. E ele não gosta de mim de jeito nenhum. — Não vejo razão para mencionar a provocação no shopping.

O Sr. Henderson parece confuso.

— Joe... você está diferente. Tem alguma coisa errada com seus olhos?

Ele percebeu que as lentes de contato haviam sumido, mas não sabe o que mudou. Ele nunca chegou a gravar a cor de meus olhos. O que posso dizer?

— Eu uso lentes de contato e não devia entrar na água sem proteção. Elas caíram. Talvez seja isso.

— Então é por isso que não queria nadar debaixo d'água! Você devia ter trazido um bilhete de sua mãe. Joe, o fato é que você esmurrou e feriu um colega na piscina. Vou ter que tirar seu cartão de acesso e não sei se poderá continuar treinando com Ellie.

Agora estou com raiva. Isso não é justo.

— Mas foi ele. Ele me atacou primeiro. Eu tinha que me defender. Se você não se defende, pode acabar morto!

Estou tão perto de chorar que preciso me calar, imediatamente, antes que comece a uivar como um bebê de 5 anos... Essa não... Não consigo segurar as lágrimas e tenho que morder as costas da mão para me impedir de soluçar.

O Sr. Henderson empurra uma caixa de lenços de papel em minha direção. Ele parece menos zangado e mais decepcionado.

— Joe, você sabe que achamos que tem potencial e estamos muito satisfeitos com seu progresso. Com certeza vou relatar coisas boas sobre você para o diretor junto com esse incidente infeliz.

Agora que comecei a chorar, não consigo parar. A dor nas minhas costelas está me queimando e fico imaginando o rosto da Vovó, todo inchado e cortado, sangrando e surrado. Pensar que não vou mais treinar, não vou mais ter a Ellie, é demais.

— Joe, talvez eu deva ligar para a pessoa que está cuidando de você e pedir que venha te buscar? Quem é, um avô?

— Não... minha avó está no hospital. — Minha voz está descontrolada. — Minha mãe está com ela, mas não me deixam ir vê-la.

O sinal anuncia o fim da hora do lanche. O Sr. Henderson suspira e diz:

— Tenho que levar a turma 7P para a aula. Fique aqui e procure se acalmar. Sexta-feira as coisas podem melhorar. Vou cuidar para que não te incomodem. Quando estiver pronto, pode ir para casa. — Ele enfia a mão no bolso e tira uma bala. — Toma. Quem sabe te ajuda a se sentir um pouco melhor.

Ele me deixa sozinho na sala e eu me forço a respirar fundo e a parar de chorar. Chupar a bala parece mesmo ajudar um pouco. Depois de um tempo, consigo secar as lágrimas e o nariz escorrendo. A essa altura, já acabaram os lenços de papel.

Tenho que sair daqui antes do fim das aulas, quando haverá centenas de alunos zanzando por todo lado. Tenho que sair antes que alguém me veja e perceba que meus olhos são verdes e meu nariz está vermelho e que eu me transformei do descolado e durão Joe no bebê chorão Ty.

CAPÍTULO 14
Esqueleto da alma

Ninguém me vê disparando pelo campo de atletismo e saindo pelo portão lateral. Continuo correndo ladeira abaixo até a High Street. A coisa mais sensata a fazer é ir direto para casa, pegar as lentes extras e contar a Maureen o que aconteceu. Não faço a coisa mais sensata. Atravesso a rua e vou direto para a casa da Ellie.

Eu tenho que explicar. Talvez ela possa convencê-los a me deixar continuar a treinar. Não quero que pense que não dou valor a seu treinamento. Estou preocupado que vá detestar minha falta de foco, de controle, minha fraqueza.

Toco a campainha e a mãe da Ellie atende. Ela parece surpresa.

— Olá, Joe. Não foi à escola hoje?

Faço que não com a cabeça.

— A Ellie está?

— Não, lamento, querido. Ela foi para um campo de treinamento para futuros atletas paraolímpicos. O pai dela a levou com Magda, a nova ajudante que estamos experimentando. Ela só voltará domingo. Achei que você soubesse.

Ela tem razão, eu sabia. Só não me lembrava. Fico decepcionado.

— Desculpe incomodá-la — digo.

— Não é incômodo nenhum. Vamos fazer o seguinte: por que você não entra e toma um chá? Parece estar precisando disso.

É exatamente o que minha avó diria. Seguindo-a até a cozinha, sinto meus olhos se enchendo de lágrimas de novo. Que diabo está acontecendo comigo? Mordo meus lábios, mas não consigo falar nada ao sentar à mesa.

Por sorte a mãe da Ellie não parece esperar muita conversa. Ela coloca uma caneca de chá na mesa à minha frente e faz um sanduíche de frango. Não me lembro da última vez em que comi e não demoro a devorá-lo. Ela me serve um pedaço de torta de frutas.

Então ela se senta ao meu lado.

— Assim está melhor. É bom ver alguém que gosta de comer. — Ela dá um tapinha na minha mão. — Joe, me desculpe perguntar, mas está tudo bem? Você parece chateado.

Balanço a cabeça. Não está tudo bem. Tudo está péssimo. Por onde começo?

— Minha avó está no hospital. Machucaram ela. Está na terapia intensiva, mas não posso ir vê-la e não sei o que está acontecendo.

— Mas você não pode visitá-la com sua mãe, Joe? Talvez na próxima semana, quando começarem as férias.

— Acho que eles não vão deixar — respondo desesperançado.

— Eles?

— Hã... as pessoas do hospital. Eu não sei.

— Bem, tenho certeza de que sabem o que estão fazendo. Eles não gostam de muitas visitas na UTI. Talvez as coisas melhorem até a semana que vem.

— Pode ser. E acho que a escola não vai me permitir continuar treinando com a Ellie.

Ela ri.

— Quero ver alguém tentar impedir a Ellie de trabalhar com você — diz, o que me faz sentir um pouco melhor. Então ela pergunta: — Mas por que iriam fazer isso? Achei que estavam todos felizes com seus resultados.

— Eu dei um soco em um garoto na piscina. O Sr. Henderson disse que poderia tê-lo matado. Acho que vão me expulsar da escola.

— Por que você bateu nele? — Ela parece bastante calma.

— Ele e seus amigos estavam tentando me afogar... foi o que pensei... e ele me chutou hoje de manhã.

— Ele te chutou?

— Nas costelas.

— Posso dar uma olhada? Sou enfermeira, sabia? Trabalho três noites por semana no hospital.

Levanto a camisa cuidadosamente e mostro os dois grandes hematomas. Ela toca um deles e eu pulo.

— Ai! — Está doendo muito agora. Para piorar as coisas, sinto mais lágrimas descendo pelo rosto. Ela me passa um lenço de papel.

— Joe, você precisa ir ao hospital para darem uma olhada nisso. Acho que pode ter uma costela quebrada aí.

— Mas não há nada que possam fazer a respeito, não é? — Parece uma grande perda de tempo quando posso só tomar umas aspirinas.

— Vou ligar para a Michelle. Vocês não têm carro, têm? Posso levar vocês.

— Ela não está em casa. Ela foi para Londres ficar com minha avó.

— Então quem está cuidando de você?

Eu levanto os ombros e ela me dá outro lenço.

— Joe, ela não te deixou sozinho, deixou?

— Não, tem uma pessoa ficando comigo. O nome dela é Maureen.

— Então fale com Maureen para levá-lo ao hospital para um exame de raio X. Joe, isso é muito importante. Uma costela quebrada pode perfurar seu pulmão, e isso o mataria. No mínimo pode significar um fim para sua carreira esportiva.

— Oh.

— Se tiver uma costela quebrada, é bom o diretor saber disso, não acha? O que é justo é justo. Não adianta puni-lo por violência se o outro menino não for punido também. Olha só, eu tenho que buscar os meninos na escola. Fique aqui, tome mais um chá, sirva-se de bolo e quando eu voltar te levo para casa e falo com essa Maureen.

Não sei se é uma boa ideia e acho que deixo transparecer na minha expressão.

— Joe, você não pode facilitar com algo assim. Não vai querer ficar com um dano permanente no pulmão.

Sozinho na cozinha, examino as muitas fotos da Ellie expostas em uma prateleira com seus troféus. Ela parece tão feliz e decidida. Fico pensando se não existe outro lado da Ellie, cheio de raiva pelo que a vida fez com ela. Sinto-me tentado a entrar em seu quarto e dar uma olhada, mas isso seria coisa de pervertido e não acho uma boa ideia.

Estou cortando mais uma fatia de bolo — está bem, já é a terceira — quando ouço uma exclamação, e uma voz fraca pergunta:

— O que... o que você está fazendo aqui?

É a Claire, de volta da escola. Eu me viro e de repente estou cheio de sua expressão constante de ratinha assustada.

— Estou comendo bolo. E você? — pergunto insolentemente, enfiando o bolo na boca.

— Não, eu quis dizer o que está fazendo em minha casa. E por que... como... seus olhos estão verdes?

Ela percebeu. Droga. Bosta. Esqueci completamente das lentes.

Fico parado um segundo, então coloco a faca na mesa e ando até ela. Minhas costelas doem tanto que me sinto tonto, mas estico as mãos e agarro seus pulsos. Ela parece absolutamente apavorada. Bom.

Eu me inclino e falo como um gângster, ameaçador, raivoso, amedrontador:

— Vê se tu fica na tua sobre os meus olhos. Esquece que são verdes.

Ela está quase chorando. Eu aperto mais seus pulsos. Ela sussurra:

— Não, não... eu não vou dizer nada.

— Nem para Ashley, nem Lauren ou Emily. Nenhuma delas, nenhuma de suas amigas.

Um rubor aparece em seu rosto.

— Elas não são minhas amigas. Achava que você já sabia que sua namorada não tem tempo para mim. Ela não lhe disse ainda que sou uma idiota esquisita?

Solto seus pulsos e viro de costas.

— Quem disse que ela é minha namorada?

— Ela disse para todo mundo que você é só dela.

— Ela não é minha dona. Só estamos ficando.

— Tanto faz.

— Tanto faz — repito. — De qualquer forma, fica calada.

Ela esfrega os pulsos. Devo tê-la machucado de verdade. No que estou me transformando?

— Você bateu mesmo no Carl? — ela pergunta em voz baixa.

— Sim.

— Estão dizendo que ele vai precisar de uma plástica.

— É mesmo? — Isso me parece bem engraçado. Talvez o rosto de porco do Carl se transforme graças a mim. Talvez ele acabe parecendo um macaco. Não posso evitar um sorriso.

Claire está olhando para mim como se eu fosse um maníaco psicopata. Sua voz está tremendo.

— Joe, se eu não contar a ninguém sobre seus olhos — e não vou contar, eu prometo —, você não conta para a Ashley que nós conversamos, conta?

Isso de novo não.

— Qual é o problema de você falar comigo? A maioria das pessoas gosta de mim.

— Ashley não gosta que outras garotas falem com seu namorado.

Lembro de Ashley dizendo: "Se quero um cara, primeiro não deixo ninguém chegar perto dele". Lembro do bilhete amassado da Claire e sei, lá no fundo, que Ashley, a quem eu desejo como uma criança deseja algodão-doce, não é uma pessoa nem um pouco boa.

Mas ainda a quero.

— Não se preocupe — digo. — Não vou contar nada se você não contar. Mas, por favor, não me trate como se eu cheirasse mal ou algo assim. — Parece loucura dizer isso quando acabo de aterrorizá-la, mas ainda falo: — Neste momento eu preciso de amigos.

Ela abre um sorriso tímido.

— Acho que você vai ter muitos amigos agora que quebrou o nariz do Carl. Ele costumava implicar com os meninos do sétimo ano. Eles estavam gritando seu nome no pátio e Max está passando um abaixo-assinado para pedir ao diretor para não te expulsar.

Fantástico. Sou o herói de uma revolução popular. Até sexta-feira provavelmente teremos tumultos no refeitório e livros incendiados na biblioteca. Não vejo como isso pode me favorecer com o diretor. E o que vai acontecer quando ele contar ao Doug, depois que ele me mandou não atrair atenção?

Ouço o barulho de uma chave na porta, Sam e Alex entram e gritam quando me veem.

— Meninos, vocês ficam aqui com a Claire enquanto levo o Joe para casa — diz Janet. — Claire, por você tudo bem?

— Sim. — Posso sentir seu alívio. E se ela contar para Ellie e sua mãe tão gentil como eu a assustei? O que foi que eu fiz?

Quando chegamos em casa, Maureen imediatamente vê meus olhos e os seus próprios se arregalam de espanto. Subo para pegar as lentes extras enquanto Janet sugere uma ida ao hospital. Maureen concorda na mesma hora.

— Ela tem razão, Joe, temos que ver isso logo, ainda mais com sua mãe longe.

Eu não protesto. A dor está piorando e minha respiração está ficando difícil. Mas não digo nada para não parecer que estou fazendo manha.

Depois de algumas horas esperando no hospital, Maureen já sabe de tudo. Bem, tudo menos o que fiz com Claire. Ela até que é uma pessoa legal — a melhor pessoa da polícia até agora —, e é fácil conversar com ela. Ela parece achar que vou conseguir me safar de ter socado Carl, embora não aprove o que fiz.

— Em minha opinião, as escolas deviam ser muito mais duras com esses incidentes, aí não teríamos tantos problemas nas ruas — diz ela. — Nos bons tempos de antigamente, era tolerância zero. Você e Carl teriam sido expulsos da escola. Hoje vai dar no máximo uns tapinhas na mão.

Eles tiram uma radiografia. Eu fico deitado sozinho na mesa branca enquanto a máquina clica e zumbe por cima de meu corpo. Imagino como seria se essas máquinas pudessem enxergar dentro de sua mente assim como de seu corpo e ver o emaranhado de mentiras e pensamentos e problemas que tem lá; se pudessem produzir uma imagem que capturasse a verdade interna, a pessoa real, o esqueleto da alma. Quem veriam se pudessem enxergar dentro de mim?

Esperamos mais um bocado até uma médica chegar e dizer que quebrei duas costelas e que devo pegar leve por um tempo. Ela receita analgésicos e diz:

— Nada de esportes violentos, pois há o risco de perfurar o pulmão se sofrer outro impacto. E nada de álcool enquanto estiver tomando isso.

— Ele só tem 13 anos, pelo amor de Deus — diz Maureen, e a médica pergunta:

— Você já esteve aqui em um sábado à noite?
— E quanto a correr? — pergunto.
— Não tem problema — ela responde. — Mas, se sentir dificuldade para respirar, pare imediatamente e procure um médico.

Estamos prontos para ir embora quando Carl e sua mãe surgem de outro cubículo mais adiante. O rosto do Carl está terrivelmente inchado e ele está segurando um saco de gelo no nariz. A mãe dele deve ter trazido roupas, pois ele está vestindo um agasalho. Passaram horas aqui.

Seguro Maureen pelo braço.
— É ele. Podemos esperar? Não quero que me veja.

Carl não parece tão durão e forte agora, e sim um menino se agarrando à mãe em busca de consolo. Quando vejo como sua mãe o abraça, sinto saudades de minha avó. É dela que eu preciso neste momento.

— Vamos, eles já foram — diz Maureen, e nós vamos até seu carro. Cada passo é doloroso, e tenho certeza de que não vou poder treinar nos próximos dias, podendo ou não usar a academia da escola.

De volta em casa, ela me serve feijão e torradas. Ligo meu celular. Tenho 18 mensagens de texto e dez recados gravados. Quase todas as mensagens são de colegas de escola me parabenizando e prometendo apoio como se eu fosse o líder de um movimento de resistência em algum regime opressor. Devem ter conseguido meu número com Ashley. Ela me enviou uma mensagem de texto: *"vc eh meu heroi. Qro t v. parq amanha 4h? bj, bj, bj"*.

Aí escuto os recados e tem uma mensagem de voz da minha mãe.

Maureen está passando manteiga na torrada. Eu vou até a sala de estar e escuto a mensagem. Mamãe parece ofegante e ansiosa: "Oi, Ty. Não posso falar muito, mas sua avó está estabilizada e estamos todos aqui com ela. Estou transmitindo todo o seu amor para ela. Espero que esteja bem. Tenho que desligar. Se cuida, querido".

Posso estar enganado. Doug pode ter deixado ela me ligar, mas não me parece certo. Será que ela não está revelando onde estamos? Doug proibiu telefonemas. E se alguém estiver monitorando as chamadas ou algo assim? Vacilo por uns dois segundos, e então, quando Maureen anuncia que a comida está pronta, tomo uma decisão.

Sento à mesa e mostro meu celular.

— Maureen, minha mãe deixou um recado para mim. Acho que pode não ter sido a coisa mais inteligente a fazer.

Ela pega o celular, escuta e balança a cabeça.

— Não vou mentir para você, Ty, acho que ela fez isso sem contar ao Doug. É compreensível, coitada, está sob muito estresse, mas não devia ter feito isso. Vou ter que contar a ele.

Eu concordo, embora sinta que traí minha mãe.

— Coma — diz Maureen. — Isso não é nada fácil. Eu sei.

— Não... Maureen, você conhece muitas famílias no programa de proteção a testemunhas?

— Algumas — ela responde. — Costumo me envolver, como fiz com vocês, mudando a aparência das pessoas. Mas vocês são diferentes, pois algumas das pessoas com quem lidamos são elas mesmas criminosas. Querem evitar a prisão delatando seus antigos comparsas. São escória, para dizer a verdade. É difícil ajudar gente por quem não se sente respeito. Vocês dois são diferentes. Lamento que esteja sendo tão difícil.

— Nem tudo é tão ruim. Tem partes legais.

— Espero que continue assim — ela diz, mas está apenas sendo gentil. Posso ver isso.

Sentamos e assistimos a um *reality show* idiota em que duas mulheres trocam de família e têm que morar na casa uma da outra. Após uns dois minutos elas já estão enlouquecendo, gritando, ficando emburradas e ameaçando partir. Enquanto assisto ao programa, me sinto ficando cada vez mais velho, como um ancião que já fez de tudo e já viu de tudo, e todos os adultos são como crianças para mim. Acho que pessoas muito idosas devem se sentir muito solitárias quando todo mundo de sua idade já morreu.

Tomo o analgésico e vou para a cama. A dor nas minhas costelas é uma agonia, porém, e minha mente está repleta de violência — do tipo real, como entre mim e Carl, e a infinitamente maior, como a que imagino terem feito com Vovó. Mas o que não suporto lembrar é de como apertei os pulsos da Claire quando não precisava e do olhar apavorado em seu rosto.

Só tem um jeito de bloquear tudo. Pego meu celular e envio uma mensagem de texto: "*OK 4h*". Viro para o lado menos dolorido, fecho os olhos e começo a imaginar em detalhes exóticos o que Ashley e eu vamos fazer amanhã.

Mas mesmo isso não basta para me fazer dormir. Estou mais relaxado, com certeza, mas não consigo me livrar do medo. Temo as pessoas sem rosto lá fora que querem me ferir como fizeram com Vovó. Estou apavorado de pensar que a ligação da Mamãe possa trazê-las até mim.

Mas o que mais temo é aquilo em que estou me transformando por dentro.

CAPÍTULO 15
Velho hábito

Ashley está chateada comigo. Percebo isso no momento em que a vejo, pela expressão fechada em seu rosto e pelo jeito como anda em minha direção.

É uma pena, pois ela está *fantástica*. Veste o uniforme de verão, o que significa uma saia bem curta e uma blusa polo branca através da qual um sutiã roxo meio que transparece. Tenho a vaga noção de que minhas tias não aprovariam — usariam descrições como pistoleira e periguete —, mas eu não estou nem aí para o que poderiam pensar porque, para mim, ela é incrivelmente sexy e atraente.

— Oi, Ash — digo, enquanto ela se senta ao meu lado. — E aí? — Espero manter a conversa no mínimo para poder explorar esse novo visual dela o máximo que puder. Também me preocupa que, se eu me permitir gostar menos ainda da Ashley do que gosto agora, vou ter que dispensá-la, e prefiro não fazer isso ainda. Estamos na corda bamba no momento.

— Achei que me ligaria ou mandaria uma mensagem ontem ou hoje para contar o que realmente aconteceu, a história toda — reclama

Ashley. — Todo mundo estava me perguntando de você, e eu me senti uma idiota sem saber o que dizer para as pessoas. Você podia ter esperado por mim depois da aula. Aí você só enviou "4h OK", sem beijo nem nada.

Blá, blá, blá. Sua voz é alta e irritante, exatamente como pensei. Eu, eu, eu, eu. E calculo que ela seja uma *briguenta*. Por que estou aqui afinal?

— Posso te beijar agora — eu digo, e chego mais perto para beijá-la. Só que ela não quer saber disso.

— Mas por que não me ligou ontem? Minha mãe sabia mais sobre o que aconteceu do que eu.

— Eu passei horas no hospital, Ash. Olha. — Levanto minha camiseta e mostro meus hematomas, que estão da cor do sutiã dela a essa altura. — Duas costelas quebradas por aquele delinquente do Carl.

Ela cobre a boca com a mão.

— Ó, meu Deus. Você deve estar em agonia!

— Só você pode me fazer sentir melhor — eu minto, porque hoje os analgésicos estão funcionando bem e pude sair para uma corrida de duas horas sem problemas pela manhã.

— Ah, acho que posso te perdoar — ela diz, e chega junto para o tipo de respiração boca a boca de que Carl quase precisou ontem na piscina.

Ficamos ali por uma hora, durante a qual descubro que Ashley está disposta a me deixar ir bem mais longe do que Arron jamais chegou com Shannon Travis, embora, para certo alívio meu, pareça haver limites. Mas em um instante ela está afastando minha mão e no outro ela coloca de volta onde estava, o que me deixa confuso.

Então escutamos algo. Um farfalhar de folhas... Nós congelamos. Nada.

— Tudo bem — sussurro, e minha mão sobe por sua coxa. Então escuto risos abafados, vejo uma luz brilhante e, droga, ele tirou nossa foto no celular.

— Piranha! — ele grita para Ashley. — Galinha! Espera até a galera ver isso.

É o Jordan, parceiro do Carl. E Louis está com ele. Ashley nunca foi tão rápida em sua vida. Ela pula em cima deles.

— Seus babacas! Apaguem isso!

Eles estão rindo de nós e aproveitam para dar uma apalpada nela. Dentro de mim, sinto uma fúria gelada. Isto é algo ameaçador. É inaceitável. É uma emergência. Tiro do bolso de trás a faca que peguei na cozinha antes de vir ao encontro.

— Aí, mané, perdeu. Passa o celular — falo no meu estilo mais marginal, lentamente desdobrando o lenço que envolvi na faca.

Agora é a vez de eles congelarem. Eles se entreolham, incertos do que fazer.

— Vamo, moleque. Dá o bagulho aí — repito, só que desta vez xingando os dois. — Passa a parada pra cá e ninguém se machuca.

— Ó, meu Deus, Joe — exclama Ashley.

— Cês sabe que eu sei lutar. Cês sabe que eu sei correr. E cês tão vendo a faca. — Mostro bem a faca para eles. — Então passa. A. Bosta. Do. Celular.

Jordan joga o celular no chão. Olho para Louis.

— Você também.

— Mas eu não tirei nenhuma foto.

— Dá o celular que cês tão de esculacho comigo e a mina, e cês vão ter que pagar, seus otário.

Ele também joga o celular no chão e eu digo:

— Ash, pega. — Ela apanha os aparelhos e vejo que está chorando. — Apaga tudo que eles têm e devolve pra eles.

Ela obedece e eu digo:

— Tá bom, agora pede desculpa pra mina.

Eles abaixam as cabeças.

— Desculpa, Ashley. Desculpa.

— Agora cai fora.

Eles saem correndo aos tropeções, olhando para trás a cada dois segundos. Ashley e eu os seguimos. Não quero perdê-los de vista para que possam nos emboscar mais adiante. Chegando ao portão do parque, eu guardo a faca de volta no bolso e me certifico de que subiram no ônibus. Então me viro para Ashley. Ela já parou de chorar, mas está um bocado assustada. Tem um lado meu que não acha tão ruim assim ela saber como faz pessoas como a Claire se sentirem.

— Você está bem? — pergunto.

— Sim — ela responde em um sussurro. — Joe, por que você tem uma faca?

Porque tem gente por aí que bateu e torturou minha avó para descobrir onde estou, e minha mãe pode ter estupidamente revelado meu endereço. Dou de ombros.

— É um velho hábito.

Imagino se Louis e Jordan não estarão indo para casa procurar em suas cozinhas algo para usarem na próxima vez que me encontrarem. Mas, principalmente, me pergunto o que teria feito se não tivessem entregado os celulares.

— Como aprendeu a falar daquele jeito?

É só outra língua, quero dizer, como urdu ou turco ou português. A gente brincava de falar assim o tempo todo na escola primária. Então, aos 11 anos, alguns de nós foram para uma escola onde se podia continuar falando assim (St. Jude) e alguns foram para uma escola onde só se fala como gângster, mas se escreve normalmente (Tollington), e dois de nós atravessamos a cidade toda e fomos para a St. Saviour, onde era só "sim, senhor, não, senhor" e os outros meninos riam porque éramos da zona leste de Londres.

— É assim que nóis fala no pedaço, tá ligada? — dou um exemplo.

— Você parece uma pessoa totalmente diferente — ela diz. Dou um beijo de despedida nela quando seu ônibus chega, mas não tem calor da parte dela.

Procuro me manter fora de circulação nos dias seguintes. Não respondo as mensagens de ninguém, nem da Ashley, e não chego nem perto da escola. A única mensagem que gostaria de receber é da Ellie, mas não recebo nada dela. Talvez esteja decepcionada comigo. Talvez Claire tenha contado que a machuquei e assustei.

Maureen me mantém informado com notícias do hospital. Vovó continua em coma e, embora digam que permanece estável, não fazem ideia de quando poderá acordar. Mamãe e minhas tias estão ficando com ela no hospital.

— Vocês estão protegendo elas direito? — pergunto, e Maureen garante que sim. Tem policiais lá o tempo todo. — Vocês encontraram as pessoas que fizeram isso? — pergunto, mas ela faz que não com a cabeça.

Vejo muita televisão durante o dia e mantenho as cortinas fechadas. Acho que de um jeito ou de outro vou ser expulso do colégio. Jordan e Louis vão me denunciar por ameaçá-los com uma faca. Claire vai contar a alguém o que eu fiz com ela. Carl vai ter sofrido algum dano cerebral irreversível.

E depois? Não vou mais ser Joe e vou ter que começar tudo de novo. Não consigo decidir se isso é bom ou não. Parece que, depois que minha mãe foi embora, agora que ninguém me conhece como Ty, Joe se transformou em um monstro. É mais seguro ficar em casa e assistir a *Cash in the Attic*.[20]

É manhã de sexta-feira. Desço a escada vestido em um jeans e camiseta e Maureen prontamente me manda voltar e vestir o uniforme. Ela até corta meus cabelos para deixá-los mais arrumados e

---

20. Literalmente, "dinheiro no sótão". Programa em que o apresentador vai à casa de pessoas em dificuldades financeiras e as ajuda a encontrar objetos de valor na casa e nas adjacências para vender em leilão. (N.T.)

os escova para mim como se eu tivesse 6 anos. Ela me leva de carro para a escola.

— Lembre-se, diga que sente muito e prometa que não vai acontecer de novo. E faça parecer que é verdade. Nada de responder, nada de discussão.

Por sorte, está todo mundo em aula e ninguém nos vê quando descemos o corredor até a sala do diretor. Tem uma sala de recepção, Maureen bate na porta e diz para a mulher que atende:

— Joe Andrews e Maureen O'Reilly para ver o diretor.

Fico chocado quando vejo essa mulher. É como se Ashley tivesse envelhecido trinta anos da noite para o dia. Os mesmos cabelos escuros, as mesmas sobrancelhas finas, a mesma boca carnuda, até o mesmo aperto na blusa em torno dos seios. Ela me faz sentir certa aversão e me olha como se eu fosse um inseto — interessante, mas asqueroso. Lembro-me da sua falta de profissionalismo e retorno o mesmo olhar. Me pergunto se ela sabe sobre Ashley e eu.

Esperamos por dez minutos, então a porta do diretor se abre e Carl e seus pais saem. O nariz do Carl ainda está inchado e um hematoma enorme cobre seus dois olhos. Não acredito que, tendo visto isso, o diretor vá permitir que eu continue na escola. Para meu espanto, eles andam até nós, mas apenas para se sentar. Pelo visto ainda não terminaram o assunto com o diretor. Todos nos ignoramos, o que é um bocado difícil. Eu olho para o teto e repasso minha vitória dos 1.500 metros na cabeça.

— O Sr. Naylor irá recebê-los agora — diz a mãe da Ashley, e nós entramos no escritório dele. Na verdade eu estou aliviado por Mamãe não estar aqui. Maureen está muito mais calma do que ela estaria.

O Sr. Naylor está sentado atrás de sua mesa, e nos sentamos de frente para ele. Ele já é bem velho, tem cabelos grisalhos, barba, usa óculos, e eu sei pelas assembleias que é psicótico com ordem e disciplina.

— Sra. Andrews — ele começa, e Maureen o interrompe.

— Desculpe, mas não sou a mãe do menino, Sr. Naylor. Ela está viajando no momento e estou aqui *in loco parentis*. A família está passando por uma crise muito séria. A avó do Joe foi vítima de um crime extremamente violento — meu estômago dá uma reviravolta — e está inconsciente. Embora isso não justifique o comportamento de Joe, acho que pode ajudar a explicá-lo.

O Sr. Naylor e eu ficamos ambos atordoados com essa abertura.

— Ah — ele diz. — Bem, lamento saber disso, senhora... hã...

— Maureen O'Reilly — diz Maureen, apertando a mão dele. — Uma amiga da família.

— Ah. Sim. Certo. — O Sr. Naylor está fazendo o possível para não parecer intrometido. — Bem, eu esperava ouvir do Joe alguma explicação para o comportamento dele no evento que ocorreu na piscina.

Evento? Essa é boa. Quem sabe adicionam afogamento e lutas na próxima apresentação de natação. Eu lhe dou uma breve descrição.

O Sr. Naylor pega uma folha de papel em cima da mesa.

— Carl teve o nariz quebrado, sofreu uma concussão e está com hematomas graves no rosto.

Maureen diz:

— Sim, mas o que Joe não contou é que Carl quebrou duas de suas costelas mais cedo no mesmo dia. Mostre a ele, Joe.

Eu tiro o uniforme para mostrar os hematomas. É meio embaraçoso ficar semidespido diante do diretor, mas suponho que valha a pena.

— Como isso aconteceu? — pergunta o Sr. Naylor, examinando, por cima dos óculos, o meu torso.

— Tropecei em uma bolsa de ginástica no vestiário e Carl me chutou. Mas eu não sabia que tinha quebrado nada.

— Creio que qualquer punição que aplique ao Joe deva ser aplicada igualmente ao Carl — diz Maureen.

— Os pais do Carl estão falando em levar o caso à polícia — diz o Sr. Naylor.

— Isso seria uma grande tolice, a não ser que queiram que a mãe do Joe dê queixa contra o filho deles também — retruca Maureen, contra-atacando rapidamente.

— Joe, qual é a raiz dessa briga entre você e Carl? Você mal chegou a esta escola e fico muito decepcionado por vê-lo envolvido em uma rixa que parece só piorar.

— Eu... hã... o Sr. Henderson me deu um cartão de acesso para frequentar a academia fora do horário de aula e Carl ficou com muita raiva. Disse que o time de futebol deveria ter cartões também. É essa a razão, acho.

— E não há nada que possa ter feito para piorar as coisas?

— Não, eu não me importo se todo mundo tiver cartão também.

— E nos últimos dias você não fez nada para agitar o ânimo dos alunos na escola? Essa petição, por exemplo — ele aponta para a folha de papel —, e os protestos que vêm acontecendo?

— Eu não sabia nada sobre isso — digo, e Maureen entra em ação de novo.

— Sr. Naylor, nos últimos dias eu tenho assistido à triste transformação de um menino inteligente, atlético e sociável em um recluso que fica sentado diante da televisão o dia inteiro e nem sequer abre as cortinas. Ele recebeu dezenas de mensagens de apoio de amigos e não respondeu a nenhuma. Joe e sua mãe são recém-chegados a esta cidade e vieram para cá sem conhecer ninguém. Ele teve que fazer amigos novos e se aclimatar a um ambiente diferente. Eu acho que esta escola falhou com ele ao não protegê-lo desse tipo de perseguição.

Ela pausa, mas apenas para respirar.

— No hospital me disseram que sua respiração pode ter sido afetada naquele dia e que o suprimento de oxigênio em seu cérebro ficou obviamente ainda mais restrito quando o seguraram debaixo d'água. Isso pode muito bem ter afetado sua capacidade de julgamento. Joe cresceu em um bairro violento e sua mãe o mandou para a academia de boxe para aprender a se defender. Espero que leve em consideração que ele estava agindo por instinto e apenas se defendendo.

Ela devia ser advogada. Isso foi brilhante! O Sr. Naylor abre a boca para responder, mas Maureen tem mais a dizer.

— Ele passou a semana toda em casa. Certamente já recebeu sua punição.

O Sr. Naylor pigarreia.

— É certo que ouvi coisas boas sobre Joe e tenho uma carta aqui de Ellie Langley, a aluna responsável pelo seu treinamento. Ela apresenta bons argumentos para permitir que ele continue no programa atlético. Quero que Joe peça desculpas pelo seu comportamento e prometa se comportar melhor no futuro.

— Ele com certeza ficará feliz em fazê-lo — diz Maureen, me dirigindo um olhar de esguelha —, mas também gostaria de saber qual será sua estratégia para evitar esse tipo de *bullying* no futuro. Não preciso lhe dizer quais seriam as consequências se uma das costelas tivesse perfurado um pulmão.

— Bem — responde o Sr. Naylor —, estamos experimentando um tipo de justiça reparativa na escola, que significa as duas partes discutirem o efeito que um incidente como este tem e juntas buscarem um jeito de seguir em frente. Neste caso, queria que a mãe do Joe conversasse também com o senhor e a senhora Royston para tentar evitar o envolvimento da polícia. Então que tal se eu pedir que eles entrem e vermos se Joe e Carl conseguem fazer as pazes?

Ele se levanta e vai até a porta. Maureen revira os olhos e faz um gesto de tapinha no pulso. Estou impressionado de ver como ela conseguiu me transformar de vilão em vítima. Mas me pergunto se em um tribunal de verdade é assim tão fácil manipular os fatos. Talvez não exista uma verdade única, apenas muitas maneiras diferentes de se explicar a mesma coisa.

Carl e sua família entram na sala. Estamos todos espremidos no espaço em frente à mesa do Sr. Naylor e não há cadeiras para todos, então Carl e eu temos que ficar de pé.

Os pais dele fazem a maior onda sobre como sou um monstro e como a carreira esportiva do Carl pode sofrer com o desvio de seu septo nasal.

Maureen retruca com sua versão do pobre garotinho vítima de *bullying* e, só para assustar, acrescenta algo sobre pulmões perfurados e um belo futuro no atletismo destruído.

Todo mundo ameaça dar queixa na polícia. Todo mundo concorda que não é necessário envolver terceiros e criminalizar dois adolescentes até agora inocentes.

O Sr. Naylor diz:

— Gostaria que Carl e Joe falassem sobre como esse incidente os afetou e prometam construir uma relação melhor no futuro. Carl, você primeiro, por favor.

— Você quebrou minha cara toda e posso ficar semanas sem jogar futebol — diz Carl. — Posso precisar operar o nariz. Eu só gosto de jogar futebol, então você tirou de mim a única coisa de que gosto.

— Agora Joe — diz o Sr. Naylor.

— Você deixou a bolsa de ginástica no chão para eu tropeçar e você me chutar, mas eu nunca tinha feito nada contra você. Achei que você e seus amigos iam me afogar na piscina. Não foi ideia minha me darem um cartão de acesso e a você não, então nada disso é culpa minha. E agora perdi o cartão.

— Vejam vocês que triste assistir a dois dos mais promissores atletas da escola brigando desse jeito — diz o Sr. Naylor, como se estivéssemos na igreja. — Podemos nos comprometer a trabalhar juntos para o bem da escola de agora em diante? Talvez vocês dois possam cooperar em algum projeto?

— Eu não tenho nada contra — digo. Sinto realmente um pouco de pena do Carl, se for verdade que vai ter mesmo que passar por uma cirurgia.

— Tudo bem — resmunga Carl.

— Então podem pedir desculpas um ao outro e depois vou pedir ao Sr. Henderson que os ajude a encontrar um projeto para trabalharem juntos.

— Desculpa, Carl — eu murmuro.

— Desculpa, Joe — ele rosna.

— Ótimo — diz o Sr. Naylor. — Espero ver uma relação bem mais positiva daqui para a frente. Vocês dois têm grande potencial para trazer glórias à escola.

Somos dispensados. Eu não fui expulso. Não estou mais suspenso. Talvez até consiga meu cartão de acesso de volta.

Devia estar feliz, mas não estou. Joe recebeu uma segunda chance. Eu só não sei se ele a merecia.

CAPÍTULO 16
Particular

O meio do ano letivo era quando disseram que poderia ver minha avó, mas nada está acontecendo. Fico perguntando a Maureen e ela sempre diz para eu ser paciente, e minha mãe não dá notícias. Começo a achar que ela se esqueceu de mim, mesmo sabendo que não pode me ligar.

Ellie também nunca entra em contato. Tenho saído para correr todos os dias e faço o que dá do meu programa nas poucas máquinas que tem na piscina local — eles têm preços especiais para menores de 16 anos —, mas dói não saber dela. Talvez ela ache que a decepcionei e não queira mais saber de mim.

Ashley foi para a Espanha por uma semana com a família. Mandei um torpedo na sexta-feira à noite: "*ñ fui expulso, se divirta, bjs J*". Não recebi resposta. Estou quase certo de que isso significa que ela me dispensou.

No meio da semana, a mãe da Ellie liga para Maureen, para perguntar como estão as coisas e me convidar para o almoço de novo.

Acho que Maureen está feliz por conseguir algumas horas de folga. Não deve ser nada divertido tomar conta de um adolescente deprimido o tempo todo. Ela me deixa lá ao meio-dia em ponto, embora Janet tivesse dito qualquer hora entre meio-dia e uma da tarde.

Estou muito ansioso. E receoso de ver Ellie de novo. Será que ela vai falar comigo? Será que estraguei tudo? E estou ainda mais receoso quanto à Claire. Desde que o Sr. Naylor me fez pedir desculpas ao Carl, estou ciente de que tenho que pedir desculpas à Claire também por tê-la machucado e assustado. Só então vou poder perdoar o Joe.

Alex abre a porta para mim.

— Vem jogar futebol no jardim! — ele grita, e eu o sigo até onde Gareth, o pai da Ellie, está preparando o churrasco.

— Olá, garoto. Como vai? — ele pergunta, me passando uma lata de Coca-Cola. — Ellie e a mãe saíram, mas voltarão logo — explica. Os meninos gritam para eu jogar com eles, mas eu pergunto:

— Onde está a Claire?

— Lá em cima, acho. Por que não tenta convencê-la a descer e pegar um pouco de sol uma vez na vida?

Subo a escada tentando não fazer barulho. O quarto da Claire é subindo mais um lance. É um sótão adaptado. Tem uma placa dizendo "Particular — Não Entre", mas eu nem bato. Empurro a porta e por um momento fico completamente confuso. As cortinas estão fechadas e está tudo escuro.

Fico parado e em silêncio até meus olhos se acostumarem. Parece que Claire não está no quarto, não há sinal de vida. Então vejo um movimento e percebo que ela está sentada no chão, meio escondida pela cama. Está usando fones de ouvido, seus olhos estão fechados e ela tem uma expressão estranha no rosto, um jeito que me lembra algo, mas não sei bem o quê.

Isso é muito constrangedor. O único jeito de chamar sua atenção é tocando em seu braço, mas não quero assustá-la.

Estou paralisado de indecisão e prestes a desistir e descer novamente quando a vejo. Uma faca. Em sua mão.

É uma faca pequena, afiada, do tipo que usamos na aula de artes às vezes. O que ela está fazendo? Quando ela estica o braço e meio que o acaricia com a lâmina, sei o que é que ela me lembrou. Seu rosto e sua postura e a maneira como seu corpo relaxa quando o sangue escorre são iguais aos dos viciados que já vi se aplicando no parque.

Me sinto enjoado como jamais senti e tenho que morder a língua para não fazer nenhum barulho. Ao mesmo tempo sinto uma leve... não quero nem dizer... mas tem algo de quase excitante em estar ali vendo seu olhar fixo no sangue correndo pelo braço. Sinto que estou vendo algo muito íntimo e muito real.

Ela limpa o sangue com um lenço de papel e coloca um curativo em cima do corte. Vejo que é tudo planejado. Ela preparou tudo. Então desenrola suas mangas longas e se recosta contra a cama.

Puxo a porta silenciosamente para tentar fugir, mas ela deve ter visto alguma coisa pelo canto do olho. Ela dá um pulo e tira os fones de ouvido. E grita comigo.

— O que você está fazendo no meu quarto?

Estou tão espantado em ouvi-la falar qualquer coisa — Claire, a ratinha silenciosa — que não consigo responder nada. Dou um passo para a frente e sento em sua cama.

— Eu... hã... sinto muito. Quer dizer, eu vim pedir desculpas pela maneira como me comportei no outro dia. Eu saí da linha.

— Há quanto tempo você estava aí? Ninguém pode entrar no meu quarto!

Estou muito tentado a mentir. Quero dizer "só um minuto" e fugir para baixo. O que me importa o que ela faz? Se ela quer se machucar, o problema é dela. Mas eu digo:

— Tempo bastante para ver o que você fez. — Após um instante de silêncio, ela me dá um soco na boca.

Ela tem a força de uma boneca de pano.

— Ai — exclamo, sem conseguir ser muito convincente, e caio para trás na cama. — Desculpe, Claire, eu podia ter dito que não vi nada. Mas eu vi e, sinceramente, não acho que seja uma coisa legal de se fazer.

— S-suponho que você e sua n-namorada vão contar para todo mundo na escola, não vão? Como ousa me espionar assim? Eu guardei seu segredo idiota. Por que não me deixa em paz?!

— Acho que Ashley não quer saber mais de mim. Não lhe dou atenção suficiente.

— Ela é uma vaca. Odeio ela.

— Achei que vocês fossem amigas.

— Sim, até o primeiro dia na Parkview, quando ela, Emily e Lauren fingiram que não me conheciam e pararam de falar comigo e não me deixaram sentar com elas na hora do lanche e disseram para todo mundo que eu era uma retardada.

— Eu meio que sei como se sente — digo, lembrando-me do olhar do Arron quando se tocou que o resto de nossa turma ia para a St. Jude e nós dois íamos passar duas horas por dia juntos só indo e voltando da escola.

— Ah, você sabe? — ela pergunta, obviamente não acreditando.

— Sim. Olha, Claire, eu realmente não vou contar a ninguém. Afinal, você nunca contou a ninguém sobre meus olhos e eu sou grato por isso.

— Como mudaram de cor afinal? — ela pergunta. — Eles estão castanhos de novo?

Eu me levanto e abro as cortinas. Ela pisca com a luz do sol entrando.

— Veja — digo, e olho nos olhos dela. — Agora são castanhos. — Tiro uma das lentes. — E agora um é verde. Eu confio em você de verdade. E você pode confiar em mim. — Então recoloco a lente.

— Mas que negócio é esse? — ela diz, mas não está mais com tanta raiva. Ainda está olhando atentamente para meus olhos. — É alguma brincadeira?

— Não, não mesmo, Claire. Ninguém pode saber. Ninguém. Só você.

— Nem mesmo a Ashley?

— Muito menos a Ashley. Para ser bem sincero, eu só saí com a Ashley porque tinha um pouco de medo dela. E porque ela é... você sabe...

— Uma piranha?

— Uma pós-feminista do século 21 — respondo, um pouco chocado, para ser sincero, com seu sexismo pouco fraternal. Fui criado por minhas tias lendo a revista *Cosmo* e sei que não se deve desrespeitar mulheres que querem ter uma vida sexual plena e ativa. Especialmente se querem tê-la comigo.

Ela começa a rir e diz:

— Boa maneira de descrevê-la. — Eu também rio e sei que está tudo bem e que podemos confiar um no outro. Mas tem uma pequena dúvida ainda me incomodando sobre manter seu segredo. Será que eu não devo contar a Ellie ou à sua mãe que ela está se machucando?

Ellie. O que será que está havendo com ela?

— Claire, a Ellie está zangada comigo?

— Ah, eu acho que não — ela responde. — Ela está totalmente concentrada em se preparar para a corrida no próximo fim de semana. Quando está assim, ela não pensa em mais nada. Acho que é por isso que Mamãe resolveu fazer esse churrasco, para distraí-la um pouco. E ela também ainda está se acostumando com sua nova ajudante, a Magda, e ela odeia isso.

— Odeia o quê?

— Ellie não gosta de admitir que precisa de uma ajudante, mas minha mãe e meu pai não podem estar sempre por perto, e ela precisa da Magda, mas se ressente disso. É difícil... para todo mundo. Ellie às vezes fica bem zangada.

— Ah. Escuta, queria dizer que sinto muito pelo outro dia. Estava completamente errado em machucar você. Não sei por que fiz aquilo. — Lembro-me do que Maureen disse sobre a falta de oxigênio afetar minha capacidade de julgamento, mas não acho que isso seja uma desculpa para machucar uma pessoa tão delicada quanto Claire.

— Eu sempre percebi que você estava com medo — ela diz. — Só não sabia por que tinha medo de mim. Por que deixa seus olhos castanhos se eles são verdes?

Por um instante de delírio penso em contar tudo a ela, a essa menina com seu próprio segredo profundo e assustador. Essa menina que entende que eu estou com medo.

— É uma longa história — digo, e estou pensando em quanto gostaria de que alguém da minha idade soubesse o que está acontecendo. — É difícil saber por onde começar.

Bam! Alex e Sam irrompem no quarto gritando a plenos pulmões.

— O que vocês estão fazendo? Estão perdendo a comida! Mamãe mandou descer agora.

— Saiam do meu quarto, seus monstros! — grita Claire, e corremos atrás deles escada abaixo. Mas, quando eles saem para o jardim, eu digo:

— Podemos conversar mais depois?

E ela responde:

— Eu gostaria.

O jardim está cheio de gente. Tem a Janet, a Ellie e a Magda, que é loura e polonesa e parece ser doce e tímida. Digo alô para ela em polonês e percebo que ela fica assombrada de alguém se dar ao trabalho de aprender sua língua. Pena o Doug ter cortado minhas aulas no hotel. Talvez eu consiga que Magda me ensine mais.

Tem o Alistair também, o treinador da Ellie, que tem um corte de cabelo ridículo do tipo fixado com gel, estilo *boy band*; e tem a Kieron, outra corredora cadeirante com braços incrivelmente musculosos; e

Tim e Sue, vizinhos da casa ao lado. Mal consigo chegar perto da Ellie. Tem ainda quatro meninos pequenos — dois do Tim e da Sue —, e estão me perturbando para jogar bola com eles, então, depois de engolir um hambúrguer, é o que faço.

Jogamos por cerca de uma hora e acabamos deitados na grama, suados e morrendo de calor.

— Nós ganhamos! Nós ganhamos! — grita Alex, pulando em círculos, e Janet chega carregando uma tigela com fatias de melancia. Eu olho em volta e vejo Ellie me observando. Ela não parece muito aborrecida.

— Joe, vem falar como vai seu treino — ela chama.

— Sim, e Joe, você pode nos contar como a Ellie se sai como treinadora — diz Kieron. — Ela é tão impossível de aturar treinando quanto é com suas companheiras de equipe?

— Não, ela é fantástica — respondo, e todo mundo ri. Eu não sei por quê.

Ellie diz:

— Parem de brincar. Eu preciso saber como está indo o treinamento do Joe. E como você foi perder o cartão de acesso? Sabia que tive que escrever uma carta ao diretor para ele não te expulsar da escola?

— Tenho certeza de que isso não ia acontecer, Ellie — intervém Janet.

— Ah, ia sim — continua Ellie. — O Sr. Henderson disse que você quebrou o nariz de outro menino e que ele quase se afogou.

— Isso não é verdade — exclama Claire, irritada. — Joe é quem quase foi afogado pelo outro garoto.

Todo mundo fica espantado ao ver Claire falar. Ela enrubesce e parece estar pensando que não devia ter se metido. Sinto como se todos estivessem me olhando e não gosto da sensação.

— Eu estou indo — digo. — Obrigado pelo churrasco. Ellie, pode me avisar quando quiser treinar? Boa sorte na corrida esse fim de semana.

— Ah, não vá ainda, Joe — diz Ellie. — Conta para nós essa história. — Mas eu nego com a cabeça e caminho para a porta de trás. Ao me afastar, tenho certeza de que ouço uma das amigas de Ellie dizer algo como "então este é o seu brinquedinho, Ellie".

Claire me segue e atravessamos a casa juntos.

— Ellie se empolga demais às vezes — ela diz.

— Sim, mas estou cheio de falar disso. E tem coisas mais importantes acontecendo.

— Ah. Joe, olha, não vá ainda. Por que não vamos lá para cima de novo? Aí podemos conversar.

Não tenho certeza. Estou um pouco decepcionado com Ellie e quero distância daquela gente risonha. Quero que ela continue sendo a menina de ouro em quem posso confiar, não alguém que me usa para entreter os amigos. Eu só gosto mesmo quando Ellie concentra toda a sua atenção em mim.

Mas eu sigo Claire escada acima porque achei alguém com quem posso ser o mais honesto possível.

Estou curioso para saber por que ela se corta. E, lá no fundo — e começo a me indagar o quanto eu sou doente e perverso —, estou a fim de vê-la se cortando de novo.

CAPÍTULO 17
Invisível

A primeira coisa que ela faz é fechar as cortinas para que tudo volte a ficar escuro. Em seguida coloca uma cadeira contra a maçaneta da porta para ninguém poder entrar. Então ela se senta no chão, como fez antes. Vejo que tem algumas almofadas ali embaixo — é seu pequeno ninho.

Sento-me do lado dela.

— Por que você faz aquilo? — pergunto.

— Eu tento não fazer — ela responde. — Sei que é maluquice. Estou mesmo querendo parar.

— Quando te vi, achei que você parecia uma viciada, sabe, se aplicando.

— A sensação é como acho que deve ser a de um vício — ela concorda. — Vai crescendo e só consigo pensar em me cortar, e, depois que me corto, fico bem por um tempo.

— Como é que ninguém percebeu ainda?

Ela levanta os ombros.

— Não sou o tipo de pessoa que atrai atenção.

Não vou aceitar essa.

— E quando está de camiseta? E quando nada ou faz educação física?

— Sempre uso manga comprida, para a educação física também. Não sei o que vou fazer na natação. Era para ter começado na semana passada, e eu estava tão preocupada. Já tinha escrito uma carta como se fosse minha mãe, mas aí você bateu no Carl e a piscina foi fechada para limpeza. — Ela dá uma risadinha. — Fiquei muita grata a você.

— Ah. Bem, fico feliz em poder ajudar.

— Obrigada.

— Mas o que é que vai crescendo? Por que faz isso? Quando começou?

Ela pensa um pouco, olhando para o nada. É como se nunca tivesse feito essas perguntas a si mesma.

— Comecei só me coçando. Um dia não bastou coçar, então peguei um pente. Gostei da sensação e de ver as marcas na minha pele. Mas nunca era o bastante. Aí um dia eu me cortei, sem querer, na aula de arte, quando a gente estava imprimindo, e descobri que era o que estava procurando.

— Mas que sentimento é esse que se acumula em você?

Ela levanta de novo os ombros.

— Pode ser qualquer coisa. Pode ser que eu esteja sentindo medo, ou esteja preocupada ou chateada. Às vezes sinto como se fosse invisível, como se não fosse tão... tão real quanto as outras pessoas. Mas, quando me corto e vejo o sangue e sinto a dor, eu sei que sou real. Posso me ver... posso me sentir melhor. Isso faz sentido? Provavelmente não.

Meio que faz sentido, sim, de um jeito esquisito. Estou quase tentado a experimentar eu mesmo.

— Mas você não é invisível, só se esconde. É tão calada o tempo todo, veste essas roupas folgadas e está sempre com o cabelo cobrindo o rosto. Até seu uniforme é grande demais. — Eu tenho uma ideia. — Por que não para de se esconder? Para de encobrir quem você é e o que está fazendo consigo mesma. Me mostra seus braços.

Ela enrubesce de novo, aquele calor vermelho repentino que sobe pelo seu rosto. E eu me toco do que estou pedindo.

— Eu não quis dizer... Quer dizer, hã, ponha uma camiseta ou algo assim. Não vou olhar.

Mas ela está desabotoando os botões de cima da blusa preta, que é uns cinco números acima.

— Não, tudo bem... — E ela tira a blusa por cima da cabeça.

Ali está ela de jeans e um pequeno sutiã branco, e só consigo olhar para seus braços. Seus pobres braços. Estão arranhados e cheios de cicatrizes, e o curativo novo já está manchado de sangue. Entre as feridas, novas e antigas, vejo a pele ficando arrepiada. Os cortes formam uma linha ordenada, como trilhos de trem, as cicatrizes mais antigas embranquecidas sobrepostas pelas mais novas de cor rosa-claro. E é justo isso o mais triste, a forma como tenta ser boa e organizada quando se corta até sangrar.

Ela me faz lembrar do crucifixo no salão de assembleias da St. Saviour, o corpo de Nosso Senhor todo ensanguentado e sofrendo. Não é que eu seja religioso, claro, mas a Vovó costumava me levar à igreja com ela às vezes, e Mamãe e eu tivemos que ir durante um ano inteiro para eu poder entrar na St. Saviour. Sempre fui a escolas católicas e isso me deixou com a ideia de que a dor é, de alguma forma, mais do que só dor, que ela tem poder e sentido sobrenaturais. Que sentido é esse, porém, eu não sei.

Como pude achar a ideia de ela se ferir excitante? Estou enojado comigo mesmo.

Ela deve ter visto algo em meu rosto e acha que é dirigido a ela. Está chorando silenciosamente e tentando cobrir os braços. Pego sua mão o mais gentilmente que posso.

— Não, tudo bem. Olhe para eles. Veja o que você fez a si mesma. Veja toda a dor. Não precisa esconder isso de mim.

Ficamos sentados ali um tempo, de mãos dadas no escuro. Ao longe escuto as pessoas rindo e conversando no jardim. Então ela diz:

— Você não vai contar a ninguém, vai?

— Não vou contar porque prometi, mas acho que você devia. Tenho certeza de que pode conseguir ajuda para isso, Claire. O mundo já tem gente má o bastante que pode feri-la sem que você machuque a si mesma.

— Talvez — ela diz.

— Sim — digo eu.

Ela encosta a cabeça em meu ombro e eu tiro seus cabelos longos do rosto.

— Você não pode se esconder o tempo todo, se é isso o que se esconder lhe faz — eu digo, e me pergunto se estou falando dela ou de mim.

— Me conta a sua história agora — ela pede. — Me diz por que os seus olhos mudam de cor.

— Claire... — Eu hesito. Sei que posso confiar nela, mas e se alguém ameaçá-la?

— Sim?

— O que eu vou te contar não é apenas um segredo qualquer. É um segredo de verdade. Não pode contar a ninguém de sua família ou na escola. Mas, se alguém muito assustador tentar fazê-la contar...

— Sim?

— Então fale. Não tente me proteger e não se coloque em perigo.

— Perigo?

— Sim. Escuta, na verdade eu não me chamo Joe. Nós não mudamos para cá porque minha mãe terminou com o namorado. Estamos aqui porque eu... eu...

— Porque o quê? Qual é o seu nome? Quem é você?

Nunca vi Claire assim. Quer dizer, fora o fato de que ela está quase despida. Ela está viva, os olhos azuis brilhando, a face rosada. Agora que vejo seu rosto direito, ela é tão mais bonita... mas será que posso lhe contar minha história?

— Eu me chamo Tyler. Todo mundo me chama de Ty, mas é apelido para Tyler. Tyler Michael Lewis.

É estranho falar meu nome completo em voz alta, mas que sensação ótima de alívio.

— Tyler é pelo meu pai e Michael pelo meu avô.

— Tyler — ela repete. — É um nome bonito.

— Eu vi uma coisa. Vi uma pessoa ser morta. Quando eu contei à polícia, eles disseram que não era mais seguro ficar em casa. Fomos para casa assim mesmo, mas sofremos um ataque... uma bomba de gasolina... A loja embaixo de nosso apartamento foi completamente incendiada. Tiveram que nos dar identidades novas e nos tirar de Londres. Nos mandaram para cá e foi assim que me tornei Joe e minha mãe se tornou Michelle. Seu nome verdadeiro é Nicki. Eles mudaram a cor dos meus olhos com lentes de contato e tingiram meus cabelos. São castanho-claros, um pouco como os seus. E eles me colocaram um ano atrás na escola. Tenho 14 anos, não 13, e devia estar terminando o nono ano.

— Quem você viu ser morto?

— Um... um garoto. Tentaram roubar seu iPod e ele tinha uma faca também. Foi um desastre. Três contra um.

— Ó, meu Deus, que horror!

Lembro-me do sangue vermelho na camisa branca do Arron.

— Eu corri para pedir ajuda e consegui parar um ônibus e gritar para o motorista chamar uma ambulância, mas já era tarde quando chegaram lá. Tarde demais.

Eu devia ter ficado. Devia estar lá quando a ambulância chegou. Mas em vez disso... em vez disso... Há coisas que não estou pronto para contar. Nem mesmo para a Claire. Nem mesmo agora.

— Por que não era seguro ficar em casa? — ela pergunta.

— Porque alguém quer... me calar para que eu não testemunhe no julgamento. E essa pessoa, essas pessoas, são inescrupulosas e podem até me matar, eu acho.

— Ó, meu Deus, Joe. Ou devo te chamar de Ty?

Faço que não com a cabeça.

— Fica muito confuso. Você pode esquecer e dizer o nome errado na escola ou algo assim.

Ela ri.

— Ah, eu nunca ousaria falar com você na escola.

— Dane-se isso, Claire, você vai parar de ser invisível. — Também rio. — Eu é que devia ser invisível e estou indo muito mal nisso, mas você não tem razão nenhuma para ser invisível.

— Não acredito que você conseguiria ser invisível em algum momento — diz em tom tímido, e eu penso: Arrá! Você *tem* mesmo uma queda por mim. Obviamente alguém como Joe tiraria vantagem da oportunidade que se apresentou. Mas no momento eu sou o Ty.

— Você está tão enganada. Eu era completamente invisível em Londres. Meu melhor amigo me achava um bebezinho, e ninguém na minha escola queria me conhecer porque eu não era rico e não era muito... não era nada na verdade. E eu era baixo e meio gordinho.

— Não!

— Verdade.

Ela está rindo de mim e estou me sentindo incrivelmente feliz de ter encontrado alguém a quem posso contar tudo. De repente me ocorre que ninguém mais sabe disso tudo — nem minha mãe, nem minha avó —, somente o Sr. Patel na loja embaixo de casa fazia alguma ideia de como eu estava achando difícil a vida na St. Saviour.

— Quando você vai testemunhar? — ela pergunta.

— Disseram que no outono, provavelmente. Eu não sei ao certo. A polícia aparece para fazer perguntas de vez em quando, mas não me contam nada. E agora a minha avó... Deram uma surra nela porque queriam que ela dissesse onde eu estava, mesmo ela não sabendo. Ela está na UTI, e minha mãe está com ela. Não sei se jamais vou voltar a vê-la.

— Isso é horrível — ela diz de novo. — Não sei o que dizer. Me sinto uma boba criando tanto caso enquanto você tem tantos problemas de verdade.

— Não seja tola, você tem problemas de verdade também. — Toco seu braço com cuidado para evitar uma cicatriz. — O que você vai fazer sobre isso?

— O que posso fazer?

— Aqui está meu número do celular. — Escrevo o número em um pedaço de papel — Você pode me ligar se sentir que está te dando vontade de novo, se sentir que precisa se cortar novamente.

— Mas e se... se for no meio da noite ou coisa assim?

— Sem problema, pode ligar.

— Você tem e-mail?

— Eu tinha... — Imagino se tenho recebido algum e-mail no meu endereço antigo. Como saber? Seria seguro usar os computadores da escola? Talvez seja melhor nem olhar.

— Você precisa de um novo. Quer que eu faça para você?

— Sim, por favor. — Eu poderia fazê-lo facilmente, mas gosto que a Claire faça algo para me ajudar.

— Obrigada, Joe. Obrigada por confiar em mim.

— Obrigado por confiar em mim também.

Estamos tão próximos e concentrados um no outro que é como se o mundo tivesse parado. É fácil falar agora. Ela me conta sobre os livros e músicas de que gosta, e eu conto sobre como estudo várias línguas e quero ser intérprete de futebol internacional algum dia. Ela diz:

— A primeira vez que te ouvi falando francês, pensei que você fosse francês — o que é legal saber. Não tem mais nenhum barulho vindo do jardim e é como se estivéssemos em nossa própria pequena e escura caverna. Eu me inclino para ela... nossos lábios roçam... e... *crash!* Tem alguém tentando abrir a porta.

— O que está havendo aí? — pergunta a mãe dela. — Por que trancou a porta, Claire?

Droga! Era para eu ter ido para casa há horas e agora ela vai me achar no quarto da filha semidespida. Talvez eu possa me esconder debaixo da cama? Claire tem a mesma ideia e aponta para o chão enquanto veste a camisa de novo.

— Já vai, mãe. Só queria um pouco de sossego. Os meninos entraram aqui mais cedo. Você sabe que não é para eles entrarem. — Claire tira a cadeira da frente e sua mãe abre a porta.

— Não sei o que você tem, Claire. Por que passar uma tarde tão bonita aqui no escuro quando tem visitas e tudo? Você não me ajuda em nada. — Janet está um bocado aborrecida. — Podia pelo menos deixar entrar um pouco de luz. — Ela vai até a janela para abrir as cortinas e quase cai em cima de mim. Eu me levanto rapidamente.

— Oh, desculpe... Eu estava só, hã, descansando no chão.

Janet se espanta, é óbvio, e não sabe se deve ficar com raiva ou não. Dá para ver seu cérebro fazendo as contas — a pequena Claire mais um quarto escuro mais uma cadeira travando a porta multiplicado por um garoto com histórico de violência (cuja mãe foi obviamente uma galinha quando adolescente) — e não conseguindo chegar a uma conclusão satisfatória.

Ela obviamente tem a mesma opinião sobre a maturidade sexual da Claire que minha mãe tem da minha. Estou certo de que a qualquer momento ela vai perceber que a blusa da Claire não está abotoada até o pescoço como de costume.

— Oh. Você ainda está aqui, Joe? Maureen ligou e perguntou onde você estava, e eu disse que você tinha ido para casa há horas.

— Estávamos conversando — eu digo, pouco à vontade.

— Joe estava de saída, não é? — Claire diz.

Janet ainda parece um pouco desconfiada.

— Muito obrigado pelo churrasco — digo.

— Você pode ficar para o jantar, se quiser. São quase seis horas — ela responde.

— Não, obrigado. Melhor eu voltar para casa se Maureen estava me procurando.

Desço as escadas correndo e me despeço o mais rápido possível. Claire está toda vermelha e envergonhada, e escuto sua mãe sussurrando com ela.

— Claire, qual era o problema de vocês descerem se queriam conversar? — Ao partir, viro para Claire e faço um gesto de "me liga". Claire sorri e faz que sim.

Maureen está aborrecida quando chego em casa.

— Onde você esteve? Janet disse que você saiu de lá por volta das três horas.

— Qual é o problema? — Não acho que seja da conta da Maureen onde estive. Ela não é minha mãe, afinal.

— Sem problema, mas sugiro que descanse. Doug vai chegar à meia-noite e vamos levá-lo para ver sua avó.

CAPÍTULO 18
Ave-Maria

Maureen faz uma espécie de maquiagem reversa em mim antes de irmos ao hospital. Tenho que tirar as lentes de contato e colocar um gorro de lã preta cobrindo todo o meu cabelo. Fico parecendo um idiota e é quente demais.

Ela quer que eu use óculos escuros também, mas digo que vai ter que escolher entre os óculos e o capuz, senão vou parecer um maluco. Quem usa óculos escuros à noite? Ela pega um bronzeador artificial, mas eu bato o pé de tal maneira — afinal, volto para a escola na segunda-feira — que ela desiste.

— O principal é não atrair nenhuma atenção — ela diz, o que é engraçado, considerando que ela queria me transformar em uma imitação de Craig David.

Doug aparece e seguimos por horas e horas por ruas desertas. Caio no sono quase imediatamente quando entramos no carro. Quando acordo, fico escutando a conversa dos dois sem revelar que despertei.

— O detetive Morris está satisfeito com o testemunho dele — diz Doug. — Ele vai querer algum retorno seu agora que passou um tempo com o garoto.

— Bem, ele não falou nada sobre o caso comigo, lamento dizer. Ele está muito envolvido com o aqui e agora. Ficou muito nervoso quando achou que seria expulso da escola. Foi bom ele ter levado esse susto. Aprendeu uma lição. É um bom garoto na verdade, nada igual ao tipo durão que você achou que ele era.

— Bem, aí é sua intuição feminina falando, Mo, mas eu não sei não. Ele é muito manipulador, e a mãe não é páreo para ele. Sabia que uma das equipes de defesa vai seguir a linha de que ele estava envolvido? Que ele teria participado, até incentivado a coisa toda, aí correu atrás de uma ambulância. Tem que ter muito sangue frio se for esse o caso.

— Eu não acredito. Seria mentira demais para um menino da idade dele sustentar. E achei que não tinha sangue nele. É o que as testemunhas do ônibus disseram.

— Mas ele demorou a se apresentar, não foi?

— Hmm — diz Maureen. — Não estou convencida. Por que inventar uma história tão complicada e depois se apresentar como testemunha, se vai acabar virando alvo de uma das maiores famílias do crime organizado de Londres? Essa gente tem o dinheiro e os contatos para eliminá-lo como se mata uma mosca. Ele apontou para o filho deles e eles querem sumir com ele. Pobre garoto, acho que não fazia a menor ideia de onde estava se metendo.

— Verdade — diz Doug.

Eles ficam em silêncio e eu tento não deixá-los perceber que minha respiração se acelerou. Escuto Maureen dizer:

— Então a irmã quer pular fora? Não a culpo.

— Ela vai acabar caindo na real — diz Doug. — Mas não tem sido fácil, acredite. É muita injúria. Fica muito difícil. Ela não está nada bem.

— Ai, meu Deus. Mas elas vão, não vão?

— Elas têm que ir. Mas antes Julie tem que melhorar o bastante para viajar, e não é certeza que isso vá acontecer.

Julie é minha avó. Para onde vão mandá-la?

— Quanto antes, melhor, mesmo que não esteja bem o bastante para ir com elas — diz Maureen. — Eu não acho nada bom elas ficarem naquele hospital. Não é a coisa mais segura. E quanto aos nossos dois? Acho que Ty quer ficar onde está. Desconfio que haja uma namorada nessa história.

— Não está decidido ainda o que faremos com eles. Aquela história na escola, garoto burro, me fez pensar que seria melhor mandar eles também, dar uma dura nele para mantê-lo longe de problemas. Mas isso tudo custa caro. Vão querer uma auditoria nesse caso. Se pudermos deixá-los onde estão, seria melhor.

Eles começam a falar mais baixo e fico desesperado para ouvir o que estão dizendo e tentar entender.

— Nenhuma notícia sobre... — e não ouço o resto do que Maureen diz.

— Não que eu saiba. Cliff está na vigilância, mas eles são muito espertos. Sabem apagar os rastros. Não conseguimos estabelecer nenehuma ligação.

— É sempre assim. Vamos trocar de carro na volta?

— Sim, já está arranjado.

— Preferia não fazer isso — ela diz. — É arriscado demais para o menino.

— Eles acham que pode ajudar a avó dele — diz Doug. — Não queremos que vire outra investigação de homicídio.

— Exatamente — concorda Maureen. Então ela olha ao redor e diz: — Hora de começar a acordar o Ty. Estamos quase chegando.

Faço uma boa encenação me espreguiçando e bocejando. Doug para o carro perto da entrada lateral do hospital. Olho meu relógio. São três da manhã. Não é bem o horário normal de visitas.

Ele pega um rádio e fala alguma coisa nele. Um homem corpulento se aproxima do carro. Doug sai e conversa com ele rapidamente, aí volta para o carro.

— Certo, Ty, você vai com o Dave aqui e nós nos vemos mais tarde.

— Vocês não vão comigo?

— Não, viremos buscá-lo depois. Não se preocupe, Dave vai cuidar de você.

E se Dave for um agente duplo? E se, quando se forem, ele atirar em mim ou algo assim? Respiro fundo e desço do carro.

— Vem comigo — diz Dave, e entramos no hospital. Subimos algumas escadas e descemos um corredor. Ele não diz uma palavra. Passamos por algumas portas duplas, subimos em um elevador e andamos mais um pouco até um corredor onde tem um policial com uma arma enorme. Parece uma metralhadora. Ele e Dave acenam com a cabeça um para o outro.

— Ok, por aqui — diz Dave, e entramos em uma enfermaria. Fico imaginando o que as outras famílias que vêm aqui pensam do guarda. Eu não ia gostar muito se tivesse que me preocupar com um possível tiroteio perto do leito de algum parente meu. Sinto-me enormemente culpado por causar tantos problemas para tanta gente que nem conheço.

Dave abre a porta de um quarto e diz:

— Trinta minutos. — Eu não acredito. Andamos de carro três horas para ficar apenas 30 minutos?

Ele fica do lado de fora. Eu entro, nervoso e assustado. O que vou ver? Quem vai estar ali?

Tem uma cama e um monte de máquinas emitindo sons e minha avó está no meio de tudo isso. Só ela e eu. Achei que minha mãe e minhas tias estariam aqui também. Onde elas estão? Não queriam me ver? Me sinto tão assustado por estar sozinho.

Vovó está quase irreconhecível. Ela parece mais velha, e seu rosto está pálido, exceto pelas partes que estão roxas e inchadas. Tem olheiras escuras e enormes. Ela nem mesmo cheira bem, e sua cabeça está toda envolta em ataduras de gaze.

Só tenho certeza de que é ela porque, entre os tubos saindo de seu braço, vejo a pequena tatuagem — o coração com Mick, o nome do meu avô, escrito nele. Vovó fez a tatuagem quando saíram em lua de mel. "Todas as garotas faziam isso na minha época", ela explicou quando eu era pequeno e quis saber o que era aquilo.

É somente sua respiração pesada e difícil que me diz que ela está viva. Ela ia detestar que eu a visse assim. E eu também detesto. Seguro sua mão.

— Vovó, sou eu, o Ty — digo. — Eu sinto muito, muito mesmo, Vovó. É tudo culpa minha.

Ela geme e suas pálpebras tremem. Meu coração palpita e minhas mãos estão suadas. Não sei mais o que dizer. Lembro-me da conversa de Doug e Maureen no carro e começo a imaginar coisas. Será que isso é alguma armadilha? Talvez tenham me deixado aqui a sós porque acham que posso dizer algo para a Vovó que não contei a mais ninguém. Será que estão me filmando e gravando sem eu saber?

— Vovó, estou tentando fazer a coisa certa, como você disse. Eu não machuquei ninguém. Só tentei manter Arron longe de encrencas. Eu não sabia o que era melhor fazer.

Tentei e fracassei. Fracassei terrivelmente...

A porta se abre e eu dou um pulo. Meu Deus! É minha Tia Lou, mas ela está tão pálida e franzina, e as raízes de seus cabelos estão tão escuras que parece que ela mergulhou as pontas em tinta amarela. Nós nos abraçamos e é incrível poder senti-la e saber que ela está mesmo aqui comigo neste quarto abafado.

— Ty, meu querido, que roupa é essa? — ela diz. — Você deve estar fervendo nesse gorro ridículo.

— Estou, mas mandaram não tirar — respondo. O suor pinica minha testa e o gorro realmente me incomoda.

— Polícia idiota — ela diz, pegando a mão da Vovó. — Achamos que ela está recobrando os sentidos, por isso pedimos para trazê-lo para cá. Ela abriu os olhos algumas vezes e até disse algumas palavras, mas sempre volta ao coma. Achamos que talvez você consiga incentivá-la na direção certa se ela ouvir sua voz. Ela ama tanto você. Nunca imaginamos que o deixariam aqui sozinho. Devia estar apavorado.

— Eu estou bem.

— Olha só para você, como cresceu — ela comenta. — Está virando um homem.

— Sim, bem... Onde está a Mamãe?

Lou olha para mim de um jeito estranho. Acho que nunca me ouviu chamar Nicki de "Mamãe" antes.

— Nic está na sala de espera com Emma. Vai vê-las depois. Só deixam entrar duas ou três pessoas de cada vez e disseram que eu, você e ele — ela faz um gesto indicando Dave posicionado do lado de fora — somos mais do que o suficiente. Fale um pouco com ela. Ela ficaria tão feliz em vê-lo novamente.

Inclino-me sobre a cama novamente.

— Vovó, por favor, pode acordar para mim? Não posso ficar muito tempo. Eles não me deixam ficar. — De novo suas pálpebras parecem tremer.

Lou tosse.

— Ty, você sabe como ela é. O capelão vem aqui todos os dias. Achamos que, se você orasse por ela, poderia...

— Mas que droga, Lou. — Não sei se estou preparado para isso.

— Só tenta, Ty. Não funcionaria se uma de nós tentasse. Ela saberia que não acreditamos de verdade.

E eu, sim?

— Preciso mesmo fazer isso? — Mas eu sei que sim. — Onde está o rosário dela?

— Ainda está no apartamento dela. A polícia não deixa a gente ir lá, e eu pedi, mas ainda não trouxeram. O capelão nos deu este.

É bem simples, com contas de plástico branco, nada parecido com o lindo rosário de madeira de oliveira que o Vovô comprou para ela quando foram para Roma e que é seu bem mais especial. Mas suponho que vá servir.

Coloco o rosário em uma de suas mãos e seguro a outra. Chego o mais perto que posso do ouvido da Vovó e seguro o rosário também. Gosto da sensação das contas lisas e escorregadias, e elas me lembram de quando eu era um garotinho e ainda morava com a Vovó.

— Ave Maria, cheia de graça — começo, bem devagar. Estou meio que torcendo para meus 30 minutos acabarem antes de chegar ao fim. — O Senhor é convosco, bendita sois vós entre as mulheres...

Vovó faz um barulho como que de tosse e seus olhos se movem de novo. Louise toca meu braço.

— Está funcionando, continue... Eu sabia que isso ia dar certo.

— Bendito é o fruto do vosso ventre, Jesus.

Ela abre os olhos. Ela abre os olhos! É um milagre.

— Santa Maria, mãe de Deus...

A mão da Vovó está apertando a minha. Seus olhos estão abertos. Ela está formando as palavras na boca. Eu tenho que terminar.

— Rogai por nós, pecadores, agora e na hora de nossa... nossa...

— Morte — termina Louise. Seus olhos estão cheios de lágrimas e ela me beija no meu gorro de lã idiota. — Amém.

— Amém — repete Vovó em uma voz muito fraca e trêmula. Então ela diz: — Louise, é você? Pode me ajudar?

Depois disso, tudo parece se mover rapidamente. Dave quer que eu saia após 30 minutos, mas eu digo não, é cedo demais. As enfermeiras e médicos precisam examinar a Vovó, e Dave diz que eu não posso ficar com eles lá dentro, então ele me leva até a sala de espera para ver a Mamãe e Emma.

— Vocês terão quinze minutos juntos e depois você terá mais quinze minutos com a velhinha e acabou.

— Ela não é uma velhinha, ela só tem 58 anos — eu digo. Vovó parecia ter 108 anos naquela cama.

— Está certo, filho. Parabéns por trazê-la de volta.

A sala de espera está tão abafada quanto o quarto da Vovó. Minha mãe está dormindo no sofá. Ela está completamente diferente, mais como era antes, porque os cabelos estão compridos e louros de novo. Como ela conseguiu isso? Ah, deve ser uma peruca. Emma está sentada no escuro, lendo uma revista *Grazia* sob a luz de uma pequena lanterna. Ela dá um pulo ao me ver.

— Ty, não acredito!

É tão bom revê-la. Emma é a pessoa mais tranquila da família e é o mais próximo que chego de ter uma irmã mais velha.

— Emma, a Vovó acordou!

— Eu sabia que ia acordar para você — ela disse. — Eles não queriam te trazer, sabe, mas parecia ser a única coisa que podíamos tentar para trazê-la de volta. Ty, sabia que vão nos mandar para o exterior por uns tempos? Eu e Louise e Mamãe, assim que ela puder sair do hospital.

— E quanto a nós?

— Vocês, não. Acho que eles consideram mais seguro nos manter separados.

— Sim, sei. Eles são especialistas em proteger as pessoas, não são? — Ela não percebe meu sarcasmo e responde:

— Assim espero.

Penso na Emma, seu emprego na área de moda e seu namorado Paul. Penso na Louise e seu diploma universitário, seu apartamento em Hoxton e seu emprego em uma escola de meninas em Westminster. Eu bagunçei totalmente a vida delas.

— Eu sinto muito, Emma. É tudo culpa minha.

— Não é não, Ty. Nem pense nisso. Você é apenas uma testemunha. São aqueles garotos que são culpados, os acusados. E o desgraçado que jogou a bomba na loja.

— Você viu a loja? Viu o Sr. Patel?

— Eu vi a loja — ela responde, e está com o olhar mais sério que jamais vi. — Ele parecia bem. Estava vendo os papéis do seguro.

— O que... o que a Louise está achando de viajar?

— Bem, ela não ficou nada feliz. Teve que abrir mão de muita coisa, mas ninguém está culpando você, querido, nunca pense isso.

— Para onde vão mandar vocês?

— Eu não sei, não querem nos dizer. Vai ser um passeio mágico e misterioso até chegarmos ao aeroporto. Torço pela Espanha. Pegar um pouco de sol.

Ela sacode o ombro da Mamãe gentilmente.

— Nicki, olha quem chegou.

Ela demora a acordar, e fico chocado de ver que perdeu peso. Até mesmo a blusa vermelha nova, aquela que tinha ficado tão bem nela antes, está folgada agora. Minha mãe está desaparecendo como um boneco de neve quando sai o sol. Ela pisca os olhos e diz:

— Ty? Você está bem? Como estão as coisas? — Sua voz parece a de uma menininha.

— Estou bem. Está tudo bem. A Vovó acordou.

— Acordou? Louise disse que ela acordaria para você. — Ela não parece tão feliz quanto eu esperava. Na verdade, parece um pouco irritada.

— Podemos entrar para vê-la daqui a pouco. Nicki, quando você volta para casa?

Ela levanta os ombros.

— Quando eles mandarem... Eu não sei. Talvez achem que deva voltar com você.

Ela está perdida de novo, dá para ver. Voltou a ficar como estava há poucas semanas: incapaz de tomar decisões, toda a sua independência e espírito de luta se esvaíram.

— O que você quer fazer? — pergunta Emma delicadamente. — Talvez seja hora de ficar com o Ty de novo? Estou certa de que Mamãe vai entender.

Nicki parece confusa.

— Não depende só de mim... — ela diz.

— Eu falo com a polícia — digo para Emma. — Eu dou um jeito.

Ela parece mais preocupada ainda.

— Nicki, por que você não pede para o deixarem ver a Mamãe agora? Ty e eu vamos em seguida.

Minha mãe sai andando da sala, e a ouço falando com Dave no corredor. Emma me abraça.

— Ty, querido, estou preocupada com a Nicki. Ela parece meio aérea, fora de si.

— Eu sei... Ela estava melhorando, mas agora parece que piorou. Ela está comendo?

— Não muito, e ela e Louise não estão se dando muito bem. Nicki está muito sensível e sente como se estivesse levando a culpa de tudo, mas não é isso o que Louise quer dizer. Tem sido muito difícil.

— Por que ela deveria levar a culpa? É comigo a coisa.

— Bem, ela acha que Lou está dizendo que ela não é uma boa mãe, o que obviamente não está lhe caindo bem.

Obviamente. Então Louise acha, sim, que é tudo culpa minha.

Dave bate na porta.

— Posso lhe dar mais quinze minutos com sua avó, Ty, e depois você precisa ir. Não querem levá-lo quando estiver claro.

Sou como uma coruja ou um morcego. Uma criatura da noite. Talvez um lobisomem.

Vovó está bem mais acordada quando me deixam entrar para vê-la novamente. Mas ela não está podendo falar muito e não parece entender bem o que está acontecendo.

— Ty? — ela indaga em uma voz fraca, e estica a mão para me tocar. — Que negócio é esse? — Está curiosa com o gorro.

— Tira isso — sussurra Mamãe, e eu não sei o que fazer. Então eu tiro rapidamente, e Louise e Emma soltam uma exclamação quando veem meu cabelo preto. Lou diz:

— Nossa, ele está igualzinho ao pai dele.

Pobre da Vovó, está confusa.

— Você é o Ty? — Coloco o gorro de volta e enfio os cabelos para dentro.

— Você esteve doente por algum tempo, Vovó. Meu visual mudou um pouco.

— Ah, então é isso — ela diz, e parece satisfeita.

— O tempo acabou — diz Dave. Eu abraço todo mundo rapidamente. Inclino-me e beijo a Vovó. — Se cuida, Vovó. Fique boa logo.

— Vejo você em breve, meu querido — ela diz. Eu queria que fosse verdade.

— Logo estarei de volta — diz Mamãe, mas não parece muito segura de si.

Louise me dá um beijo.

— É bom rever você. Se cuida.

— Se cuida — repete Emma. Dave interrompe.

— Lamento, está na hora.

Ele me acompanha pelos corredores, descemos pelo elevador e andamos em um corredor vazio. Saímos por uma porta e está frio. Já não está tão escuro, e os passarinhos começaram a cantar.

— Isso tudo demorou demais — ele diz, e aumenta o rádio.

Então um carro vira a esquina cantando o pneu e ouço um estampido alto — *bang!* — e Dave me empurra de volta para dentro antes de cair no chão, uma mancha de sangue vermelho vivo se espalhando na camisa.

CAPÍTULO 19

Sob o cobertor

— Corre! — ele grita. — Corre! — O sangue está se espalhando.
— Mas... você...
Ele aponta para o corredor.
— Corre, vai... Eles podem vir atrás de você...
Eu recuo. Não quero abandoná-lo, mas... ele falou... Eu corro. Fujo do sangue.
Saio disparado pelo corredor e atravesso duas portas duplas. O hospital está começando a acordar e quase atropelo alguns serventes.
— Tem um homem lá atrás — eu consigo dizer. — Levou um tiro... — E continuo correndo, deixando-os para trás com expressão de espanto nos rostos.
Hospitais são lugares estranhos. Este parece ser um monte de prédios conectados de qualquer jeito. Os andares têm linhas pintadas: azul, vermelho, amarelo, A, B, C. Muito útil se você souber para onde está indo, mas eu não sei. Estou só correndo por corredores ecoantes, túneis, escadas e alas cheias de pessoas que não podem me ajudar.

Tento correr como faria pela Ellie, mas não consigo. Não consigo controlar minha respiração, que vem em pequenas inspirações rápidas. Uma respiração difícil, aterrorizada, que só faz me atrapalhar e me provoca uma dor intensa sob as costelas. De que adianta ser um bom corredor, se não consegue correr quando precisa?

Preciso fazer xixi. Vejo um banheiro e não tem ninguém por perto. Parece um bom lugar para me esconder. Por sorte, não tem ninguém por lá. Entro em uma cabine e tranco a porta. Faço o que vim fazer e subo na privada fechada. Encolho-me numa bola e tento pensar. Se eu estivesse vendo isso em um filme, seria bem empolgante, uma aventura cheia de ação. Mas, quando sou eu sozinho e não sei o que fazer ou para onde ir, não é tão legal quanto parece.

E se o pistoleiro for para a unidade de tratamento intensivo? E se souber onde encontrar minha família? Tenho que chegar lá primeiro.

Ouço o rangido da porta do banheiro se abrindo. Alguém entrou. Eu seguro a respiração, tento não fazer barulho, esperando para ouvir se vai usar o banheiro, lavar as mãos, ir embora. Nada. Tem alguém em pé bem do outro lado da porta da cabine, só esperando. Ai, Jesus... Será que balas atravessam portas? Aposto que sim.

Tenho que fazer alguma coisa. Fico de pé na tampa da privada e chuto a porta o mais forte que posso para abri-la. Dou outro chute ao pular para o chão. Sinto meu pé acertando a virilha de alguém — e ele cai para trás sobre os mictórios. Eu nem olho para ele ou espero para ver se tem uma arma ou não. Saio porta afora e dou no pé no corredor.

Tratamento intensivo. Preciso chegar lá e avisar que ele pode estar vindo. Tem uma sinalização à frente e paro um segundo para ler. Lá está... Sigo a linha vermelha... aqui e aqui e pego as escadas ou um elevador? Escolho as escadas e subo disparado os três lances. No topo das escadas eu estou ofegante, mas me sinto triunfante. Vou conseguir chegar lá e vou salvá-las...

A porta do elevador se abre e um homem grande sai.

— Pare! — ele grita e se lança sobre mim em um ataque de rúgbi, que eu revido com mais um pontapé. *Crash!* Meu pé acerta seus dentes. Estou prestes a dar seguimento com um soco quando o vejo direito pela primeira vez.

Merda.

É o Doug.

— Desculpa, desculpa, sinto muito, Doug. Eu não vi que era você.

Ele se recupera devagar, sangue pingando dos lábios.

— O que diabos pensou que estava fazendo? Primeiro me chuta no saco, depois na boca!

Isso me parece óbvio.

— Não percebi que era você. Estava tentando fugir. Achei que era o cara que atirou no Dave... Você sabia? Ele precisa de ajuda...

— Não se preocupe com ele. Ele está bem. Precisamos cuidar de você.

— Como me encontrou?

— Colocamos um rastreador em você antes de entrarmos, só para o caso de algo acontecer. Para ser franco, eu estava com medo de que você tentasse fugir. Você é um sujeitinho imprevisível.

— Como assim, um rastreador?

— Um dispositivo eletrônico de rastreio. É bem útil quando alguém se ausenta sem permissão.

— Dave mandou correr... Eu não queria deixá-lo para trás...

Doug pega o celular.

— Achei. Entrada principal em dez minutos.

— Entrada principal? Não é perigoso? — Sou como um homem-bomba. Aonde quer que eu vá, posso estar levando morte e destruição a pessoas inocentes.

— É o único lugar onde não vão esperar que a gente apareça. Ande devagar e tente parecer normal.

Descemos o corredor novamente. Minha respiração ainda está ofegante e dolorosa e fico constantemente olhando para trás.

— E minha mãe e a Vovó? — pergunto.

— Já tem gente bastante para cuidar delas.

Estamos quase lá.

— Fique calmo — sussurra Doug. — Quando estivermos no meio de outras pessoas, não faça nada que atraia a atenção.

Escuto as sirenes da polícia e torço para que isso signifique que alguém conseguiu socorrer Dave a tempo. E o sujeito que atirou nele? Será que ele estará esperando lá fora?

Chegamos à entrada principal. Tem gente por todo lado. Parecem pessoas normais — alguns idosos, uma mulher com um bebê, mas como vou saber? Eles podem ter armas, podem estar prontos para atirar em nós. De repente, não me sinto mais tão corajoso. Não vou conseguir.

— Está tudo bem — diz Doug, mas como ele vai saber?

Saímos pela porta principal e está bem claro. Um carro preto nos espera, e Doug abre a porta e me empurra para dentro um pouco mais forte do que o necessário, em minha opinião. Maureen está dentro do carro e faz um gesto para eu me abaixar, e procuro ficar o mais perto do chão possível. Doug entra na frente, ao lado do motorista, e Maureen me cobre com um cobertor.

— É só por um tempinho, até a gente se afastar daqui — ela diz.

Faz um calor sufocante debaixo do cobertor grosso e piniquento. Estou com cãibra e com muita fome e sede. O movimento do carro está me deixando enjoado também e eu sinto náuseas, mas não tem nada para expelir, só um gosto ruim na boca.

O pior de tudo é ficar no escuro sentindo cada vez mais pânico com o que acaba de acontecer comigo e o que pode estar acontecendo neste momento. Estou imaginando o pistoleiro atirando em todo mundo naquele quartinho. Minha família transformada em pedaços de carne, osso e sangue.

Estou encostado contra as pernas da Maureen, e depois de um tempo ela coloca a mão em meu ombro e sussurra:

— Não se preocupe. Tente não se preocupar.

Finalmente, depois do que parecem horas, eles param, e Maureen tira o cobertor de cima de mim.

— Coitado — ela diz quando me vê. Estou tão quente que sinto meu corpo todo queimando. Meus cabelos e minha camisa estão ensopados de suor, e suponho que estou com cara de quem andou chorando.

— Certo, rápido, saia desse carro e entre naquele outro. — Eu dou um gemido. Esperava que parássemos um pouco. Sinto minhas pernas tão duras que mal consigo andar, mas eu chego até o outro carro meio que aos tropeços. Doug já sentou atrás do volante e não parece simpatizar nada comigo.

— Deite-se no banco traseiro — diz Maureen. — Tente relaxar. — Doug dá a ré e depois acelera pela alameda estreita de interior onde paramos. — Pegue, toma um pouco d'água. — Eu me apoio em um cotovelo para beber. — Você está verde. Tome isso. — E me passa uma pílula que presumo ser para enjoo.

Devo ter caído no sono então. Um sono tranquilo e sem sonhos, porque é quase noite quando acordo. Estamos entrando em um posto de gasolina e Maureen sacode meu ombro, dizendo:

— Você deve estar com fome, imagino.

— Que horas são?

— São nove horas da noite. Você dormiu o dia todo — responde Doug.

— Eu lhe dei um sedativo. Achei que precisava — explica Maureen.

— Por que ainda estamos viajando? — Um pensamento ruim me vem à cabeça. — Vocês não vão me mudar de novo, vão?

Os dois riem.

— Não, nem a gente consegue trabalhar tão rápido assim — diz Maureen. — Digamos que achamos melhor trazer você pelo caminho mais longo e chegar depois de escurecer. Podemos comer aqui e chegaremos em casa por volta da meia-noite. Doug vai ter que dormir lá.

— Sinto muito mesmo, Doug, pelo que houve.

— Você me atacou não uma, mas duas vezes, seu moleque — diz Doug, mas ele não parece estar zangado. — Levando em conta que você achava que eu era um assassino perigoso, acho que foi bem corajoso. Claro que, se você não achasse isso, eu teria que levar para o lado pessoal. E agora vou ter que passar a noite. A patroa não vai gostar disso.

Nunca me passou pela cabeça que Doug e Maureen têm vida própria e que precisam deixá-la de lado para cuidar de mim.

— Não sabia que você tinha esposa.

Eles riem de novo.

— Ah, sim, isso ele tem — comenta Maureen. — Ela te mantém na rédea curta, não é, Doug?

— É uma boa mulher — responde Doug, e Maureen pisca para mim.

Entramos na lanchonete do posto. Ainda estou um pouco ansioso, mas o sedativo parece ter me deixado mais devagar. Meu corpo está pesado, e meus olhos ficam fechando o tempo todo. Estou com o corpo tão enrijecido que Maureen tem que me ajudar a andar do carro até a lanchonete. Estou mancando como um velhote e não me sinto como alguém que conseguiu atacar duas vezes um agente policial, mesmo sendo apenas o Doug.

Os dois pedem salsichas com batatas fritas. Maureen percebe que não estou em condições de decidir e pede peixe com fritas e chá para mim. Nós nos sentamos e eu começo a cortar o peixe com o lado do garfo.

— Você é casada, Maureen? — pergunto.

— Sem chance. Sou casada com meu trabalho. Sorte sua, não é?

Faço que sim, e ela diz:

— Vê se para de brincar com sua comida e tenta comer um pouco. Não adianta nada ficar só olhando para ela.

Maureen me lembra minha avó. Tem mais ou menos a mesma idade e o mesmo jeito bondoso.

— Maureen, sabia que minha avó acordou? Foi quando eu estava lá.

— Eu sabia, sim, e fico muito feliz por você. Por que não me conta como foi?

Então eu falo como foi, e ela bagunça meu cabelo como se eu fosse um bebê, e diz:

— Acho que você se saiu muito bem. — Então ela faz uma pausa e diz: — Não me dei conta de que vocês frequentavam a igreja. Quer que arranje uma para você ir aos domingos?

— Não eu e Mamãe, só a Vovó. — Quisera poder sentir o mesmo conforto que a Vovó sente rezando e indo à igreja e tudo o mais, mas nunca senti a conexão, e Mamãe teria ficado louca se eu me tornasse religioso.

— Ah, que pena — diz Maureen, o que me parece estranho. — O júri ia gostar de saber que você frequenta a igreja — ela acrescenta, o que parece ainda mais estranho.

— O que você achou de sua mãe? — pergunta Doug.

— Estava horrível.

— Sim, estamos um pouco preocupados com ela. Não podemos falar com o hospital agora. Queremos voltar somente quando não houver risco de alguém nos ligar a elas, mas estou certo de que vão mudá-las imediatamente. Sua mãe vai estar de volta com você logo.

— Então... você vai embora quando ela voltar, Maureen?

Ela hesita um instante e torço muito para ela dizer que não, que vai ficar e cuidar de nós dois. Ela percebe isso na minha expressão, acho, porque diz rapidamente:

— Vamos deixar para atravessar essa ponte quando chegarmos a ela. Agora você vai comer alguma coisa nem que eu tenha que pegar o garfo e colocar na sua boca — o que me faz provar uma batata frita e perceber que está surpreendentemente boa.

Volto a dormir assim que entramos de novo no carro e não acordo até chegarmos em casa. A casa do Joe. Pela primeira vez me sinto em casa de verdade nela. Meu quarto bege é tão quieto. Um lugar seguro. Nossa casa segura. Preciso acreditar nisso, então acredito. Caio na cama, e ela é incrivelmente confortável.

Ouço a televisão ligada no andar de baixo. Doug ligou no noticiário. Ouço pedaços de chamadas entrecortadas... "tiroteio... hospital...".

Tiroteio? Hospital? Eu me levanto e desço a escada. Vejo uma tomada aérea do hospital e tem um repórter na frente da entrada principal.

— O policial ferido estava armado e protegia uma mulher vítima de um ataque violento. Muitas dúvidas foram levantadas sobre a segurança do hospital. Famílias de pacientes reclamam que seus entes queridos foram colocados em risco. A mulher foi transferida para um local não revelado. O policial ferido está se recuperando e sua condição é estável, segundo os médicos.

— Eles mudaram a Vovó de lugar?

— É o que parece.

— Isso é bom — diz Maureen. — Agora não precisa se preocupar com ela. — E se levanta. — Vou preparar um banho para você, e depois vê se consegue dormir mais um pouco.

Eu durmo, mas não é o mesmo sono tranquilo e sem sonhos do carro. Estou de volta ao hospital, disparando pelo labirinto de corredores, mas dessa vez atravesso umas portas duplas e estou no quarto da Vovó, com todas as máquinas bipando e o cheiro e as ataduras... mas não é a Vovó na cama, é a Claire, e não são seus braços que estão cortados, mas sua garganta, e tem sangue por toda parte, nas paredes e na cama, pingando no chão. Ouço o som de alguém gritando... e está vindo de mim...

Maureen está de camisola, sentada em minha cama e me dando outra pílula.

— Melhor tomar outra — ela diz. — Não adianta nada dormir se for para ter pesadelos.

Eu pego a pílula e a engulo. Não sei se minha vida, acordado ou dormindo, algum dia voltará ao normal.

CAPÍTULO 20
Sharon e o Papa

De manhã eu tento sair para correr. Visto o agasalho, amarro os tênis, abro a porta e penso em como vou me aquecer e depois alongar e correr por pelo menos uma hora.

Aí aparece um carro descendo a rua e eu fecho a porta.

Três vezes eu abro a porta e três vezes a fecho de novo. No final, eu me sento no degrau da frente e apenas observo a rua um pouco, na esperança de que, se eu vir que ela não passa de uma rua tranquila e comum, serei capaz de correr por ela.

Mas o que vejo é Ashley Jenkins subindo a ladeira em minha direção.

Ela está queimada de sol e vestindo um short curto e um top. Fico surpreso por não sentir mais do que apenas uma pontada de interesse por ela. Talvez os sedativos da Maureen tenham me desligado. Espero que não seja para sempre. Teria que processar a polícia, o que seria totalmente constrangedor.

Não pode ser coincidência a Ashley estar na minha rua. Mas como ela sabe onde moro? É claro, sou tão burro. Sua mãe boca-de-matraca deve ter conseguido meu endereço no registro da escola.

— Oi, Joe — ela diz. — Vai me convidar para entrar?

— Está bem — digo, não muito certo do que está havendo. Devo levá-la para meu quarto, onde deixei as roupas molhadas de suor de ontem no chão? Será que Ashley está a fim de levar a coisa para outro nível, fantástico, mas apavorante? Será que vou ser capaz disso agora? Será que ainda estamos juntos?

— Quer um café? — pergunto.

Entramos na cozinha, onde Maureen e Doug estão sentados à mesa e muito interessados em minha visita. Tento ignorá-los enquanto encho a chaleira, o que me faz parecer um idiota, pois Maureen imediatamente diz:

— Olá, eu sou Maureen e este é Doug.

— Oi, eu sou Ashley. — Então todos olham para mim, mas eu fico calado e termino de fazer o café.

— Vamos subir — digo, para ver se alguém faz objeção, mas Ashley estraga tudo dizendo:

— Na verdade, Joe, talvez seja melhor irmos para a sala, se não, tiver ninguém lá.

Vejo Maureen e Doug trocando um olhar entendido, e me sinto um babaca. Está claro para todos que vou passar pelo ritual de ser oficialmente dispensado. Doug e Maureen provavelmente ficarão escutando atrás da porta e depois vão rir.

Vamos para a sala e eu fecho a porta.

— Onde está sua mãe? — pergunta Ashley. — Ou eles são seus pais verdadeiros e você estava só fingindo que sua irmã mais velha era sua mãe?

— Não, ela está viajando e eles estão ficando comigo. São apenas amigos.

— Ah.

— Como foi de férias?

— Foi bom.

Não vou perguntar por que está aqui se ela não disser. Podemos continuar assim horas e horas se ela quiser.

— Fez tempo bom?

— Sim. Muito sol.

— O hotel era legal?

— Sim, muito. — Ela suspira. — Olha, Joe, eu não quis subir porque a gente precisa conversar.

— Ah, é?

— É que... Bem, acho que a gente devia parar de se ver.

Tem duas coisas que posso dizer. Posso dizer: "Está bem, ótimo, foram duas semanas boas, especialmente a que você passou na Espanha" e levá-la até a porta. Ou eu posso perguntar por quê, como um idiota. Burro, vou na segunda opção.

Ela fica sem jeito.

— É que... O negócio, Joe, é que eu não sei se você sabe, mas eu não cresci nesta cidade. Minha família veio para cá de Catford quando eu tinha 9 anos de idade. Sabe onde fica?

Claro que sei. Ela veio da zona sul de Londres. Se você é do norte do rio como eu, a zona sul de Londres é um lugar de que você já ouviu falar, mas ao qual nunca foi. A maior parte das coisas que se ouve não é nada boa.

— A razão de termos nos mudado foi para tirar meu irmão de lá. Meu irmão, Callum, é seis anos mais velho do que eu e ele estava se envolvendo com gangues de rua e carregando uma faca e um dia ele foi esfaqueado.

— Ele foi... ele foi morto?

— Não, claro que não. Eu disse que nos mudamos para cá para tirá-lo de Londres, dãã! De qualquer jeito, quando te vi com a faca na mão aquele dia, eu soube... eu soube que não podia ficar com você. — Seus lábios tremem, e acho que ela vai chorar. — Eu vi um outro lado seu.

Isso é totalmente injusto.

— Mas eu fiz aquilo por você. Eles estavam tocando em você e tiraram aquelas fotos...

— Eu sei. Eles são uns doentes, mas quer saber, Joe, nós poderíamos ficar constrangidos com aquelas fotos, não ia ser legal, mas não seria o fim do mundo. Mas, se você tivesse ferido um deles... — A voz dela se apaga.

Ela não está de todo errada, e eu sei disso.

— Lamento, Ash. Eu não queria assustá-la.

Ela está chorando agora, e os sedativos parecem estar perdendo o efeito, porque sinto vontade de confortá-la. Sento-me no sofá ao lado dela e coloco o braço devagarinho sobre seus ombros quase desnudos. Ela não se opõe, e minha outra mão consegue chegar na parte de suas costas entre o short e o top. Começo a beijar suas lágrimas, e logo estamos deitados no sofá, eu torcendo para Doug e Maureen terem o bom senso de nos deixarem em paz até eu descobrir se ela tomou sol fazendo topless na Espanha.

Por fim, ela se afasta, hesitante.

— E isto é outro problema — ela diz.

— O quê? — Ainda estou acariciando sua barriga e minha outra mão está sendo muito bem-sucedida em suas explorações.

— Você e eu. É demais, cedo demais.

— Mmm... não estou vendo você reclamar... — Estou mordiscando seu pescoço e ela tem um cheiro meio que de coco.

— É esse o problema.

— Como assim?

— Eu sei que todo mundo acha que sou uma piranha e que faço tudo, mas eu não sou, Joe.

Isso não é justo.

— Eu nunca achei você nada disso. Acho você incrível e sensual e... — beijo seus lábios úmidos — muito sofisticada.

— Sim, mas o problema é que não consigo dizer não para você, Joe, como faço com outros meninos. Os meninos com quem já fiquei, eles sabiam que não podiam... você sabe... ir longe demais. Eu deixava isso bem claro. Mas sempre me esqueço de te dizer quando parar e estou ficando assustada. Quer dizer, se tivéssemos subido para o seu quarto, posso imaginar uma coisa levando à outra. E não quero terminar como... — Ela hesita, mas essa eu vi chegando de longe.

— Como minha mãe.

Deliberadamente eu tiro as minhas mãos e as esfrego na calça como se estivesse limpando uma sujeira e me afasto dela como se ela estivesse cheirando mal.

— Eu não quis dizer...

— Eu sei o que quis dizer. Sei *exatamente* o que quis dizer. Mas quer saber? Minha mãe ficou feliz quando eu nasci. Ela quis que eu nascesse. Nunca dependemos do Estado. Ela conseguiu se qualificar e trabalhou, e muito, para cuidar de mim.

Estou tão furioso que mal posso falar. É impressionante quanta merda você tem que aguentar só porque a mãe era adolescente quando você nasceu e seu pai não dá a mínima para te conhecer.

— Joe, não entenda errado. Eu não quis falar nada de sua mãe. Acho ela muito bacana, mas ela devia ser tão nova quando te teve. Era só um pouco mais velha do que nós somos agora. Eu só não quero ter que fazer esse tipo de escolha.

Não consigo olhar para ela.

— Ah, sei, Ashley. Aposto que você fala isso para todos os meninos.

— Não, Joe, é sério.

— Aposto que encontrou algum garçom na Espanha e transou com ele a semana toda.

— Não... não... Eu realmente pensei muito nisso.

— Então por que aparece aqui vestida como uma piranha?

Ela arregala os olhos, e seu queixo cai. Minhas tias me matariam se me vissem tratar uma menina assim. Mas eu não me importo. Só quero magoá-la tanto quanto ela está me magoando.

— Eu não...

— Sei, sei... Bom, você já fez o que veio fazer aqui, Ashley. O que vai dizer para todo mundo? "Ele era tão gostoso que eu não confiava em mim mesma com seu corpo, então terminei tudo"? Ou "Achei que ele era um psicótico com uma faca"?

— Eu não sei.

— Talvez eu diga a todo mundo que fui eu que terminei tudo porque você é uma piranha.

Ela fica de pé, e percebo que a deixei zangada. Ótimo.

— Vá em frente — ela diz. — Veja se eu me importo. É o que já acham mesmo.

— Não, eu não vou fazer isso. — Sua dignidade inesperada me envergonhou. — Desculpa, Ashley, achei que você estava desrespeitando minha mãe e já ouvi o bastante sobre ela para uma vida inteira.

— Vou dizer que terminamos porque meus pais mandaram depois que você bateu no Carl. Aliás, isso é verdade. E todas as garotas vão correr atrás de você, independentemente do que eu disser.

— Sim, mas elas têm medo demais de você para vir falar comigo.

Ela levanta os ombros.

— Tudo bem, eu vou dizer que podem falar com você.

— Todas elas?

Ela fica desconfiada.

— Por quê? Em quem está pensando?

— Ah, ninguém.

— Hmm. — Ela não parece saber bem o que pensar, mas espero que agora Claire possa conversar comigo na escola.

Ela vai embora depois disso, e eu me deito no sofá me sentindo chateado. Não é ser dispensado pela Ashley que me incomoda, mas as lembranças que ela remexeu. Os dias e dias e anos e anos ouvindo que tem algo de errado com você porque sua mãe é tão nova e teve um filho quando ela mesma ainda era praticamente uma criança.

Não são só coisas como o Dia dos Pais, quando não se tem ninguém para quem fazer um cartão, ou os políticos falando que mães solteiras causam problemas para a sociedade. Não é só a Vicky Pollard[21] em *Little Britain*[22] ou termos como "mãe adolescente" e "bastardo".

É a maneira como todo mundo nos olhava naquele primeiro encontro dos pais na St. Saviour, quando senti meu estômago dando voltas ao perceber que todo mundo tinha pai e mãe — até mesmo o Arron, embora aquele pai não fosse o mesmo de antes — e que Mamãe era pelo menos dez anos mais nova do que qualquer outra mãe e não se vestia da mesma forma que as outras, que ou estavam de conjuntinho ou eram peruas.

Na hora do recreio, as vozes, as vozes que eu fingia não ouvir. Sua mãe é uma vadia. Sua mãe é uma prostituta. Sua mãe transaria comigo?

Ninguém com quem eu tentava falar entendia realmente. Tia Emma dizia que eu exagerava e que tinha certeza de que havia um monte de crianças na escola com mãe solteira. Quando expliquei que a maioria tinha pai também, ela disse: "Pelo que eu sei, melhor para você não ter o seu". O Sr. Patel disse que toda mulher precisava de um bom homem e talvez eu devesse ir com ele à mesquita algum dia e aprender uma maneira mais tradicional de viver.

Arron disse: "O problema, cara, é que ela está em ótima forma. Ela não parece nem um pouco com uma mãe normal. Parece que ela teve você quando tinha 8 anos".

E então ele disse: "Você só tem que escolher um deles para brigar e eles vão parar. Vamos, cara, lembra do que aprendemos na academia de boxe".

---

21. Adolescente rebelde que fala muito rápido, personagem de *Little Britain*. (N.T.)
22. Literalmente, "Pequena Bretanha". Série cômica da BBC. (N.T.)

Mas eu recusei porque havia tantos deles e eram todos maiores do que eu. Achei que, se lutasse com um, teria que lutar com todos. E vi que ele me desprezou por causa disso. Depois disso ele começou com o negócio de me chamar de "garotinho", de "menininha" e de "gay". E eu tive que aceitar, porque era meu único amigo, mas me preocupava que, aceitando, viraria verdade.

Mas nada disso teria importado tanto se não fosse uma conversa que tivera com minha mãe e que me incomodava havia anos; desde que eu tinha uns 8 ou 9 anos e Nicki e eu estávamos assistindo a *EastEnders*.[23] Sharon estava chorando porque ficara grávida e acabou não tendo o bebê. De alguma forma ela havia decidido não tê-lo.

Eu me virei para Nicki e disse:

— Eu não sabia que se podia desistir de ter um bebê.

— Bem, às vezes se pode — ela disse.

— Você podia? — perguntei.

E ela riu e respondeu:

— Que pergunta! Não com sua avó e o papa me cobrando! — Vendo minha confusão, ela me deu um beijo e disse: — Eu nunca ia deixar de ter meu menino lindo.

Mas isso me incomodou por anos, como acontece com coisas que a gente não entende, mas acha que pode ser importante. E eu guardei na memória até o dia antes do início das aulas na St. Saviour. Eu estava experimentando meu casaco do uniforme quando Nicki disse:

— Sabe, Ty, nessa escola nova eles vão pegar bem mais pesado no lance de Deus. Tudo bem, estou orgulhosa de você ir para lá, mas lembre-se de que você tem opinião própria. Não deixe que te encham de Jesus e Maria e o papa antes de você poder decidir por si mesmo.

E eu vi tristeza em seus olhos e resgatei a antiga lembrança da memória e entendi que, se não tivesse sido por Vovó e pelo papa, então Nicki teria tomado a mesma decisão que Sharon em *EastEnders*.

---

23. Novela britânica no ar desde 1985. (N.T.)

E, naquele momento, ainda não entendia como ou por quê, mas um pouco da minha certeza interior, da minha felicidade, morreu naquele dia. Não foi a melhor maneira de começar em uma nova escola.

Continuo deitado no sofá, sentindo pena de mim mesmo, repassando tudo na cabeça, quando ouço uma batida na porta e Maureen entra.

— Doug já foi — ela diz. — Vai procurar saber o que está acontecendo e talvez veja a sua mãe.

Ela faz um esforço para não parecer intrometida.

— Sua amiga também já foi? — pergunta, embora eu não saiba onde ela pensa que Ashley pode ter se escondido.

— Sim.

— Tudo bem?

— Ela me dispensou, se é o que quer saber.

— Lamento saber. Namoraram muito tempo?

— Duas semanas, mas tivemos momentos incríveis — respondo aborrecido, e percebo na mesma hora como isso soa besta e começo a rir, pois na verdade estou todo feliz por dentro por poder ser amigo da Claire. Imagino levá-la para fazer compras e ajudar a escolher roupas legais, pegar seus cabelos longos e amarrar para trás com uma fita de seda e ter alguém com quem conversar, alguém em quem posso confiar e de quem me sentir próximo. Uma amiga de verdade.

Maureen ri também e diz:

— Você deve estar completamente arrasado. Que tal uma xícara de chá?

— Sim, obrigado.

Sentamos à mesa da cozinha, e eu falo sobre não conseguir sair para correr.

— Escuta, Ty, essa foi uma experiência muito assustadora. Não se iluda. Algum desgraçado do mal tentou te matar ontem, e isso é algo difícil de absorver.

— Sim — eu concordo.

— Sabe, Ty, o que não te mata te fortalece — ela diz, o que me deixa impressionado, pois achava que Maureen era velha demais para conhecer Kanye West. — De qualquer forma — ela continua —, estamos certos de que sua identidade como Joe não está comprometida e ninguém aqui seria capaz de fazer a ligação entre Joe e Ty. Possivelmente a gente pode conseguir um aconselhamento para você no futuro, mas agora você vai ter que aceitar um conselho meu mesmo.

— Qual?

— Fique calmo e siga em frente. Era o que dizia um cartaz da Segunda Guerra Mundial... não, eu não sou tão velha assim, moleque impertinente... e eu sempre achei um bom lema.

É um bom lema para quem corre também, penso, e resolvo tentar de novo. Maureen parece que lê minha mente.

— Vai lá — ela diz. — Quem sabe consegue dessa vez?

Ainda hesito um instante na porta da frente, então mexo no meu iPod até achar a música do Kanye West de que ela falou e desço pelo jardim da frente. Quase dou meia-volta quando chego ao portão, mas, com Maureen me olhando e Kanye na cabeça me mandando ser forte, consigo descer a rua e virar a esquina e logo estou correndo de verdade. E talvez, só talvez, eu consiga seguir o conselho dela.

CAPÍTULO 21
Achados e perdidos

Minha mãe chega por volta das nove horas da noite de domingo, no momento em que estou passando uma camisa para usar na escola no dia seguinte. Ela está pálida e atordoada, piscando os olhos como se tivesse acabado de acordar. Coloco o ferro de lado e vou abraçá-la.

— Oi, Nic. Como está a Vovó?

— Eu não sei — ela responde em uma voz fraca e distante. — Eles a levaram embora e nos colocaram em um hotel... E ficamos lá e agora estamos aqui, só que Louise e Emma estão em algum outro lugar. Não sei onde.

Imagino se ela foi mesmo para um hotel. Do jeito que está agindo, parece que esteve foi em um hospício.

— Foi por causa do tiroteio — falo sem paciência. — Tiveram que tirá-las de lá rapidamente.

— Ó, meu Deus, é verdade, o tiroteio — diz Nicki, como se fosse uma TV e alguém a ligasse de repente. — Você podia ter morrido. Você está bem? Meu Deus, Ty.

— Sim, sim. Eu estaria passando roupas se tivesse levado um tiro?
A tela fica branca de novo.

— Ah. Eu não sei. Eles não me disseram nada.

— Eles devem ter dito a você que eu estava bem.

— Acho que sim. — Ela parece incerta. — Eles falam mais com Louise, e ela não me conta nada.

Maureen, que assiste a isso tudo de pé ao lado da porta, se aproxima e coloca o braço sobre os ombros da minha mãe.

— Nicki, querida, dá uma boa dormida agora e amanhã você vai estar mais descansada. Eu estava pensando, quer que eu veja se posso ficar mais alguns dias? Só para te ajudar a voltar à rotina e te dizer como Ty vem se saindo enquanto você estava fora.

Nicki age como se não tivesse ninguém ali.

— Sim, como você quiser — ela diz. — Como quiser... — Sua voz se apaga e ela sai andando sem direção.

— Nossa — diz Maureen —, o que deram para ela? Melhor eu ajudá-la a se preparar para dormir. Ela está tão no mundo da lua que acho que nem isso ela consegue fazer sozinha. Não se preocupe, Ty, o que quer que meu chefe diga, eu não vou a lugar nenhum tão cedo.

Eu só abaixo a cabeça e concentro toda minha atenção em tirar todos os vincos. Passo seis camisas, cinco lenços, dez camisetas e duas calças. Continuo com toalhas de cozinha, roupas de baixo e até meias. Quando não tem mais nada na casa que eu possa passar, junto todos os livros de que vou precisar de manhã. Então ligo a TV e assisto a um episódio de *Os Simpsons* sem rir nenhuma vez sequer.

Doug e Maureen aparecem e sentam um de cada lado de mim.

— Certo, Ty, eu vou ficar com certeza — comunica Maureen. — Doug acha que sua mãe está meio fora do ar por causa de uma pílula para dormir que tomou no carro. Você vai perceber uma boa mudança nela nos próximos dias.

— Ela já estava um pouco assim no hospital — respondo sem muita certeza.

— Ela tem sofrido muito estresse — explica Doug. — Só precisa de um tempo para se recuperar.

Por que ela não consegue ficar calma e seguir em frente como eu? Afinal, não foi nela que atiraram, nem é ela quem vai ter que contar sua história para o tribunal, nem é a principal envolvida nessa história de qualquer jeito. Estresse... isso na verdade é só uma desculpa. Uma desculpa para ser inútil.

Eu me levanto e pego minha pilha de roupa passada para subir.

— Vou dormir.

Maureen sobe comigo.

— Vou deixar meia pílula para dormir e um copo de água ao lado da cama. Só para o caso de você ter pesadelos de novo.

— Obrigado, Maureen. Obrigado por ficar.

Ela olha para mim e diz:

— Vai melhorar, Ty. Isso vai passar, sabe?

Ela é bacana, Maureen, mas também é uma policial. E a polícia me disse que a Vovó estaria segura em casa e que eu podia ficar com Dave no hospital. Então não sei se acredito no que ela está dizendo.

Mamãe ainda está dormindo quando acordo de manhã. Maureen faz torradas para mim, me deseja sorte e eu parto ladeira abaixo. De repente me lembro de que, na última vez em que estive na escola — à parte a entrevista com o diretor, claro —, eu estava me debulhando em lágrimas, soluçando que nem uma menina na sala malcheirosa do Sr. Henderson. E se todo mundo já soubesse disso? E se alguma filmagem secreta do circuito interno da escola tivesse vazado para os celulares de todo mundo? Eu quase dou meia-volta várias vezes antes de chegar ao portão da escola.

Brian, Jamie e Max aparecem na hora em que cruzo o portão.

— Ei, Joe, bom te ver, parceiro. — Todos nos cumprimentamos e Brian pergunta:

— E aí, como foi? Levou uma chamada?

— Nem. Carl e eu só vamos ter que tocar algum projeto juntos.

Todos têm palpites diferentes. Jamie acha que vamos ter que coordenar o clube de críquete da sétima série. Brian especula que podemos ser enviados para uma espécie de acampamento militar para delinquentes juvenis.

— Ou talvez tenham que limpar a piscina toda — diz Max.

— Com nossas escovas de dentes? — eu sugiro.

Os meninos se calam, se cutucam e olham para mim. Ashley está bem na nossa frente, do outro lado do pátio, no centro de seu grupo. Estão todas olhando para nós e algumas estão abraçando Ashley, que limpa uma lágrima do rosto.

— Soubemos da novidade, parceiro — diz Brian. — Que pena. Os pais dela são muito rigorosos, pelo que sei.

— Filhas de pais muito controladores são sempre as mais sem--vergonha — diz Max.

— Será que ela topa um namoro secreto? — pergunta Jamie. Eu nego com a cabeça.

— Não, a fila tem que andar. Ainda haverá muitas oportunidades nesta escola.

Brian suspira.

— Para você, talvez, mas é um deserto para alguns de nós.

Quando o sino toca para a chamada, percebo vagamente que estou recebendo um bocado de atenção. As pessoas estão olhando para mim, apontando, e tem um burburinho geral que parece ser dirigido a mim. As meninas estão sorrindo, e alguns meninos da sétima série começam a bater palmas e dar vivas até serem silenciados por um supervisor. Tento ignorar toda essa atenção e procuro pela Claire.

É fácil achá-la, pois só tem umas três meninas ainda vestidas em uniforme de inverno. Seus cabelos continuam cobrindo o rosto. Ela parece tão assustada e solitária quanto de costume, como eu me sentia na St. Saviour, embora eu espere não ter parecido tão obviamente um fracassado.

Não imagino como vou conseguir fazer as pessoas aceitarem que Joe seja amigo dessa menina — especialmente quando meninas mais bonitas como Lauren, Emily e Zoe da turma 8P estão me lançando olhares, piscadinhas e sorrisos secretos quando Ashley não está vendo. Estou pateticamente preocupado em não manchar a reputação de Joe, mas será que ele tem cacife suficiente para levantar o moral da Claire?

Tento chamar sua atenção, mas ela me ignora completamente. Talvez não esteja ainda ciente de meu status oficial de ex da Ashley. Quando nos sentamos para a assembleia, estamos tão próximos que eu poderia tocar sua mão. Eu me aproximo devagarinho, tentando conseguir um mínimo de contato de pele sem que ninguém repare, mas ela tira a mão e põe no bolso.

Sinto-me quase desprezado. Mas tudo bem, é melhor tomar cuidado. E então eu me lembro. A corrida da Ellie, a grande e importante corrida de classificação da Ellie, foi ontem. E eu não lhe desejei sorte nem perguntei como se saiu. Estraguei tudo. Dei uma tremenda mancada. Essa família que foi tão gentil comigo e só fez me apoiar. Eles devem me achar um egoísta desprezível. Claire está obviamente furiosa comigo por causa da irmã. Ellie nunca mais vai querer treinar comigo.

A assembleia passa em um transe enquanto procuro pensar em alguma desculpa plausível. Ao sairmos do salão, Claire casualmente tira um lenço do bolso e um pedaço de papel todo amassado cai no chão. Ela olha para mim e eu apanho o papel. Coloco-o no bolso, mas sei o que ela vai dizer. Vai dizer que não quer nada comigo, e a Ellie também não.

As aulas de geografia e ciências passam direto. Eu já sei tudo mesmo. Estou tentando pensar no que posso fazer, que desculpa vou inventar. Não consigo pensar em nada.

Quando o sinal do intervalo toca, eu me levanto para procurar um lugar tranquilo para encarar o pior e ler o bilhete raivoso da Claire. Mas o professor de ciências diz:

— Joe, vá direto para a sala do Sr. Henderson. — Carl já está lá quando chego. Está com a aparência muito menos mutilada do que da última vez que o vi. O Sr. Henderson nos deixa esperando cinco constrangedores minutos no lado de fora e então nos chama. Ele não nos convida a sentar, então ficamos de pé.

— Certo — ele começa. — Parece que sobrou para mim, e eu vou ter de consertar essa bagunça.

Eu examino meus sapatos. Carl olha para o teto.

— O diretor veio com a ideia de vocês dois trabalharem juntos em algum tipo de projeto. Algo que ajude a escola e em que usem também seus inquestionáveis talentos. Ele pensou em... ele sugeriu... algo como ajudar com o torneio anual das escolas primárias locais.

Isso pode ser divertido. Carl também parece entusiasmado.

— Mas não é o tipo de coisa que eu tenho em mente — diz o Sr. Henderson. Ele abre a porta para o corredor e aponta para um grande armário. — Estão vendo isso? Cada item de propriedade perdida que acumulamos nos últimos três anos está guardado aqui. — Ele abre a porta e nos mostra uma montanha de roupas mofadas. O cheiro é avassalador. — Vocês vão separar tudo aqui, devolver cada item que tiver nome para o respectivo dono e depois vão lavar o que restar para ser usado pelas criaturas desorganizadas que esquecem seu material de educação física.

Ah, pelo amor de Deus. Carl está igualmente desanimado.

— Vocês poderão fazer isso enquanto o resto da turma de vocês estiver na aula de natação, pois não vou permitir mais que entrem na piscina nesse período. E, quando terminarem, podem arrumar o armário de equipamentos para mim.

É isso. Não estou certo se vale a pena mencionar o cartão de acesso, considerando que Ellie nunca mais vai querer falar comigo.

— Hã, Sr. Henderson?

— Joe?

— Eu estava pensando — olho sem jeito para Carl — sobre o cartão de acesso.

— Ah é, o famoso cartão de acesso. A razão dessa confusão toda.

Ele vai até a escrivaninha e abre a gaveta.

— Joe, você vai receber seu cartão de volta, mas está proibido de entrar na piscina. Ellie disse que não vai mais trabalhar com você...

Ah, não.

— ... a não ser que o cartão lhe seja devolvido. Ela quer que você participe de outras competições durante o verão. Ela vai falar com você sobre isso. Agora que ela se qualificou para as Paralimpíadas no ano que vem, precisa que você volte a treinar intensivamente sozinho. Não preciso dizer que, se você infringir qualquer regulamento da escola, mesmo a regra mais insignificante sobre uniforme escolar, você perderá o cartão.

— E quanto a mim? — pergunta Carl.

— O que tem você?

— Posso ter um cartão também?

— Já falamos disso antes, Carl. Se eu der um cartão para o time de futebol, vai ter tanta gente querendo cartão que vai ficar impossível.

— Sim, mas você não precisa dar cartão para o time todo, só para mim. Aí Joe e eu podemos treinar juntos.

Estou impressionado com a ousadia do Carl em tentar se promover.

— E assim vocês dois são recompensados por seu péssimo comportamento, é isso?

— Não, nós melhoramos nosso desempenho esportivo. Joe, você gostaria de fazer parte do time de futebol?

Eu faço que sim com a cabeça. Na verdade, adoraria entrar para o time de futebol. Sempre quis ser bom em futebol. Foi uma grande decepção, quando entrei no primário, descobrir que eu era tão ruim comparado a outros meninos que tinham pais e irmãos com quem jogar. Mesmo eu insistindo com Nicki para me colocar em uma escolinha de futebol, isso nunca aconteceu. Sou bom nas coisas que posso treinar sozinho, como embaixadinha e controle de bola, e obviamente sou rápido, mas sou uma negação na hora de jogar.

— Então, podemos trabalhar juntos e treinar você para o time.

O Sr. Henderson parece extremamente duvidoso, mas diz:

— Vamos tentar por duas semanas. Se vocês realmente trabalharem juntos, poderão continuar e mandaremos vocês para estabelecer a paz no Oriente Médio. — Carl fica de queixo caído. — É brincadeira, rapaz. Joe, vou lhe dar a chave do armário de achados e perdidos. Guarde-a com sua vida.

Estamos saindo do prédio de educação física, e estou na dúvida se devo perguntar ao Carl se sua oferta foi séria, quando ouço alguém me chamar.

— Joe! Vem aqui um instante!

É a Ellie. Está indo para a pista de atletismo, prancheta na mão, e Magda, sua ajudante polonesa, está de pé ao seu lado com um olhar tristonho. Ellie entrega a prancheta para Magda e diz:

— Pode ir avisá-las de que vou demorar cinco minutos?

Magda retribui com um olhar vago.

— Eu... avisar?

Ellie revira os olhos.

— As meninas, ali. Vou... demorar... cinco... minutos.

Acho que consigo dizer isso em polonês.

— Meninas devem esperar um pouco — digo, e Magda sorri agradecida. Ela sai andando na direção das meninas, que devem ser as jovens atletas que Ellie supervisiona. Zoe, da turma 8P, está entre elas e acena para mim. Ela venceu a prova feminina de corrida no intercolegial e fica ótima de short, mas tenho outras coisas em mente agora.

— Meu Deus, como ela me irrita — diz Ellie, ainda olhando para Magda.

— Ellie, eu sinto muito.

— Por quê? Não é culpa sua eu ter novamente uma ajudante inútil. Na verdade, é ótimo você falar a língua dela.

— Eu não lhe desejei sorte... nem perguntei como tinha ido...

Ela sorri.

— Ocupado demais com sua vida amorosa? Espero que seja porque estava ocupado demais treinando.

Imagino o que ela diria se soubesse a verdade.

— Treinei o melhor que pude.

— De qualquer jeito, eu ganhei, o que é ótimo, então está perdoado — ela diz em um tom feliz. — Voltamos a treinar amanhã? Hoje à noite vamos comemorar lá em casa. Pode ir se quiser.

— Ah, legal, obrigado, eu quero sim. — Então me lembro. — Mas talvez não dê. Minha mãe está um pouco... Ela não está muito bem.

— Que pena. Se ela se sentir melhor, pode levá-la também. Todo mundo está convidado. É só uma festinha para comemorar.

— Obrigado, Ellie. — Sua felicidade é do tipo que engole todas as suas preocupações. Ela é como uma superpessoa, uma celebridade. Tudo nela é *mais* do que nas pessoas normais, de alguma forma. É estranho a Claire não ser assim. Na verdade, Claire é o oposto dela. É menor, mais calada e menos pessoa do que a maioria.

— Ah, só mais uma coisa, Joe — diz Ellie. — Eu vou perguntar porque ninguém mais vai fazê-lo. O que diabos você estava fazendo trancado no quarto da minha irmãzinha durante três horas?

— Eu... hã...

— Claire não quer dizer e minha mãe está completamente confusa sobre o que vocês estavam fazendo. Está preocupada que você tenha más intenções. Eu disse que você tem quantas meninas quiser para escolher e que seria improvável querer esse tipo de coisa com a Claire, mas mamãe parece pensar diferente. Disse que estavam no escuro.

— A gente estava só conversando, aí fiquei cansado e me deitei um pouco no chão...

Ellie não parece nada convencida.

— Não consigo imaginar sobre o que conversaram tanto. Ela nunca fala. Ou está me dizendo que adormeceu de tédio?

— Não, falamos sobre a escola e tal. Ela é legal de conversar. Talvez você devesse tentar falar mais com ela.

Sinto-me um pouco aborrecido pela Claire. Afinal, ela se preocupa tanto com os sentimentos da Ellie que nem quer falar comigo, mesmo a Ellie não se importando de eu ter me esquecido de sua corrida.

Ellie levanta os ombros em sinal de descaso.

— Como queira. Te vejo mais tarde... — E eu tenho que correr para a aula de matemática enquanto ela segue para a pista de corrida.

Somente quando estou indo para casa é que tenho tempo para ler o bilhete da Claire. Tem um endereço de e-mail e uma senha, e só. Ela manteve a promessa e abriu uma conta para mim. Podemos nos comunicar onde quer que eu esteja, o que quer que aconteça, qualquer que seja o meu nome. Com minha mãe desmoronando, a Vovó mal e minhas tias no exterior — onde será que estão? —, isso é uma esperança de continuidade, de apoio, de amizade. Decido que definitivamente vou à festa da Ellie esta noite.

CAPÍTULO 22
Claire

Nicki está na cozinha quando chego em casa. Parece que Maureen não está, e fico ansioso achando que ela já pode ter partido. Mas Nic com certeza está bem melhor. Até consigo voltar a chamá-la de Mãe. Ela se maquiou, e o rádio está ligado pela primeira vez desde que nos mudamos para esta casa.

— Vem tomar um chá — ela chama. Eu me sento à mesa da cozinha.

— Você está se sentindo bem? — pergunto.

— Ty, querido, me desculpa. Eu assustei você?

Tenho uma concepção totalmente diferente agora do que é ficar assustado. Coisas como filmes de terror e levar uma bronca na escola, coisas que costumavam me dar certo medo, nem seriam registradas na minha consciência agora. Não descreveria a noite passada com Mamãe como assustadora comparando a, digamos, ser atacado a tiros. Mas a possibilidade de ficar sozinho com um zumbi, isso foi preocupante.

— Não, mas você estava bem aérea.

— Eles me deram uma pílula, e eu não tinha comido nada o dia inteiro. E hospitais mexem com minha cabeça mesmo na melhor das circunstâncias. Ty, Maureen me falou sobre o que aconteceu na escola.

— Já está tudo resolvido. Não precisa se preocupar.

— Mas eu me preocupo com você, de verdade... Lamento tanto não estar aqui quando precisou de mim.

— Você tinha que ficar com a Vovó.

— Não é disso que estou falando, e você sabe. Eu tenho sido uma inútil desde que deixamos Londres.

Não sou eu que vou discordar.

— Então não está zangada por causa do lance da piscina? — Ela balança a cabeça negativamente.

— Não deixe que vire um hábito. Mas Maureen explicou tudo e parece mesmo que aqueles garotos estavam te tratando muito mal. Eles continuam? Você anda sofrendo *bullying*?

É tão irônico que ela nunca tenha me perguntado isso quando eu estava na St. Saviour, quando me sentia miserável todos os dias e ela vivia tão ocupada com o trabalho e tudo o mais e estava tão feliz de eu estar em uma boa escola que a gente nunca conversava direito, exceto para falar do dever de casa.

— Não. Está tudo bem. Todo mundo gosta de mim, menos esses garotos, e é só porque estão com inveja.

— E Maureen disse que tem visto uma menina? Mas vocês terminaram?

— Ashley. Aquela de quem você gostou na Top Shop. Saímos algumas vezes, mas os pais dela mandaram terminar porque bati no Carl.

— Você está chateado?

— Não, ela não era meu tipo.

Mamãe parece estar se segurando para não rir. Ela acaricia minha mão.

— Você não vai querer nada sério agora.

— Pelo menos não com ela.

— Com ninguém. Você só tem 14 anos, pelo amor de Deus. Ainda é meu bebê.

Uh. Que desaforo. Poderia facilmente lembrá-la do que ela e meu pai andaram fazendo aos 15 anos, mas não.

— Mãe, tem uma festa na casa da Ellie hoje à noite para comemorar a vitória dela na grande corrida. Eu vou... e você pode ir se quiser. Maureen também, suponho.

— Maureen foi falar com o chefe dela sobre como estamos nos saindo — diz Mamãe, franzindo a testa. — Tenho a impressão de que ela está preocupada conosco.

— Maureen é legal. Ela só quer ajudar. — Deus, será que vão me colocar sob tutela? Maureen faria isso conosco?

— Ela me sentou para conversar e disse que eu precisava te apoiar mais, cuidar melhor de você. Louise disse a mesma coisa, que você não estaria se envolvendo em brigas no parque se eu tivesse prestado mais atenção em você, conversado mais, se não te deixasse tanto com sua avó.

— Ah, a Louise sempre diz isso — falo para tranquilizá-la. Na minha família ninguém jamais se segura na hora de dizer aos outros como poderiam fazer melhor as coisas.

Seus olhos se enchem de lágrimas.

— Eu não consigo acreditar que tem gente por aí querendo te matar. Ty, você é um menino, não um gângster. O que eu faria sem você? Eu te amo tanto.

— Eu não vou a lugar nenhum — respondo, me sentindo desconfortável. Ela está se saindo bem até agora, mas provavelmente não está pronta ainda para falar do atentado. Desconfio ainda que ela não deve achar que fui tão esperto em chutar duas vezes alguém que podia estar armado. — E que tal a festa? Quer ir comigo?

— Amanhã tem escola. Não sei se você devia ir — ela diz. É algo tão no estilo Tia Lou que nem levo a sério.

— Não vai terminar tarde. Serão só alguns amigos.

— Bem, está bem. Eles são uma família maravilhosa. Ela é fantástica, não é, a Ellie? Muito inspiradora.

— Ela acha que você devia voltar a correr, entrar para uma academia ou algo assim.

— Ah. Bem, penso nisso às vezes.

Eu me levanto.

— Vou me trocar. — Ela decide que vai também, e às 19h30 estamos batendo na porta da Ellie e da Claire.

A mãe da Ellie parece feliz em ver minha mãe de novo. Ela lhe dá um abraço e pergunta sobre a Vovó. Obviamente ela não está muito segura a meu respeito, mas pergunta sobre minhas costelas. Mal posso esperar para encontrar Claire na sua toca escura de novo, mas vamos ter que ser bem espertos.

Quando chego ao jardim, penso que vai ser fácil sumir no meio de tanta gente. Tem uma multidão aqui e crianças correndo para todo lado. As pessoas estão bebendo cerveja, o churrasco está assando e alguém colocou um karaokê na cozinha. É um festão. Mamãe fica um pouco retraída, mas Janet a apresenta a algumas das amigas de treino da Ellie e já vejo a antiga Nicki, a engraçada, sapeca e divertida de sempre começando a querer aparecer de novo. Dê-lhe uma hora e algumas bebidas e ela logo estará cantando "Dancing Queen".[24]

É difícil achar Claire. Ela consegue se camuflar facilmente em qualquer ambiente. Como um camaleão ou uma mariposa. Leva uns bons dez minutos para eu encontrá-la sentada no jardim ouvindo uma senhora idosa tagarelando. Espero pacientemente até a velhota sair, então Claire olha para mim, sorri e diz:

— Ei, você.

---

24. Sucesso da banda sueca ABBA (1975–85). (N.T.)

— Podemos conversar? — pergunto. Ela balança a cabeça negativamente.

— Minha mãe disse que é para eu ficar aqui embaixo.

— Ah. Tem barulho demais aqui. Aonde podemos ir?

Ela pensa e diz:

— Tem o quarto da Ellie. Não é lá em cima. Ela só disse para eu não subir.

É engraçado. Com Ashley eu sabia em que pé estava. Não gostava, mas estava a fim dela. Não havia como negar as evidências.

Quando vejo Claire na escola, não fico nem um pouco a fim — ela é estranha demais — e tento não me lembrar dela se cortando, porque ficar excitado com isso é errado. Eu sei que é errado. Não sou nenhum pervertido. Só achei, por um segundo maluco, meio que interessante.

Mas às vezes, quando me lembro de quando ela tirou a blusa, sinto um pouco de desejo, e neste momento, olhando em seus grandes olhos azuis, a perspectiva de ficar a sós com ela me atrai bastante. Só queria conseguir ser mais consistente.

— Vamos ter que ser bem silenciosos — ela diz.

Andamos até o corredor e milagrosamente não tem ninguém lá. Claire abre a porta do quarto da Ellie e entramos rapidamente. Mas é impossível. É barulhento, faz um calor insuportável mesmo eu tirando o agasalho, tem o som constante de gente entrando pela porta da frente e, pior, qualquer um no jardim da frente pode nos ver através da janela. Estou começando a ficar sem fôlego.

— Não vamos conseguir conversar aqui — eu digo. — Não dá.

Então subimos as escadas sorrateiramente, torcendo para que ninguém nos veja. Uma vez no quarto, Claire coloca a cadeira contra a maçaneta de novo. Eu fecho as cortinas. Sentamos no escuro em suas almofadas e eu a abraço e me sinto feliz como nunca.

— Obrigado pelo endereço de e-mail — digo.

— Não foi nada. Você mesmo podia ter feito.

— Achei que você estava chateada comigo porque esqueci a corrida da Ellie.

Ela dá uma bufada.

— Queria eu poder esquecer. Não se falou em nada além de corrida, corrida, corrida por semanas. Agora que ela venceu e Magda pediu demissão, não vai ter outro assunto que não seu treinamento para as Paralimpíadas no ano que vem. Mamãe e Papai vão estar sempre viajando e vai tudo girar em torno da Ellie como sempre.

— Magda pediu demissão?

Ela ri.

— Elas sempre desistem. Não aguentou receber tanta ordem.

Eu gosto quando Ellie manda em mim, mas posso entender que não deve ser tão fácil se você não está treinando com ela.

— Não está feliz por ela ter vencido?

— Fiquei feliz por ela, mas não por mim.

Toco o braço dela o mais levemente que posso.

— Você está bem? Não fez mais... você sabe...

— Não, mas nem sempre é fácil. Eu tentei ligar para você outro dia, mas não consegui.

Ela está vestindo uma espécie de túnica esvoaçante e calça de malha. É mais interessante do que suas camisas enormes de sempre, mas ainda é grande demais. Eu puxo suas mangas para trás e olho seus braços. Pelo menos não há curativos novos, embora seu último corte, o que eu a vi fazer, esteja rosado e pareça sensível. Passo a ponta do dedo ao longo de seu braço.

— Desculpe. Eu estava fora da cidade.

Então eu conto sobre a Vovó no hospital e como ela acordou e sobre o que aconteceu quando saí do hospital com Dave. Falo do sangue e dos corredores e de como chutei Doug duas vezes. E como a pior parte veio depois, sozinho sob o cobertor.

Ela me ouve, pega a minha mão e pergunta:

— Quem são eles, essa gente que quer matar você?

Tenho pensado muito nisso nos últimos dias.

— É a família de um dos caras no parque aquele dia. Acho que são criminosos profissionais, sabe, gângsteres de verdade. Não sei quem são.

— E querem matar você porque viu o filho deles matar o menino?

— Eu acho... — Penso no que eu realmente vi. — Acho que ele devia ser o líder, o que começou a briga. Digo, eu não sei realmente qual deles está me ameaçando. A não ser...

— A não ser o quê?

— Bem, Nathan. Ele é o irmão do meu amigo Arron. Foi Arron quem eu segui até o parque. Nathan me mandou ficar calado, senão... Mas não acho que Nathan seja de uma família de criminosos. Digo, eu conheço a família. Saberia se fossem criminosos, não saberia?

Se fossem, estariam morando em um casarão em algum lugar, não em um apartamento em um conjunto habitacional em Hackney. E Nathan deveria querer que eu testemunhasse, porque estou fazendo isso pelo Arron. Digo, estou fazendo isso pela Vovó e estou fazendo por mim e por outras pessoas também, mas, se não fosse por Arron, não estaria fazendo nada.

Mas me lembro do cheiro do Nathan, o cheiro agridoce de suor e medo quando ele chegou o rosto perto do meu, e não tenho tanta certeza. Talvez Nathan conheça um assassino profissional. Ele certamente sabia onde minha avó morava.

— A polícia não pode te contar mais nada agora que isso aconteceu? Não parece justo que eles saibam mais do que você.

— Nada disso é justo... — Não estou nem um pouco certo se quero saber mais. — Vamos falar de outra coisa, Claire.

Claire encosta-se em mim.

— É verdade que você terminou com Ashley?

— Ela terminou comigo.

— É verdade que os pais dela mandaram ela te dispensar?

Fico dividido. Não quero contar a Claire sobre a faca. Não quero contar sobre o que Ashley disse. É embaraçoso, e ela pode ficar chateada se souber o que andei aprontando com a inimiga dela. Provavelmente ela vai achar que sou algum tipo de maníaco sexual oportunista, o que não seria de todo errado. E é verdade sobre os pais dela. Só não é toda a verdade. Mas eu preciso praticar esse negócio de falar a verdade, e Claire me escuta como ninguém. Então conto tudo a ela.

Ela fica chocada, arregala os olhos, mas ri também.

— Não acredito que ela te disse isso. Acha que ela fala isso para todo garoto com quem ela fica?

— Não... — Claro que não. — Bem, talvez.

— Patética. Ela é patética. Que falsa. Mas não estava errada sobre a faca.

— Não, foi estupidez minha, e errei em voltar a carregar uma faca de novo. Mas eu me senti mais seguro.

— De novo?

— Eu costumava carregar uma em Londres. Muita gente faz isso lá.

— Sim, e muitas pessoas são apunhaladas. Você não assiste ao noticiário? — ela pergunta. Então diz: — Faço um acordo com você: eu não me corto, você não carrega mais uma faca.

— Nada de facas para ninguém — eu concordo, e imagino se serei capaz de manter meu lado desse acordo.

— O negócio é que você consegue lutar e se defender, ou você pode fugir correndo. Você não precisou de uma faca no hospital, precisou?

— Se tivesse uma, eu poderia ter matado o sujeito errado.

— Então.

Estou me sentindo tão melhor e gostando tanto dela que, ao tirar o cabelo de seus olhos, quero beijá-la, mas não sei se devo. É tão incerto que tipo de amizade temos e me preocupa que ela só tem uns 12 anos. Mas ela chega mais perto e diz em uma voz suave e envergonhada:

— Vamos selar com um beijo — e quando me dou conta, estamos no maior abraço e meu coração está disparado.

— Você é muito legal — digo, e percebo na mesma hora que escolhi a palavra errada.

— Legal? — ela pergunta. Não acho que ela tenha se impressionado muito. Fico nervoso e confuso porque nunca me senti assim antes, tão perto, tão igual, tão querendo e tão querido. Ternura é a palavra que acho que resume a coisa, mas me sinto tímido só de pensar nisso. Arron nunca me deu instruções para algo assim.

— Você é demais — digo. Então, porque é algo que está me incomodando: — Quantos anos você tem, afinal?

— Vou fazer 14 anos em 5 de novembro. — Ela é exatamente um ano mais nova do que eu. Isso é ótimo.

— Isso é incrível... É meu aniversário também, só que eu vou fazer 15 anos. A polícia é que mudou para 5 de setembro.

— Deve ser horrível mudar até o aniversário.

Mamãe sempre me levava para ver os fogos de artifício no meu aniversário. Vovó nunca ia porque achava a Noite de Guy Fawkes[25] uma comemoração anticatólica, mas Mamãe dizia que era sobre antiterrorismo e era divertido assim mesmo. Suponho que poderemos ver os fogos este ano, mas não vai ser a mesma coisa.

Seguro a mão dela.

— Você vai falar comigo na escola agora que está tudo terminado com a Ashley?

---

25. Soldado católico inglês que participou da Conspiração da Pólvora para explodir o parlamento britânico. Desde 5 de novembro de 1605 sua prisão é comemorada com fogos de artifício, fogueiras e malhação de efígies do traidor. (N.T.)

— Acho que sim, mas as pessoas vão achar estranho. Ninguém quer ser meu amigo e todo mundo quer ser seu amigo. E Ashley é tão má... Você não faz ideia, Joe, ela é horrível. Ela gosta de controlar as meninas. Ela disse que eu era uma aberração e todas começaram a me tratar mal.

Não quero dizer a Claire que sua aparência pode ter contribuído para sua fama de anormal. Mas acredito nela quando diz que Ashley a persegue.

— Não me importo com o que os outros dizem — afirmo, e espero estar falando a verdade. Beijo-a de novo, bem devagar, só para ter certeza. Ela cheira a sabonete e tem um gosto doce e mentolado. Ela é linda. — Você é muito especial — digo, mas digo em português, então ela só ri de mim.

E então — que droga — ouvimos batidas fortes na porta. A mãe dela subiu para checar e constatou justamente o que tinha proibido. Claire fica toda vermelha e em pânico tirando a cadeira da maçaneta, e eu estou completamente envergonhado.

— Claire! — exclama Janet. Ela não está nada feliz. Seus lábios estão comprimidos. — O que está acontecendo aqui?

— Nada — eu digo, me afastando da Claire, que fica rosa e diz:

— A gente só queria conversar. — Ela é tão pouco convincente que nem eu acredito nela.

— Vocês podiam conversar lá embaixo... Não acho apropriado ficarem sentados aqui no escuro.

Eu me levanto.

— É que estava fazendo muito barulho, Sra. Langley. Não queríamos causar problemas... Eu vou indo. Hããã... obrigado por me convidar. — E desço as escadas correndo sem olhar para trás.

Sigo para o jardim. Preciso encontrar Mamãe e voltar para casa antes que fique tarde. Ainda me sinto nervoso de andar na rua depois que escurece. Está fazendo frio quando chego lá, e lembro que deixei o agasalho no quarto da Ellie. Melhor pegar.

Mas quando abro a porta de seu quarto, tem alguém lá dentro. Duas pessoas, sentadas na cama da Ellie. Um é um cara... acho que é Alistair, o treinador da Ellie. O tal que devia ser do Boyzone.[26] E ele está beijando minha mãe.

---

26. Banda irlandesa de jovens cantores. (N.T.)

CAPÍTULO 23
Já é alguma coisa

Claro que não é a primeira vez. Já encontrei visitas inesperadas uma ou duas vezes no café da manhã, e quando ela está saindo com alguém passo ainda mais tempo do que de costume com a Vovó ou na loja do Sr. Patel ou no meu quarto. Não é que eu nunca a tenha visto beijar alguém, é claro.

Mas antes ela nunca havia ficado com ninguém em uma festa em que eu estava. Provavelmente porque as únicas festas a que íamos juntos eram do tipo funeral da tia-avó Edith ou brincar no pula-pula no aniversário de 7 anos de alguém.

— Não liguem para mim — digo, pegando meu agasalho ao mesmo tempo que eles se afastam um do outro rapidamente. Alistair obviamente acha que sou um bobalhão e diz:

— Aí, garoto, se incomoda de nos dar um tempinho? — E Mamãe faz de conta que estamos no chá das cinco e diz:

— Oh, Alistair, não sei se já conhece meu filho T... Joe.

— Filho? Tchô? — pergunta Alistair.

— Não, Joe — ela diz.

Posso vê-lo olhando de mim para ela e de volta e tentando fazer as contas na cabeça. Então digo:

— Está tudo bem, ela tem mesmo a idade que parece — e acrescento, de maldade —, o que ainda a faz uns cinco anos mais velha do que você.

— Joe! — diz Mamãe. Percebo que ela queria que ainda tivéssemos aquela relação íntima de Nicki e Ty quando ela me fazia passar por seu irmão menor.

— Estou indo — digo. — Nos vemos mais tarde? Ou não?

— Posso lhes dar uma carona? — pergunta Alistair. Vejo que minha mãe não sabe o que fazer, mas ela não quer me mandar para casa sozinho de ônibus enquanto sai por aí na garupa da motocicleta do Alistair ou algo assim. Então ela diz:

— É muita gentileza, Alistair. Nós gostaríamos de uma carona, não é, Joe?

Então me enfio no banco de trás do carro do Alistair, um Ford Fiesta rodado. Eles se sentam na frente, falando sobre o treino da Ellie e do ginásio da Ellie e como Michelle adorava correr até infortunadamente ficar grávida e blá, blá, blá, blá, blá, blá. Ambos fingem que não estou ali e eu faço o mesmo.

Quando finalmente chegamos em casa, estou no pior dos humores e entro em casa pisando forte e batendo a porta enquanto Mamãe demora para se despedir de Alistair no portão da frente.

Maureen está de volta e fica surpresa com a expressão em meu rosto.

— Está tudo bem? — ela pergunta. — Onde esteve?

— Não é da sua conta — respondo grosseiramente e subo para o meu quarto. Espero que Mamãe suba atrás de mim logo para eu poder dizer o que acho dela, mas ela fica lá embaixo cerca de uma hora e posso ouvi-la conversando e rindo com Maureen, provavelmente de mim.

Troco de roupa e me preparo para dormir. Faço meu dever de matemática com o livro apoiado nos joelhos e depois fico deitado no escuro, me lembrando da sensação de segurar Claire em meus braços. Ela não parece assim tão nova e pequena agora. Ela não é nada anormal. Ela é bonita e delicada e seus lábios são tão macios e sua pele tão morna e suave. Estou começando a imaginar o que poderá acontecer da próxima vez... quando minha mãe entra com tudo no meu quarto e acende a luz.

— Ei! Vai embora! Este quarto é particular! — reclamo.

— Você não tem segredos para mim — ela diz. Rá! Isso é o que ela acha. Não me dou ao trabalho de responder. — Está tudo bem, querido? Lamento pelo que houve.

Ela não parece nem um pouco arrependida.

— Você devia ter vergonha na cara.

— Bem, fiquei um pouco sem jeito. Mas ele é um sujeito bem legal e, adivinha, Ty, acho que consegui um emprego!

— Que emprego? — pergunto desconfiado.

— Bem, a Ellie perguntou se eu consideraria ser sua ajudante, pois ela está cheia das meninas que sempre arruma e quer alguém mais sintonizado com ela. E Alistair achou uma boa ideia também.

— E aquilo foi ele entrevistando você, suponho.

— Ora, vamos, Ty, era uma festa e estávamos nos conhecendo. A gente estava conversando, e ele me deu um beijo rápido. Foi azar você entrar justo naquele momento. Ele me chamou para sair amanhã à noite. E onde você estava? Não vi você a festa toda.

Hã, isso é informação confidencial. Estou pensando nessa ideia de ela ajudar a Ellie. Mamãe estaria na escola o tempo todo. Ela conheceria o Sr. Henderson. Estaria lá na hora do meu treino. É uma ideia terrível.

Além disso, não tem nada a ver com minha mãe. Uma ajudante tem que cuidar de outra pessoa, não é? Ajudar com as coisas como tomar banho e trocar de roupa e tudo o mais? Acho que sou a pessoa mais capaz de julgá-la incapaz de assumir um papel desses.

— Como assim, você poderia ser a acompanhante da Ellie? Não é o que você faz. Você é uma assessora jurídica qualificada e quer ser advogada.

— Sim, mas já é alguma coisa, não é? Pode ser interessante, e eu gosto da Ellie.

Tem algo de incrivelmente triste em ouvir a minha mãe tão ambiciosa e trabalhadora dizer "já é alguma coisa".

— Ela vai mandar em você o tempo todo.

— Não vai, não.

— E você vai ter que viajar com ela quando for para os campos de treinamento e as competições e aí vou ficar aqui sozinho.

— Janet disse que você poderia ficar com eles. Ela adorou a ideia. Disse que tiraria um grande fardo da família.

Acho que ela quer dizer que Janet adorou a ideia de a Ellie ter a Mamãe como ajudante. Não a vejo feliz com a ideia de me ter como hóspede. Presumivelmente esse convite foi feito antes de ela me descobrir no quarto da Claire. Mas, se ela me deixar ficar na casa dela, seria fantástico passar mais tempo com a Claire, sem falar da comida excelente naquela casa... e do Wii...

— Faça como quiser, mas você não vai aparecer nas minhas sessões de treino. — E cubro minha cabeça com o cobertor para indicar que já chega dela por hoje.

— O mundo não gira em torno de você, sabia? — ela diz, ao apagar a luz e fechar a porta.

De manhã, Carl está lá quando chego à academia.

— E aí? — diz, parecendo um pouco nervoso. Nenhum dos dois sabe bem o que fazer, mas ambos queremos manter nossos cartões, então elaboramos um programa para ele baseado no que a Ellie montou para mim. Quando estamos nos trocando depois, ele sugere jogarmos futebol com seus amigos na hora do almoço para ele me dar algumas dicas. Mas não tenho certeza, porque estou ressabiado com

Jordan e Louis e porque minhas costelas podem não aguentar o futebol ainda.

— Não se preocupe com Jordan e Louis, eles vão se comportar — ele diz. Então acrescenta: — E vão manter distância de você de qualquer forma, por causa de você sabe o quê.

— O quê? — pergunto.

— O quê? — ele repete.

— O que é você sabe o quê? — pergunto.

— Sua... você sabe... sua faca.

— Que faca?

— Eles disseram que você os ameaçou com uma faca no parque outro dia.

Meu coração está disparado, mas meu rosto está calmo.

— Eles o quê? Cara, esses manés tão vendo TV demais — digo, escorregando de volta para o jeito de falar da zona leste de Londres.

— Eles é que disseram.

— Não, eu não precisei de faca nenhuma para assustar eles. Quer saber, Carl, eles são cheios de marra, mas não têm colhão. — Lembro-me do rosto do Arron quando digo isso, do Arron dizendo "Ele não tem colhão", referindo-se a mim. — Eles inventaram essa história para tirar onda de valentes, mas só precisei mostrar isso... — levanto o punho para mostrar — e eles saíram correndo mijando nas calças.

Ele ri nervosamente, e acho que consegui convencê-lo.

— Não se preocupe — ele diz. — Vejo você na hora do almoço.

Mas eu me preocupo. Se essa história chegar ao diretor, Joe Andrews será expulso da escola e exterminado pelo Doug. Aí Tyler Lewis provavelmente será acusado de homicídio, porque, se acharem que ando com uma faca, então vão acreditar nas pessoas que disseram que eu estava envolvido aquele dia no que aconteceu naquele parque tão distante. Eu penso e repenso o que posso fazer para impedir as pessoas de falarem, mas não consigo pensar em nada que não envolva um morticínio, e obviamente este não seria o caminho a seguir.

Claire e eu conseguimos sentar juntos na aula de ciências e esqueço todas as minhas preocupações. Ela fica muito séria trabalhando, mas é bonitinha a maneira como se concentra olhando para o tubo de ensaio para ler as medidas e eu anotar. Ela prendeu o cabelo para trás e está vestida no uniforme de verão, seus braços cobertos por um cardigã. Ela começa a parecer normal. Escrevo um bilhete rápido a lápis na minha tabela de medidas: "Gosto de seu cabelo assim", e ela fica vermelha e passa horas apagando com a borracha.

Sussurro para ela:

— Sua mãe ficou muito brava? — E ela faz que sim e escreve outro bilhete dizendo: "Está tudo bem, acho".

Quando terminamos e estamos limpando tudo, falo para ela sobre o plano de minha mãe de ser a ajudante da Ellie. Ela diz:

— Eu sei. Estavam falando disso ontem à noite. Ellie está feliz. Ela acha que sua mãe vai ser ótima.

— Eu não sei... Não é bem o que ela faz.

Ela olha para o tubo de ensaio que está secando e diz:

— Mamãe disse que você ficará lá em casa de vez em quando. — E, quando olha para mim, estamos os dois com sorrisos idiotas no rosto.

— Sem conversa! — grita o professor, e nos preparamos para a aula de matemática. É a primeira vez que fico triste com o fim de uma aula de ciências.

Jogar futebol com a turma do Carl na hora do almoço dá bastante certo. Levo Brian e seus amigos comigo, e eles também jogam. Carl nos distribui entre os dois times para não sermos esmagados. Ele ainda dá umas boas dicas:

— Você é mais rápido do que qualquer outro em campo, mas precisa passar a bola. Seu problema, parceiro, é que você esquece que tem mais gente no time. — Eu até marco um gol, então estou me sentindo bem satisfeito comigo mesmo quando o sinal toca para o fim da hora do almoço.

Mas Ashley está esperando por mim quando deixo o campo.

— Anda comigo? — ela diz, e eu sei que é uma ordem.

— Está bem. — Vejo gente em volta percebendo que estamos juntos e se cutucando.

— Como tem andado? — ela pergunta.

— Estou bem.

— Não está sentindo minha falta, então?

— Eu não disse isso.

Ela está com toda a maquiagem de guerra hoje, e não gosto nem um pouco, graças a Deus.

— Então... está ficando com alguém?

— Dá um tempo, Ash, terminamos há uns cinco minutos. — De qualquer forma, o que você tem com isso?

— Porque eu vi você com aquela retardada da Claire na aula de ciências.

Como? Eu não acredito.

— Eu... você... o quê?

— Eu vi você sorrindo para ela, tocando na mão dela...

Que droga!

— E daí? — pergunto, frio e distante.

— Bem, não fica bem para mim se você termina comigo e imediatamente começa a namorar a menina mais ridícula da escola. Quero que fique longe daquela baranga.

Eu paro e digo:

— Não fale assim dela. Não devia falar de ninguém desse jeito. — As pessoas estão andando em volta da gente e tenho certeza de que estão escutando.

— Ahhh, então você gosta mesmo dela? Eu não estava acreditando.

— Ela é minha amiga, e você não tem o direito de dizer de quem posso ou não ser amigo.

— Posso lhe dizer que ela é uma maluca. E posso dizer que, se ela tirasse aquele agasalho, você não ia gostar do que ia ver por baixo — e ela dá uma risada desagradável e escarnecedora.

— Sua vaca! — eu digo. Quero bater nela. Minha mão se levanta e estou pronto para mandar um tapa.

Então Brian esbarra em mim e diz:

— Calma, parceiro. — Eu recupero a razão e abaixo a mão.

Tem um monte de gente em volta, e Ashley está rindo e dizendo:

— Se quer saber mais alguma coisa sobre sua amiguinha, é só me perguntar, a qualquer hora. — Ouço uma espécie de guincho com um soluço e vejo Claire sair correndo, atravessando a multidão e fugindo para o pátio.

CAPÍTULO 24
Procurando Claire

Devo ir atrás dela? Estou tentado a seguir para a próxima aula, deixar Claire sozinha um pouco e não dar mais assunto para as fofocas da escola. Mas desde quando faço a coisa certa? Em vez disso, abro caminho pela multidão a caminho das salas e corro atrás dela. Sendo rápido, alcanço-a no meio do pátio.

Estamos no centro do pátio vazio, à vista de cerca de cinquenta salas de aula todas cheias de gente.

— Vamos, ainda dá para chegar na aula de educação física — eu grito.

Achei que ela estaria chorando, mas não está. Ela está pálida e apertando os punhos contra a boca. Está olhando de um lado para o outro, como um camundongo encurralado por um gato, desesperado para fugir.

— Vá embora — ela fala em uma voz engasgada que seria feroz se não fosse um meio-termo entre um soluço e um choro.

— Eu não vou embora. Vamos fazer o seguinte, eu te levo à enfermaria, mas precisamos entrar agora. — Com a cabeça, eu indico as janelas cheias de olhos, então seguro seu cotovelo e puxo-a para a porta.

Ela dá um gritinho, mas me segue para dentro e posso ver as lágrimas escorrendo em seu rosto. Procuro um lenço, mas é óbvio que não tenho. Galantemente, ofereço minha gravata. Ela balança a cabeça e tira um lenço de papel do bolso do cardigã.

Uma professora aparece no corredor e pergunta o que a gente está fazendo ali.

— Claire não está se sentindo bem, e vou levá-la à enfermaria — digo.

— Você ao menos sabe onde fica a enfermaria? Porque não é por aí — diz a professora, olhando com curiosidade para Claire.

— Sim, estamos indo. — E descemos o corredor até as escadas que levam à enfermaria.

— Escuta, está tudo bem, está tudo bem — digo quando chegamos lá. — Ashley só provou que é uma vaca. Ninguém sabe nada sobre você. Não tem com que se preocupar.

— Eu... — ela começa, mas não consegue falar nada.

Bato na porta e falo para a enfermeira que Claire está com enxaqueca. Ela dá uma olhada em Claire e coloca seu braço em volta dela.

— Venho vê-la depois — digo. — Espero que se sinta melhor logo.

Corro para o departamento de educação física. Deveria estar nadando, mas vou ter que organizar pilhas de roupas fedidas. Carl já está pelas canelas em cuecas pré-históricas e shorts encardidos.

— Caraca — ele diz —, o que foi aquilo no pátio? Parecia que estava brigando com ela.

— O quê? Você não poderia ter visto a gente daqui.

— Parceiro, a escola toda estava vendo — ele responde. — Todos nos atrasamos para a educação física. Qual foi o lance?

— Mulheres — falo. — Sabe como elas são.

— Verdade — diz Carl, e começamos a organizar as pilhas fedorentas em itens etiquetados e não etiquetados enquanto discutimos as perspectivas do Manchester United no campeonato, o que é, francamente, justo o tipo de conversa de que preciso neste momento. Quando chega o final do período, sinto que Carl já é meu fiel parceiro.

Quero sair discretamente, mas elas estão todas esperando por mim. Lauren, Emily, Dani e Becca. Só a Ashley não está à vista.

— O que houve? — pergunta Becca. — O que houve com Claire? O que estavam fazendo no pátio? Ela teve... sabe... algum tipo de colapso mental?

Levanto os ombros.

— Ela não estava se sentindo bem. Teve que ir para a enfermaria. Enxaqueca.

— Sim, mas o que foi aquilo tudo? — pergunta Becca — Por que gritou com ela?

— Não está ficando com ela, está? — pergunta Lauren em um tom que sugere que só alguém muito estranho ficaria com Claire.

— Talvez ela tenha algum tipo de fixação maluca por você — sugere Dani.

— O que a Ashley queria? — pergunta Emily.

— Olha, não cabe a mim dizer o que passa pela cabeça da Ashley. Primeiro ela me dispensa, agora decide pegar no pé da Claire porque somos amigos.

— Amigos? — diz Emily, como se não acreditasse no que está ouvindo.

— Sim. Amigos. Eu treino atletismo com a irmã dela. Conheço a família toda.

— Sim, mas *Claire*...

Estou com medo de começar a ficar vermelho.

— Não tem nada de errado com Claire. Ela é só um pouco tímida.

Assim que consigo me livrar delas, volto para a enfermaria. Mas Claire não está lá.

— Ela saiu há uns cinco minutos — diz a enfermeira. — Que pena, seria bom ter alguém para acompanhá-la até em casa. Ela estava abalada.

— Você não ligou para a mãe dela?

— Está no trabalho. Claire disse que podia ir para casa.

Não acho isso uma boa ideia. E se Ashley estiver de tocaia? Eu iria atrás dela, mas tenho que encontrar Ellie na pista de atletismo. Enquanto caminho até lá, penso na Claire. Ela vai para casa, ninguém vai estar lá e... Ó, meu Deus.

Corro até Ellie, gritando:

— As chaves, Ellie, as chaves! Preciso das chaves de sua casa!

— Mas o que...? — diz Ellie, mas ela pega as chaves da bolsa e me dá.

— Eu vou correr para sua casa. Você consegue chegar lá rápido? É a Claire... ela está em perigo...

— Você vai o quê? — diz Ellie, mas eu já estou correndo. Desço correndo a High Sreet e dobro a esquina. Esbarro nas pessoas e xingo, atravesso as ruas em disparada, sem olhar direito, e os carros freiam e desviam para não me atropelar.

Estou no alto da rua dela, correndo e rezando — para Jesus, Maria, quem seja — para chegar lá a tempo.

Subo correndo a rampa da cadeira da Ellie e me atrapalho momentaneamente com as chaves. Deixo a porta aberta para ela poder entrar.

Subo as escadas, dois degraus de cada vez e chego à porta da Claire. Claro que está bloqueada com a cadeira, então eu chuto e empurro e grito:

— Claire, sou eu! Deixe-me entrar!

Mas ela travou bem a porta e só dando um tremendo chute consigo finalmente abri-la.

Irrompo dentro do quarto e caio por cima da cadeira — droga — e está tão escuro aqui. Mas sei onde encontrar Claire. Eu me levanto e tateio em volta da cama dela enquanto meus olhos se ajustam à escuridão.

— Claire? Está aí? Você está bem? — Lá longe escuto Ellie me chamando.

— Joe? O que está havendo?

Mas eu achei o que procurava. Claire está sentada no chão, encostada na cama. Mas ela caiu para a frente e seu nariz está tocando o joelho. Ela não está falando — será que ainda está consciente? — e, quando toco seu braço, sinto a mão molhada e grudenta.

Pulo para abrir as cortinas e puxo com tanta força que a coisa toda cai no chão. Então vejo o que temia — ela se cortou, mas não é um corte pequeno e limpo como de costume. É um grande rasgo bombeando sangue sobre sua pele e a camisa.

— Ellie, chame uma ambulância! — eu grito.

Cristo. Preciso fazer alguma coisa rápido. Pego a faca do chão e arranco um lençol da cama. Corto uma tira de tecido e amarro um laço no braço dela logo abaixo e depois sobre a ferida, levantando o braço o mais alto que posso. Preciso de um pedaço de pau ou algo assim — só acho um lápis que não tem comprimento suficiente, mas enrolo a tira nele e giro várias vezes até o lençol apertar bem em seu braço. Estou com tanto medo de ela morrer.

— Claire, acorda. Claire, acorda! — eu grito, e seus olhos se abrem e ela olha para mim como se eu fosse um estranho. Ficamos ali sentados desse jeito, esperando a ajuda chegar, e eu me concentrando em manter o torniquete o mais apertado possível.

As ambulâncias chegam mais rápido aqui do que em Londres. A porta se abre novamente com um estrondo e dois paramédicos, um homem e uma mulher, correm até Claire e me tiram do caminho. Um deles tira o lápis de minha mão. Não aguento mais olhar e desço as escadas até a Ellie, que leva um susto ao ver minha camisa ensopada de sangue.

— Meu Deus, o que houve? Alguém a atacou? Como você sabia? Balanço a cabeça.

— Ninguém a atacou. Ela mesma fez isso. Ela se corta quando fica nervosa, e ela estava muito nervosa.

— Ela faz o quê? Ó, meu Deus! Ela está bem?

— Eu não sei. Ela abriu os olhos.

Um dos paramédicos desce e pergunta:

— Quem colocou o torniquete? Foi você?

— Sim.

— Bom trabalho. Quando o colocou?

— Uns dez minutos antes de vocês chegarem.

— Fez bem. Vamos descê-la agora e levá-la ao hospital. Um de vocês pode nos acompanhar?

Deveria ser a Ellie, mas não sei como vai funcionar com a cadeira de rodas. Ela diz:

— Vai você, Joe. Vou ligar para meu pai e ver o que fazer com os meninos. Mamãe já está no hospital. É onde trabalha, na cirurgia geral.

Eles trazem Claire para baixo em uma maca, e entramos na ambulância. Ellie me passa uma jaqueta do pai e eu a visto. É um negócio enorme e com cheiro de lã, mas cobre o sangue e me aquece. Apesar de ser um dia quente de verão, sinto frio e estou tremendo.

Descemos as ruas em alta velocidade, as sirenes gritando, e me lembro da ambulância que chamei no parque naquele dia. A ambulância que eu nunca vi. A ambulância que eu não esperei. E estou segurando a mão da Claire e rezando a Ave-Maria na minha cabeça, porque, se fez um milagre para minha avó, pode funcionar para a Claire também.

Chegamos à emergência. Ellie deve ter conseguido falar com a mãe, pois ela está esperando por nós vestida em seu uniforme de enfermeira, o que me faz lembrar da mãe do Arron. Ela nem sequer fala comigo, mas segura a mão da Claire e diz:

— Está tudo bem, querida, está tudo bem. Mamãe está aqui agora. Está tudo bem.

Elas somem corredor abaixo e não sei o que fazer, então me sento em um canto e espero. Vejo Ellie e o pai dela chegando, mas eles entram direto sem me ver e são levados para algum lugar.

Acho que devia ir para casa, mas não consigo me mover. Queria poder chamar minha avó para vir cuidar de mim. Depois de um tempo me lembro da minha mãe dizendo "já é alguma coisa" e penso, bem, às vezes você tem que aceitar o inevitável. Envio uma mensagem de texto para ela: *"pf Nic me busca no hsptl, Ty"*.

Sua primeira resposta diz: *"pq?"*. Então ela envia outra: *"omg[27], td bm?"*. E então ela envia outra: *"indo"*. Ela e Alistair chegam cerca de 20 minutos depois. Devo ter interrompido o encontro deles. Ela me vê imediatamente.

— Você está bem? O que houve? Alguém atacou você?

Alistair parece confuso, visto que estou obviamente inteiro.

Balanço a cabeça negativamente.

— Não. Estou bem. É a Claire, a irmã da Ellie.

— O que houve com ela?

Mas não consigo falar. Mamãe percebe e me abraça. Ficamos um tempo abraçados até Alistair dizer:

— Lá está Ellie. Ei, Ellie, aqui.

Ellie se aproxima e fica evidentemente surpresa por ver Alistair. Ela olha da minha mãe para ele e de volta para minha mãe, avaliando a situação. Não acho que esteja muito feliz.

---

27. OMG – abreviação para "Oh, my God" ("Ó, meu Deus") usada em mensagens de texto e também adotada no Brasil. (N.T.)

Ela se inclina para a frente.

— Joe, Claire está bem. Eles estancaram a hemorragia. Estão dando os pontos agora. Ela vai passar a noite aqui, mas vai ficar bem. Disseram que você pode ter salvado a vida dela com aquele torniquete.

— Ah — digo. — Que bom. Ela está acordada? Você diz oi por mim?

Mas Ellie balança a cabeça e diz:

— Ela está dormindo e vão mantê-la assim por um tempo. Talvez você possa vir vê-la amanhã.

Então Alistair nos leva para casa em seu Ford Fiesta. No carro, minha mãe pergunta:

— Como você aprendeu a aplicar um torniquete? Você nunca fez um curso de primeiros-socorros.

— Vi a mãe do Arron fazer isso uma vez.

Ela aceita isso sem desconfiar, pois a mãe do Arron é uma enfermeira e eu passava muito tempo na casa deles. E é verdade o que eu disse.

Mas, se fosse contar toda a verdade, teria dito mais. E isso é o que eu teria dito: "Eu vi a mãe do Arron aplicando um torniquete uma vez. Foi no dia em que fugi do parque. Foi no dia em que eu esfaqueei Arron".

CAPÍTULO 25
A versão da Ashley

Alistair não é tão inútil quanto parece. Em casa ele me faz um chá horrivelmente doce e manda que eu tome para diminuir o efeito do choque. Depois ele olha a geladeira, vazia como sempre, e vai até a Tesco fazer compras. Quando volta, faz frango frito e macarrão e abre uma garrafa de vinho para ele e Mamãe. Estou me sentindo bem mais amigável em relação a ele enquanto como, embora ele devesse se tocar que o caminho para o coração da Mamãe não é alimentando-a.

Eu já tomei banho e estou comendo de pijama. Maureen não está. Tem um bilhete dizendo: "Tive de sair. Chamaram para um trabalho urgente. Sua avó está bem. Até mais". Fico aliviado por ela não ter me visto coberto de sangue.

Mamãe apenas mexe o macarrão no prato e então vai ver meu uniforme da escola. Ela está com cara de quem vai vomitar.

— Meu Deus, o que aconteceu? Tem tanto sangue aqui. Como ela estava? — Não quero pensar nisso e acho que ela entende, pois não faz mais perguntas.

— Ellie nunca fala da irmã — diz Alistair. — Ela vai aos treinos às vezes, mas só senta em um canto e lê. Nunca se envolve. Pobre menina, devia estar em péssimo estado.

Mamãe continua inspecionando as roupas.

— A camisa não faz mal, você tem bastante e acho que as manchas sairão da jaqueta se colocarmos para lavar agora. Ainda bem que é preta. Mas a gravata já era. — Ela mostra a gravata. As listras cinzas e azuis estão respingadas de marrom-escuro. — Compramos uma nova amanhã. Melhor tirar uma folga da escola, para se recuperar do choque e me contar o que houve direito. — Aceno com a cabeça e digo:

— Sim. — E me esquivo quando ela tenta me beijar. Por sorte ainda tem uma pílula para dormir na minha mesa de cabeceira, então sei que posso evitar pesadelos.

Mas acordo cedo de manhã como sempre e me preparo para minha sessão na academia. Não vou dar nenhuma chance para tirarem meu cartão. Prefiro não esperar para ver se Alistair ainda está aqui para fazer o café da manhã e não estou a fim de uma conversa franca com Mamãe sobre Claire. Irei para a escola, resolvo, e depois passarei no hospital e, com sorte, Mamãe vai sair com Alistair de novo hoje à noite. Talvez esqueça que fugi do interrogatório dela.

A jaqueta está ótima, tenho uma camisa limpa, mas a gravata não dá. Sinto a chave do armário de achados e perdidos no bolso. Tem um bocado de gravatas sem etiqueta lá. Pego uma a caminho do vestiário. Ninguém vai saber nada sobre o que houve ontem.

Carl e eu fazemos um bom treino. Somos competitivos e estabelecemos metas que exigem mais dos dois. Está funcionando bem, acho, esse esquema de justiça reparativa. Estou me sentindo bem, considerando o que houve ontem. Na verdade, quando me lembro da Ellie dizendo que posso ter salvado a vida da Claire, fico orgulhoso. Certamente salvar a vida de alguém é uma coisa tão boa de se fazer que compensa outras coisas ruins? Não posso ser tão mau assim, afinal; às vezes eu faço a coisa certa.

Essa sensação boa dura até a chamada. Chego na hora, vestido corretamente, pronto para o dia adiante. Estou falando com Brian sobre o jogo de futebol, pegando os livros para a aula de francês. Ashley me ignora e ninguém pergunta sobre a Claire. Eles não sabem. Talvez nunca saibam. Espero que não. Claire se sentiria tão humilhada se falassem dela. Por um momento fico enjoado só de pensar como seria se todas aquelas meninas soubessem sobre ela se cortar.

Então o Sr. Hunt aparece na sala, olha em volta e diz:

— Joe Andrews, Ashley Jenkins, direto para a sala do diretor.

Andamos juntos em silêncio. Ela parece nervosa e pensativa. Não acho que tenho com que me preocupar. Sou o herói dessa história em particular e ela é a vilã. Eu salvei a vida da Claire. Eu fiz algo bom. Chegamos à porta da sala da mãe dela.

Aí ela vira para mim e diz:

— Melhor você confirmar tudo o que eu disser.

— O quê?

— Não me desminta. Não diga ao Sr. Naylor o que eu disse da Claire ou trarei Jordan e Louis aqui antes que possa dizer... — ela dá um sorriso malévolo e sussurra — faca.

Ó, meu Deus. Jesus Cristo. Entramos na sala e ela diz:

— Oi, Mãe. Viemos falar com o diretor.

O Sr. Naylor está sentado atrás de sua escrivaninha e gesticula para que sentemos à sua frente. Estou de olho na Ashley.

— Bom dia, Sr. Naylor — ela diz, toda recatada. Eu resmungo alguma coisa.

— Estou certo de que sabem por que estão aqui — diz o Sr. Naylor. — É sobre a notícia chocante que tivemos da Claire Langley, sua colega de turma.

— Eu não sei, lamento, Sr. Naylor — diz Ashley. Ela mente como uma especialista. Eu fecho os olhos e rezo para que ele seja discreto. Mas não.

— Claire abriu o pulso ontem à tarde. Ela perdeu muito sangue e teve que ser levada ao hospital. Felizmente está se recuperando bem.

Ele faz parecer que ela estava tentando se matar. Tenho que dizer alguma coisa.

— Ela não abriu o pulso... ela só se cortou.

O Sr. Naylor e Ashley olham para mim como se eu fosse maluco. Eu me calo.

— Os pais da Claire falaram comigo esta manhã e quero saber exatamente o que aconteceu ontem durante a hora do lanche e logo depois. O período, Joe, em que você foi visto agindo de forma agressiva com Ashley aqui e, logo depois, foi visto pela escola inteira gritando com Claire e maltratando-a no pátio.

Hein?

— Não, não foi assim — eu digo, mas não pareço convincente nem para mim mesmo.

Ashley diz:

— Sr. Naylor, conheço Claire há anos. Ela é uma menina doce, não muito segura de si... você sabe... ela é muito nova. Percebi que Joe estava de olho nela e achei errado. Conheço o Joe e sei como ele é. Eu quis proteger a Claire dele... do que ele é capaz. Então mandei ele se afastar dela... de minha amiga. Ele não gostou e me chamou de vaca e achei que ia me bater.

— Eu... eu... não bati em você...

— Só porque Brian te impediu. De qualquer jeito, acho que Claire ouviu e ficou nervosa. Ela nunca teve um garoto interessado nela antes. Acho que era uma presa fácil para o Joe. Joe ficou com raiva de mim e eu fiquei com medo. Aí ela fugiu e ele foi atrás dela. Não sei o que aconteceu depois disso. Eu fiquei nervosa e fui para o banheiro das meninas para... para me acalmar...

Ela devia receber um Oscar. Até eu estou começando a me deixar enganar. Não sei o que fazer... Ela está distorcendo tudo, está mentindo, mas não posso arriscar que Jordan e Louis falem sobre a faca.

O Sr. Naylor diz:

— O que você quer dizer, Ashley, com o que Joe é capaz de fazer? Entendo que seja embaraçoso, mas é importante colocar essas coisas às claras.

Velho pervertido. Eu sei o que ele quer, e Ashley vai com tudo.

— Saímos juntos algumas vezes e de início achei ele legal, mas... — ela limpa uma lágrima — ele queria demais. Queria muito e queria cedo demais. E ele é meio violento, impetuoso, para conseguir o que quer. Tive que terminar com ele. Fiquei um pouco assustada.

Meu Deus. Do que ela está me acusando? Violento? Impetuoso?

— Isto é verdade, Joe?

O que é verdade?

— Eu... eu... eu não achei que estava fazendo nada errado. Ashley... disse que os pais dela a fizeram me dispensar por causa do que aconteceu na piscina...

Mas pra que eu fui lembrá-lo disso?

— Ah, sim. Você não teve um início muito feliz aqui na Parkview, não é? Deve ser bem diferente no lugar de onde você vem — diz o Sr. Naylor, como se eu fosse um homem das cavernas, um Neandertal ou algo assim. — Bem, a mãe da Claire confirma o que Ashley está dizendo. Ela me disse que tem estado muito preocupada porque você fica horas trancado no quarto da Claire no escuro com ela. Ela também acha que você pode ter tentado pressioná-la a fazer algo que ela ainda não estava preparada para fazer.

Ashley está me fuzilando com os olhos.

— Claire é minha amiga — digo. — É uma boa amiga. Minha melhor amiga. Eu não estava pressionando-a... Eu salvei a vida dela ontem. A mãe dela não mencionou isso?

— Ela ficou atordoada de você saber que a Claire vinha se cortando regularmente e não buscar ajuda para ela. Sugeriu até que você podia estar envolvido de alguma forma nessa... nessa mutilação.

— Eu salvei a vida dela... Eu nunca faria mal a ela.

— Joe, metade da escola viu você gritando com ela e empurrando-a no pátio. Tenho um relatório aqui da vice-diretora. Ela diz que Claire parecia estar aterrorizada com você.

— Não... sério... eu só estava tentando ajudá-la... Eu a levei para a enfermaria. Pergunte a ela... ela dirá que fui gentil...

O Sr. Naylor vira-se para Ashley.

— Ashley, obrigado por vir aqui hoje. Lamento se foi difícil para você e prometo que faremos tudo que for possível para protegê-la de comportamentos agressivos no futuro.

Isto não parece nada bom. Eu tento de novo.

— Por que não pergunta para a Claire? — peço. — Ela lhe dirá que eu não estava fazendo nada de errado com ela.

— No devido tempo o farei, claro. Agora, Ashley, se puder voltar para a sua sala, vou conversar a sós com Joe.

Ao sair, Ashley me dirige um olhar que deixa óbvio que a notícia de que andei ficando a sós com Claire enquanto ainda estava oficialmente namorando com ela não passou despercebida.

— Joe — diz o Sr. Naylor —, perseguir meninas, perseguir meninas em busca de sexo, isso é a coisa mais desprezível que existe. Meninos que não sabem ouvir "não" são um perigo para a sociedade.

— Mas eu não...

— Eu vou ter que pensar muito sobre como lidar com essa situação. Vou precisar conversar com os pais da Ashley e da Claire. Vou suspendê-lo o resto do dia e... Sua mãe já retornou?

— Sim.

— Gostaria de ver os dois aqui amanhã de manhã às onze horas. Agora vá. E tente não se meter em nenhuma encrenca entre hoje e amanhã. Acha que consegue isso?

Aceno com a cabeça — sim, seu velho sarcástico safado —, mas começo a ter minhas dúvidas. Talvez seja minha sina me meter em encrencas de novo e de novo e de novo, e vá ficar cada vez pior até o destino ou Deus ou o que for tiver me punido o suficiente por tudo de que estou me safando.

CAPÍTULO 26
O lobo

Joe Andrews não tem como sobreviver a isso. Isso é pior do que ruim. Abuso sexual? Ou Ashley estava sugerindo algo ainda pior? Mas o que eu posso fazer?

O pai e a mãe da Claire. Preciso falar com eles, me explicar, fazê-los entender. Talvez possam explicar ao Sr. Naylor que na verdade eu sou um herói. Preciso ir ao hospital e encontrá-los. Tenho que ir agora. Mas não me sinto disposto a contar para minha mãe que fui suspenso de novo.

Vou até a enfermaria.

— Olá de novo — ela diz. Eu digo que acho que vou vomitar, o que não é de todo mentira. — Você está pálido — ela diz. Ela liga para minha casa e ouço a voz da minha mãe do outro lado da linha dizendo:

— Não sei nem por que foi à escola hoje. Eu avisei a ele ontem que não estaria bem.

Vinte minutos depois, Mamãe e eu estamos saindo pelo portão da escola. O Ford Fiesta de Alistair está estacionado na rua. Então ele passou a noite lá em casa. Decido que não me importo. Já tenho o bastante com que me preocupar.

— Pode me levar ao hospital? — pergunto.

— Não imaginei que estivesse tão mal, querido — diz minha mãe, toda preocupada.

— Não, não estou, mas quero ver a Claire. Preciso vê-la agora.

Então eles me levam ao hospital e insistem em entrar comigo, o que não me deixa feliz. Mas aí descobrimos que ela já recebeu alta, então acaba sendo bom eles estarem aqui e poderem me levar à casa dela.

— Eu vou deixar vocês aqui — diz Alistair. — Acho que seria demais eu entrar também.

— Mãe, vai com ele — digo, mas ela responde:

— Quer saber? Estou um pouco cansada de receber ordens de você. Acho que mereço saber o que está acontecendo. — Enquanto ando até a porta da frente da casa, ela dá um beijo no Alistair. Um beijo longo e demorado, totalmente fora de hora, e ele diz:

— Eu ligo depois.

Ela me alcança e toca a campainha. O pai da Claire atende. Ele parece cansado e aborrecido.

— Acabamos de chegar do hospital — ele diz. — Seria melhor voltarem depois.

— Por favor — peço —, queria muito falar com você. Com você e a Janet. Não precisam incomodar a Claire se não quiserem.

— Se fizer a gentileza de lhe dar alguns minutos — diz minha mãe. — Ele ficou muito abalado com o que aconteceu.

Ele coça a cabeça e diz:

— Olha, filho, nós lhe devemos porque ela poderia ter morrido se você não a tivesse ajudado. Entre e vamos conversar.

Ele nos conduz até a cozinha e nos sentamos em volta da grande mesa. Então ele desaparece escada acima por um longo tempo.

Enquanto esperamos, eu olho em volta. Tem tantas fotografias da Ellie, tantas coisas que pertencem aos meninos, porém você nunca diria que Claire mora nesta casa. Mas o que a deixou tão invisível? Foi ela mesma ou o resto da família que simplesmente não lhe deixou espaço? Como teria sido a Claire se fosse filha única como eu?

Finalmente eles descem e se sentam à mesa conosco. Janet e Gareth. Duas pessoas boas que parecem dez anos mais velhas do que da última vez que as vi. Janet está com os olhos vermelhos e inchados e a ponta do seu nariz está vermelha. O rosto de Gareth está pálido sob as sardas. Agora que estão aqui, não sei o que dizer. Sorte minha mãe ter vindo.

— Janet, Gareth, lamentamos muito pela Claire — ela diz. — Lamento vir aqui assim, mas Joe estava tão ansioso para saber como ela está. Ele levou um choque.

— É mesmo? — diz Janet em uma voz tão fria que jamais imaginaria vir de uma pessoa tão doce. — Bem, nós queremos falar com ele e descobrir o que realmente andou acontecendo.

Todos olham para mim. Eu não sei por onde começar. É difícil quando você acha que as pessoas estão pensando coisas ruins de você, mas ainda não falaram.

— Eu sabia que ela estava se cortando, mas ela disse que ia parar — digo. — Eu estava tentando ajudá-la... ela é minha amiga... — Minha voz se apaga. Sinto uma hostilidade maciça irradiando-se do outro lado da mesa.

— Como sabia disso sobre a Claire? — pergunta Janet. — O que vinha fazendo com ela no quarto? Nós confiamos em você, Joe, convidamos você para dentro de nossa casa... recebemos você de braços abertos...

— Eu não fiz nada com a Claire. Verdade, nada. Nós só conversamos. — Estou começando a falar mais alto. Não é fácil você ser acusado de coisas que nunca fez.

— Conversaram sobre o quê?

— Sobre coisas. Gosto de conversar com a Claire e acho que ela gosta de conversar comigo.

— Ah, sim, ela certamente gosta de você — diz Janet, e ela parece estar se segurando por pouco para não gritar comigo. — É louca por você. Só imagino o que mais andou acontecendo além da conversa.

— Aposto que ela percebeu os botões abertos daquela primeira vez.

— Ele disse que só conversaram — diz minha mãe. — Está acusando ele de mentir?

— Bem, você tem que admitir que é suspeito. Quer dizer, sem ofensa, mas eles são tão diferentes. Claire é tão imatura para sua idade, tão tímida, tão quieta. Ela ainda é uma criança. Joe é tão esperto e parece tão mais velho. O que podem ter em comum?

Esperto é só uma palavra inofensiva, mas ela coloca muito mais significado nela: sujo, violento, delinquente, mentiroso, molestador e ORA,[28] com só um toque de filho de mãe adolescente também. Eu me preparo, esperando minha mãe explodir.

— Talvez os dois se sentissem solitários e buscassem um amigo — ela diz, e eu queria abraçá-la por isso.

— Eu não fiz nenhum mal à Claire — digo. — É verdade... Eu a respeito muito e quero seu bem e a acho a pessoa mais legal que já conheci. Para ser franco, nós nos beijamos duas vezes, mas nada ruim, realmente nada... Por favor, perguntem a ela. Perguntem se eu fiz algum mal a ela. — Estou quase chorando ao final desse discurso, principalmente de completa vergonha.

Estão todos com a cara um pouco mais simpática agora. Isso pode ficar bem. Mas então eu me lembro. Eu fiz uma maldade com Claire. Eu a maltratei. Aqui nesta cozinha. Janet está me observando atentamente e diz:

---

28. No original, "ASBO — Anti-social Behaviour Order". Em português, "ORA – Ordem de Restrição de Aproximação". (N.T.)

— O que foi, Joe? Por que essa cara repentina? Por que está mordendo o lábio?

— Eu... acabo de me lembrar de uma coisa.

Estão todos esperando. Minha boca está seca.

— Eu... eu fui mau com a Claire. Uma vez. Aqui. Mas não do jeito que o Sr. Naylor acha.

Isso não quer dizer nada para eles, já que — ainda bem — não estavam lá para ouvir o que o Sr. Naylor disse. Mas eu já disse demais de qualquer jeito.

— O que diabos você fez com nossa filha? — grita Gareth, e por um momento acho que ele vai me bater.

— Eu... eu... ela descobriu um segredo meu e eu meio que a assustei, meio que a machuquei, só um pouquinho para ela não falar. Mas eu pedi desculpas, de verdade, e acho que ela entendeu.

Vejo de relance o rosto de minha mãe e desvio o olhar. Ela parece tão revoltada, assustada e triste ao mesmo tempo. Janet se levanta.

— Acho que já ouvimos o bastante. É melhor sair agora, Joe, e não incomode Claire de novo. E vou falar com Ellie para parar de treiná-lo também.

— Mas não posso nem ver a Claire? — pergunto sem esperanças.

— Só para explicar... me despedir.

— Não acho que seja uma boa ideia — diz Janet. Mamãe diz:

— Vamos embora, você já disse o bastante. — Ela se levanta e fala com os pais da Claire — Eu não fazia ideia... não fazia ideia de nada disso. Ele nunca se comportou dessa maneira na vida dele. Não sei como pedir desculpas.

Andamos para a porta da frente e eu estou saindo da vida da Claire para sempre e não sei como vou conseguir. Então ouço sua voz.

— O que está havendo?

Eu me viro. Ela está de pé no alto da escada, vestida em um roupão, o capuz levantado. Está pálida e encolhida e seus cabelos estão cobrindo o rosto novamente. Ela podia ter uns 10 anos de idade. Não consigo ficar sem me despedir. Subo correndo a escada e a abraço.

— Desce daí imediatamente! — grita o pai da Claire, mas não consigo porque Claire está agarrada em mim. Devemos parecer com Chapeuzinho Vermelho e o lobo mau. Eu sou o lobo, é claro.

— Claire, desculpe, eu contei a eles sobre aquela vez na cozinha... e eles estão furiosos comigo e não querem que a gente se veja de novo... Desculpe, foi minha culpa...

Seu rosto está enterrado em meu ombro e tudo que consigo sentir são seus braços em volta de mim. Por um momento eu me sinto seguro e amado. Então ela pega minha mão e se senta no degrau de cima, me puxando para baixo ao seu lado. Ela joga os cabelos para trás.

— Nós vamos conversar sobre isso — ela diz. — Joe não vai a lugar nenhum.

É até engraçado, na verdade. Estão todos nos olhando abraçadinhos e ninguém diz nada. Então a mãe dela diz:

— Pelo amor de Deus, Claire, você devia estar na cama. — E Claire responde:

— Eu não vou para a cama a não ser que Joe venha comigo. — E ela fica vermelha como um rubi, e acho que eu também, pois não foi a melhor coisa a dizer nessa hora.

Mamãe diz:

— Por que não subimos todos para Claire se deitar e todos conversarmos um pouco mais?

Todo mundo parece concordar que é uma boa ideia e vamos para o quarto da Janet e do Gareth. Claire entra na cama de casal e eu me sento apreensivamente ao seu lado enquanto os três pais nos cercam de pé.

— Claire, Joe acaba de admitir que a machucou. Não podemos permitir que continue se encontrando com ele, querida. Você não quer amigos assim — diz Janet.

Claire parece tão pequenininha, pálida e fraca, mas ela está determinada.

— Mãe, caso não tenha notado, eu não tenho nenhum outro amigo. Joe só me machucou por uns vinte segundos, aí começou a pedir desculpas imediatamente e implorando para eu ser sua amiga. Ele achou que estava sendo assustador, mas eu entendi que era só fingimento. Ele estava com medo, eu percebi. Ele pediu desculpas e se explicou, e eu entendi por que ele fez aquilo. Ele nunca faria de novo.

Fico mais esperançoso depois disso, mas então minha mãe tem que abrir sua boca grande.

— Claire — ela diz, sem olhar para mim. — Claire, nunca é aceitável que um menino machuque uma menina. Nunca. Nem mesmo por vinte segundos.

Não consigo acreditar que ela está fazendo isso comigo. Sou seu filho. Ela não se importa comigo? Como ela pôde? Por quê?

Então ela fala:

— Acredite em mim, eu sei do que estou falando. — E eu sei. É como se eu nunca soubesse e sempre soubesse. Sei por que meu pai sumiu de nossas vidas há tantos anos. E sei do que é que nós dois temos medo dentro de mim.

CAPÍTULO 27

Quando eu era Joe

Claire abre a boca para falar, mas Mamãe diz:

— Eu vou levar Joe para casa agora e nós vamos conversar. Acho que você deve conversar com seus pais também. Lamento, mas acho melhor vocês se darem adeus por ora. — Ela olha para Janet e Gareth. — Talvez a gente possa dar a eles alguns minutos?

Eles saem do quarto e ficamos os dois sozinhos. Deito minha cabeça no travesseiro ao lado dela.

— Eu sinto muito — digo. — Estraguei tudo.

— Converse com sua mãe e explique, e eu falo com meus pais. Não desista. Você é tão importante para mim.

— Não sei o que vai acontecer agora. Tem um monte de coisas acontecendo na escola. Ashley... — Mas não consigo terminar a frase.

— Vai ficar tudo bem — ela diz. — Não desista.

E nos beijamos. A melhor sensação do mundo é o gosto de seus lábios e passar a mão em seus cabelos.

Mas estou quase desistindo e acho que ela sabe.

Mamãe e eu andamos em silêncio até o ponto de ônibus. Sentamos no ônibus e vamos até em casa sem dizer uma palavra. O tempo todo estou ficando cada vez mais furioso com ela por interferir. E por todas as coisas que não me contou. E por deixar isso acontecer. Tudo isso. É culpa dela. Parece que a raiva vai me estrangular.

Não vou falar com ela sobre nada. Nunca mais vou falar com ela. Vou pedir à polícia para me arranjar um adulto apropriado. Eu me jogo no sofá e ligo a televisão. Tem um episódio novo de *Os Simpsons* e é muito engraçado. Concentro-me em apagar tudo o mais da minha cabeça, e funciona. Eu consigo fazer isso. É só manter o foco.

Ela me dá cinco minutos, aí vai até a televisão e a desliga.

— Ei, eu estava assistindo!

— Pelo amor de Deus, Ty, não acha mais importante conversar sobre o que aconteceu?

— Não — respondo, e ligo de novo a televisão.

— Ty, eu quero saber o que está acontecendo. O que você fez com Claire? Por quê?

— Por que não procurou saber antes de dizer a ela que não devia mais me ver? Eu não vou te contar nada. Não vou nem mais falar com você.

Aumento o volume. Ela fica de pé na frente da tela e estica a mão para eu lhe dar o controle.

— Me dá isso.

— Não.

— Me dá isso.

— Me faz dar.

Ela não pode me obrigar. Sou maior e mais forte do que ela. Esse pensamento me deixa tão assustado que, após um minuto de silêncio furioso, eu jogo o controle no chão aos seus pés.

— Me deixe em paz, sua vaca intrometida — digo, mas resmungando em turco, então ela me ignora.

— Certo. Agora, fale — ela ordena.

— Você já sabe. Você sabe... eu já contei.
— Não, não contou. Não nos contou os detalhes.
— Foi no dia do lance da piscina. Você estava no hospital com a Vovó. Minhas lentes de contato saíram debaixo d'água e Claire viu que meus olhos são verdes. Então ela perguntou e eu tive que... eu tentei assustá-la... para não dizer nada a ninguém.
— Mas o que diabos você fez? Você... você não bateu nela, bateu?
— Não!
— Graças a Deus por isso. Então o que você fez?
— Eu segurei seus pulsos... e meio que apertei.
— Ah. Isso não foi nada gentil, Ty. Uma menina tão doce como ela. Como pôde? — Ela se senta na poltrona, o que é melhor do que tê-la em pé em cima de mim. Seu rosto está todo torto e preocupado.
— Eu disse que sentia muito. E eu expliquei... expliquei por que...
Eu paro. Seus olhos estão arregalados e seu queixo caiu.
— Como assim, você explicou? — ela pergunta bem devagar.
Ah, droga.
— Eu só meio que expliquei... que tinha que ser um segredo...
— O que, exatamente, você meio que explicou?
Não vou dizer. Estou com medo dela.
— Só que tinha que manter segredo...
— Eu não acredito em você. Por que ela disse que entendeu?
— Ela é uma pessoa muito compreensiva.
— Conte-me exatamente o que disse. Ou vou voltar para a casa deles e vou perguntar a ela, e vou envergonhá-lo tanto que quando eu terminar ela nunca mais vai querer falar com você.

Não acredito que minha mãe está fazendo isso comigo. Vovó nunca me trataria assim.

— Eu contei a ela. Contei tudo sobre o programa de proteção à testemunha e sobre Ty e Joe e tudo o mais. Mas ela vai manter segredo. Está tudo bem.

— Ty, o que você estava pensando? Você a colocou em perigo.

— Não... ela nunca vai contar a ninguém. Claire é legal, pode confiar nela.

— Não era para você contar nada a ninguém. Como pôde? Ela está em perigo e você mais ainda. E se ela contar a alguém? E se alguém colocar as mãos nela e fizer o que fizeram com sua avó? Eu vou ter que ligar para o Doug.

— Por favor, Nicki, por favor, *por favor*... estou implorando, Nic, por favor, não conte ao Doug.

— Jesus, Ty, o que aconteceu com você? Você costumava ser um menino tão sensato, tão gentil... tão bacana...

— Cala a boca! Eu te odeio! — Meu controle de volume não funciona e isso sai como um grito.

— Não fale assim comigo — ela rosna. — É completamente inaceitável você contar a verdade para qualquer garota que chame sua atenção. Você quase levou um tiro, pelo amor de Deus. Pense na loja do Sr. Patel. Quer que isso aconteça com Claire? Com Ellie? Não podemos brincar com isso.

Eu volto a implorar.

— Por favor, Nic, *por favor*...

— Olha, isso não é bom para mim também, tá? Acabo de conhecer um sujeito legal e já está tudo ferrado. A história da minha vida!

Ela vai para a cozinha para ligar para o Doug, eu subo a escada e me deito na cama. Penso em todas as coisas que eu quero fazer como Joe. Correr em competições de verdade durante o verão. Entrar para uma equipe de atletismo. Talvez entrar para o time de futebol algum dia. A festa de fim de ano — planejava dar uma repaginada total na Claire e levá-la para a festa e todo mundo veria que ela na verdade é linda, e eu seria a pessoa que a transformou.

E conversar com Claire, ir a lugares com Claire, beijá-la novamente, e simplesmente ficar com Claire.

Nada disso vai mais acontecer. Estou triste até de não poder terminar o armário de achados e perdidos com Carl.

Mamãe sobe e se senta na cama ao meu lado.

— O que ele disse? — pergunto, e minha voz sai tremida.

— Ele virá com Maureen assim que puder. Eles vão conversar sobre isso com você e tomarão uma decisão. — Ela põe a mão sobre meu ombro e eu o encolho para tirá-la. — Mas não parece nada bom. Lamento.

Doug e Maureen chegam por volta das nove horas, quando já estou chegando à conclusão de que eles devem ter tido um acidente na estrada e nunca mais vamos vê-los. Mamãe fala com eles e depois me chama para descer. Não quero olhar nos olhos deles. É Maureen que fala em um tom gentil:

— As coisas deram um pouco errado, não é, Ty? Doug recebeu uma ligação do diretor para dizer que você foi suspenso de novo.

Eles devem ter contado a Mamãe, porque ela parece ainda mais devastada do que antes e apaga o cigarro como se quisesse reduzir o cinzeiro a pó.

— Por que nunca me disse? — ela pergunta. — Maltratando outra menina? Suspenso uma segunda vez?

— Eu não... ela é uma mentirosa...

Então lembro que Maureen e Doug me ouviram tentando convencê-la a subir para meu quarto e me calo novamente. Eles não vão acreditar em mim.

— Não tem jeito, parceiro — diz Doug. — É uma pena, mas acho que vamos ter que mudar vocês. Problemas demais por aqui. Você ficou visível demais. E não podemos deixar que ponha outra família em perigo.

Eu não falo nada. Estão todos sentados olhando para mim, e sei que estraguei tudo de novo. Parece um castigo tão grande pela única vez em que fiz algo de bom. Mas talvez a vida funcione um pouco como os pontos do cartão de vantagens da Tesco, só que ao contrário — você faz as coisas normalmente e tudo se soma sem você nem perceber e de repente você recebe um monte de cupons pelo correio. Ou, no meu caso, você toma um monte de decisões erradas, e elas se somam e sua vida se desmantela completamente.

Ponho meu iPod na mala. Pego o cachecol do Manchester United do meu pai. Pego minhas fotos e meus livros escolares. Pego todas as roupas novas do Joe, seus tênis de corrida, suas lentes de contato e a tinta de cabelo. Pego os dois bilhetes amassados da Claire. Tento muito não sentir nada. Deito na cama e lembro da minha vida quando eu era Joe.

Quando minha mãe está pronta, eles colocam as malas no carro, mas eu não me levanto. Estou imaginando loucuras como fugir, ir morar escondido no quarto da Claire ou no barracão do jardim dela. Maureen sobe e senta na cama ao meu lado.

— Hora de partir — ela diz.

— Eu não vou. Não é justo. Eu gosto daqui. Preciso ficar aqui.

— Você vai se sair bem em outro lugar — diz Maureen. — Não pode ficar aqui e colocar em perigo você e outras pessoas.

— Eu não ligo.

— Pense em como sua avó ficaria se algo te acontecesse. Ela não merece te perder. Ela está indo tão bem. Vai se encontrar com suas tias a qualquer momento. Pense em como a Claire se sentiria se o machucassem por causa dela. Ela é especial?

E só consigo fazer que sim e engolir em seco. Maureen me dá um abraço e diz:

— Vai dar tudo certo.

— Eu sou uma pessoa má, Maureen? — pergunto. Parece que eu nunca soube com certeza.

— Acho que você sempre foi um menino muito bom, esforçado, nunca se metendo em encrencas. Mas muita coisa te aconteceu nas últimas semanas, e apenas ocasionalmente você não mostrou bom senso. Acontece com todo mundo. Isso não faz de você uma pessoa má. Não acho que seja um valentão.

É reconfortante, mas ela não sabe a verdade toda. E ela é da polícia, então não posso contar.

CAPÍTULO 28
Mel e Jake

Então agora tenho que entrar no carro e ver as luzes e ruas dessa cidadezinha não tão chata desaparecer em estradas secundárias escuras do interior. Depois vem uma autoestrada com uma iluminação laranja sinistra. E então estamos nos registrando em outro hotel, outro quarto pequeno sem espaço para desfazer as malas e nada para fazer senão ver televisão.

Mas é diferente ficar aqui. O hotel é bem parecido com o anterior, mas nós mudamos. Eu saio para correr todos os dias e tem um centro de lazer onde posso nadar e usar a academia. Mamãe vai comigo às vezes. Conversamos mais também, e eu falo sobre como era horrível na St. Saviour e como Arron e eu já não éramos tão amigos. Não conto o que os meninos na escola falavam dela. Ela não precisa disso. Evitamos falar da Claire, mas eu explico sobre a Ashley e ela parece entender.

Um dia eu me sinto corajoso e digo:

— O que você queria dizer aquele dia, você sabe, quando falou para a Claire que sabia do que estava falando?

— Ah, ouvi tanta coisa ruim trabalhando na firma de advocacia. Sei quanto é importante as meninas entenderem que não podem aceitar qualquer tipo de abuso.

— Mas não foi abuso — digo, e ela balança a cabeça. Eu sei que ela não está contando toda a verdade, e acho que ela sabe que eu sei.

Maureen apara meus cabelos e os pinta de outra cor, uma espécie de vermelho acastanhado, que não tem nada a ver comigo. As sobrancelhas continuam iguais e ela diz que posso voltar a ter olhos verdes, o que me agrada, mas ela quer que eu use óculos, o que não agrada. Desconfio que ela criou meu novo visual para me tornar o menos atraente possível para as meninas. Mas não tentou mudar minhas roupas, então sinto que ainda tem algo do Joe em mim. Um Joe com olhos verdes, óculos e um corte de cabelo ruim.

Tento encontrar um computador que eu possa usar, mas não tem nenhum cibercafé e a única biblioteca que acho não aceita registro se você não tiver um endereço permanente. Então não posso nem escrever para Claire. Também não sei se deveria. Sinto uma emoção assustadora que vai além de tristeza sempre que penso nela — desespero, talvez —, então estou tentando apagá-la. É como se ela tivesse deixado um vazio dolorido dentro de mim.

Maureen aparece para falar sobre o lugar para onde vamos agora. Dessa vez, ela diz, podemos escolher nossos próprios nomes. É surpreendentemente difícil. Quero um nome legal, algo tipo Spike. Mamãe está lendo a revista *Heat* e sugere nomes idiotas de celebridades com filhos, como Jordan e Junior, Gwen e Zuma, Angelina e Knox ou Maddox ou Pax. Pax não é nada mal, penso, mas acho que ela está brincando. Eu revido com Marge e Bart, mas ela não quer saber.

Maureen diz que somos ambos malucos e que temos que ser sensatos. Então concordamos com Melanie e Jake. Mel e Jake Ferguson. Sugeri o sobrenome em homenagem a Sir Alex. Ele é o técnico do

Manchester United e seria fantástico fazer parte de sua família, exceto que acho que ele gritaria muito comigo, porque ele é assim.

Deixamos o hotel em um dia escaldante de verão. Doug nos leva para outra cidade pequena, uma cidade litorânea com gaivotas estridentes sobrevoando nossas cabeças, um píer antigo desmoronando e uma praia comprida e cinzenta.

Dessa vez ficamos em um apartamento pequeno, mas claro e branco e cheirando a tinta fresca. Tem uma escada que leva ao telhado plano com vista para o mar. Não é ruim. Parece um pouco como se estivéssemos de férias.

— Será que essa é uma boa ideia? — pergunta Mamãe. — Essas cidades litorâneas não recebem muitos turistas?

— Vocês estão longe de Londres — diz Doug. — Achamos que ficarão bem. Não é um lugar para viajantes de fim de semana. Não tem muito o que fazer aqui. — Doug sabe mesmo vender um peixe.

Saímos para comprar o uniforme escolar três dias antes do início das aulas. Ao me olhar no espelho do trocador — jaqueta verde-escura, calça preta, agasalho cinza, camisa branca, gravata verde, cabelo vermelho idiota (não gosto mesmo do cabelo) e óculos de armação de aço —, tento imaginar que tipo de pessoa Jake vai ser. Ele não parece tão descolado quanto Joe, isso é certo, mas é bem mais forte do que Ty jamais foi. Ele parece um pouco triste, para ser franco, escondido atrás dos óculos.

Voltamos para o apartamento e estamos desempacotando as compras, Mamãe falando sobre pedir para Maureen ligar para a Open University e ver se seus créditos podem ser transferidos para seu nome novo para que ela possa voltar a estudar.

— Só mais duas matérias e consigo meu diploma — ela diz. Então ouvimos alguém bater na porta.

— Quem será? — diz Mamãe. — Doug disse que não voltaria antes de terça-feira para saber como foi seu primeiro dia.

Ambos congelamos, olhando um para o outro apreensivamente. Ela diz:

— Suba no telhado que eu atendo.

Então estou deitado no telhado, olhando as gaivotas circulando no céu e fingindo que são abutres que vão bicar meus olhos, quando os detetives Morris e Bettany aparecem e se juntam a mim.

— Não se levante — diz Morris, e se senta ao meu lado. Bettany saca seu caderno de notas. Estou começando a detestar esse caderno.

Então não tem para onde correr quando Morris diz:

— Estive conversando com um amigo seu e gostaria de fazer mais algumas perguntas.

— Ah, é? — digo, receoso, olhando três gaivotas disputando ferozmente um pedaço de peixe. Estou imaginando se ele falou com Claire, e espero que não esteja falando da Ashley.

— Quero falar um pouco mais sobre o que aconteceu antes de você chegar ao parque — ele diz.

E eu sei de quem ele está falando. Ele não está falando da Ashley. Não está falando da Claire.

Ele esteve falando com meu amigo Arron Mackenzie.

CAPÍTULO 29
Rio

Arron prometeu. Ele me prometeu. "Eu nunca vou dizer que foi você", ele disse. Mas é claro que seis meses em um instituto para menores infratores podem mudar qualquer um. Não o culparia se contou a eles o que eu fiz. Mas isso não quer dizer que vou entregar alguma coisa agora.

Eu me sento.

— Achei que não era para falar comigo sem a presença de um advogado. Ou minha mãe, pelo menos.

— Aí vem ela — diz Morris, e minha mãe sobe no telhado também. Ela se senta e diz:

— Vocês têm certeza de que não querem descer? É mais confortável.

— Não devemos demorar — diz Morris.

Bem, isso não soa como se... Vou esperar para ver. Não faz sentido me adiantar às coisas.

Ele pergunta sobre a entrega de jornais. Se alguma vez vi alguém usando as sacolas para transportar alguma coisa além de jornais e revistas. Se havia alguns pacotes menores envolvidos. Eu digo não, sempre era o primeiro a pegar minha sacola e tinha a rota mais longa e todos terminavam antes de mim. É verdade. Não sei se tudo o mais que eu falar vai ser verdade também.

— Quero lhe perguntar sobre um encontro que você e Arron tiveram com os jovens que identificou que estavam com ele no parque. Julian White — conhecido como Jukes — e Mikey Miller. Isso é verdade?

— Não foi um encontro do jeito que você está dizendo. Eles simplesmente estavam lá quando saímos do metrô voltando da escola... Achei que estavam vindo do boliche. O boliche fica perto da estação do metrô, sabe... — Claro que agora imagino que Arron deve ter marcado o encontro. — Eu os conhecia do boxe. Eram amigos do Nathan, ou pelo menos é o que acho...

Aqueles caras eram assustadores. Nós os encontramos perto do boliche no caminho de casa depois da escola e andamos juntos até o ponto de ônibus. Paramos em frente a uma dessas lojas que vendem celulares falsificados.

— O que querem de nós, meninos? — perguntou um deles, e Arron disse que queríamos proteção. Ele tinha sido assaltado na semana anterior. Ameaçaram-no com uma faca e roubaram seu relógio. Estava apreensivo. Foi quando começamos a andar com facas.

— Tu vai ter que merecer essa proteção — disse Mikey. Ele é um desses caras brancos que falam o tempo todo como gângster, têm tatuagens enormes e exageram nas joias. Tinha brincos enormes de diamante nas orelhas e um dente de ouro, além dos tipos de corrente que você só usa naquela área se for capaz de se defender. — Tu vai ter que fazer uns servicinhos pra nóis.

Eu estava assustado demais para falar, mas Arron disse:
— Tá limpo, mano, sem problema — e todos riram juntos.
— E o carinha aí? — perguntou Jukes, apontando para mim. Jukes não é chegado em joias. Se você o visse na rua, a única coisa que poderia lhe chamar a atenção é a tatuagem de águia no braço. É só porque o vi lutando na academia de boxe que sei a força que tem seu corpo atarracado. Eu fiz que não e olhei para o chão cheio de manchas de chiclete e os dois riram. Arron riu com eles e disse:
— Ele não tem colhão.
— Então você achou que Arron estava pedindo proteção da gangue do Juke — diz o detetive Bettany.
— Não... sim... mais ou menos. Não achava que eram uma gangue.
— E você sabia que ele estava indo ao parque para fazer um serviço para eles?
— Hãã... eu não tinha certeza. Ele me pediu para ir com ele. Aí ele começou a falar de proteção de novo, disse que seria um alvo para todo mundo se eu não tivesse nenhuma, mas eu disse que não ia. Não sabia o que fazer. Não queria me meter em encrenca.

Não digo que Arron queria que eu fizesse o serviço para Jukes e Mikey. Que ele disse: "Prova que você é macho". Que, quando eu disse não, ele cuspiu no chão e disse: "Você está me decepcionando, Ty. Você não passa de uma menininha".

— Você não queria se meter em encrenca — diz Morris. E então:
— Bem, você parece não estar seguindo esse princípio ultimamente. Duas vezes suspenso no colégio em duas semanas.
— Desculpe, foi um acidente. Não sei como aconteceu.
— Não deixe acontecer de novo.
— Não — digo, e imagino a pessoa tediosa que Jake Ferguson vai ter que ser. Ele vai ter que fazer escolhas bem melhores do que Joe ou Ty. Não sei se vou conseguir.

— Então você seguiu Arron?

Já contei isso a eles inúmeras vezes. Eu o segui até a entrada de baixo. É um parque pequeno. Estende-se entre duas ruas, subindo uma pequena colina, com um laguinho na parte baixa e uma área infantil no topo. Arron e eu costumávamos brincar muito lá quando éramos mais novos. Tem um castelo de madeira com pontes e um escorregador, os balanços de sempre e coisas assim. Nós adorávamos.

Ele foi até o laguinho e eu dei a volta por fora, subi o morro pelo outro lado e pulei a cerca no alto. Não tinha ninguém brincando no parquinho, pois estava escurecendo e garoava. Subi no castelinho, porque de lá é possível ver o caminho todo e qualquer um subindo o morro, mas ninguém te vê.

— Eu o segui. Só para o caso de ele se machucar. Eu não sabia o que ia acontecer.

— Certo. E quando Jukes e Mikey apareceram?

— Eles chegaram com Arron. Devem ter se encontrado com ele perto do lago. Aí eles se esconderam e esperaram alguém aparecer. Mas eu já disse isso tudo antes.

Penso no menino subindo pelo caminho na direção deles. Penso muito nele. Estava cantando, ouvindo seu iPod. Tinha a minha idade. Estava com um agasalho de capuz e calça larga e comia batatas fritas. Parecia-se com qualquer um de nós, exceto que ele era negro e nós brancos. Eu queria gritar e avisá-lo, mas ele não teria escutado por causa da música que ouvia.

Arron pulou na frente dele. Tinha puxado a faca e deu um tapa na mão do garoto, fazendo as batatas voar longe.

— O que tem pra mim aí? — ele disse. Seria de esperar que o garoto se rendesse logo, entregasse o iPod e fugisse correndo. É o que eu teria feito. Mas não. Ele tinha uma faca também e começou a balançá-la na frente do Arron.

Se eu tivesse obedecido a Arron e fosse eu assaltando o garoto, teria deixado cair minha faca e saído correndo. Eu corro tão rápido que não teria havido briga. Mas Arron não correu. Ele estava recuando, olhando em volta, sem saber o que ia acontecer.

Jukes e Mikey surgiram e o empurraram para a frente.

— Vai, cara, não deixa ele te desrespeitar — disse Mikey. As facas cortaram o ar. Eu estava imobilizado no castelo. E se eu tivesse tentado ajudar... gritado... e se tivesse créditos no meu celular?

Então Jukes agarrou o braço do garoto e o torceu. A faca do garoto cortou a orelha do Arron, fazendo espirrar sangue na camisa dele. Jukes empurrou o garoto, e ele caiu em cima do Arron. E da faca do Arron. Eles caíram na lama juntos e estavam lutando. Tudo o que eu conseguia ver eram os corpos emaranhados. E sangue. E lama. E Jukes e Mikey fugindo.

Não adianta falar tudo isso com Morris, pois é o que consta no meu depoimento original. Eles sabem dessa parte, cada detalhe.

— E quão perto deles você chegou antes de chamar a ambulância? — pergunta Morris.

— Nem um pouco — digo. Eu pulei do castelo e saí correndo. Podia ter continuado a correr e nunca ter voltado, mas não foi o que fiz. O tempo todo só passavam duas coisas em minha cabeça: primeiro, a ambulância; depois o Arron. Como conseguir uma ambulância. Como ajudar o Arron. Como fazer para ele não levar a culpa toda.

Cheguei à rua e vi o ônibus subindo a ladeira em minha direção. Levantei a mão para ele parar. Quando a porta abriu, gritei: "Ambulância... chamem uma ambulância. No parque, perto do lago... tem alguém muito ferido". E voltei correndo.

— E então ajudou Arron a fugir — diz Morris.

— Sim — confirmo. E espero. Mas ele não sabe. Ele não sabe. Então Arron não contou para ele o que realmente aconteceu.

— Quando percebeu que ele também tinha se ferido?
— Quando estávamos correndo. Foi tudo muito rápido.
— Correr foi ideia dele ou sua? — pergunta.
— Dos dois — respondo com firmeza.

Ele olha para mim de maneira curiosa, como se soubesse que tem alguma coisa errada em minha história. Mas ele não pergunta. Não pergunta, então não preciso mentir.

Ele faz mais algumas perguntas, mas nada difícil de responder. Então diz:

— Estamos quase concluindo nosso caso, mas pode haver alguns atrasos antes de irmos ao tribunal.
— Ah, é?
— Seja paciente. Tente se manter discreto. Teremos um novo depoimento que cobre essa parte do encontro perto do boliche para você assinar em uma semana mais ou menos.
— E quanto ao Arron? O que vai acontecer com ele?

Ele balança a cabeça.

— Não posso lhe dizer — responde.

Não sei muito sobre tribunais e lei, mas espero que, ao contar ao detetive Morris que Arron não pretendia ferir ninguém, eu possa ajudá-lo. Arron também foi ferido. Estou certo de que poderá alegar legítima defesa. Ele é muito mais novo do que Jukes e Mikey. Contanto que o tribunal acredite no que digo sobre o que fizeram. Queria saber o que o depoimento do Arron diz.

— Por que nunca suspeitaram que eu estivesse envolvido? — pergunto. Quero ter certeza absoluta de que estou limpo.

— Para sua sorte, achamos traços de seu DNA no castelinho, o que respalda sua história. E o tempo que levou para chegar ao ônibus exclui a possibilidade de ter tido muito envolvimento. Qualquer um que tivesse participado daquela luta estaria coberto de sangue e lama, e todos os passageiros do ônibus dizem que você estava limpo. Seria difícil provar associação com o crime, que você estava trabalhando com eles. Claro, você podia estar lá de vigia, mas não vamos seguir essa linha. Checamos seu computador também e não tem absolutamente nada no seu HD que ligue você a qualquer atividade de gangues.

Penso neles checando meu laptop, lendo todas as mensagens que já escrevi, cada palavra do diário que mantive por um tempo — que era praticamente sobre a Maria do estúdio de tatuagem, e me sinto como se alguém tivesse revistado minha gaveta de cuecas ou me filmado de noite na cama. Não é legal ser espionado. Faz você se sentir automaticamente envergonhado.

— Posso falar com ele, com Arron?

— Não, Ty, porque você é testemunha no caso contra ele.

Todos esses meses venho me preocupando que Arron e sua família me odeiem por eu ter ido à polícia. Todos esses meses estive confuso sobre quem está atrás de mim. Mas, quando penso bem, sei com quem é que devo me preocupar. Estou apontando o dedo para o cara que empurrou o menino em cima da faca do Arron.

— Está bem — digo —, por que não podem prender a família do Jukes? Vocês já sabem que foram eles que jogaram aquela bomba e bateram na minha avó, não é? Por que não podem prendê-los?

Ele suspira.

— É uma pergunta justa — diz. — O problema é obter provas. Eles são do crime organizado. Provavelmente são responsáveis por metade das drogas nas ruas da zona norte de Londres. Eles controlam muita gente e têm vastos recursos. Nada do que aconteceu a você pode ser ligado diretamente a eles. Conseguir gente que testemunhe contra eles é um problema e conseguir provas concretas de que são responsáveis por qualquer crime é extremamente difícil.

Parece justo, acho. Mas me sinto meio burro por não ter me tocado do tamanho do risco que estava assumindo quando fui à polícia em primeiro lugar. Não imagino como estão fazendo para manter o Arron a salvo na prisão. Ou será que Arron nem chegou a denunciar Jukes e Mikey em seu depoimento?

Finalmente o detetive Morris diz:

— Está bom, filho, comporte-se de agora em diante. — Eles partem, e fico sozinho no telhado.

Deito-me de costas e olho para as gaivotas no céu. Logo estou de volta a Londres, tão distante, correndo de volta até o Arron no parque.

Posso ver que o garoto está morto. Não tem como parecer mais morto do que isso. Tem sangue para todo lado, mas Arron está sacudindo o corpo e gritando com ele.

— Acorda, cara, tem ajuda chegando. Vai ficar tudo bem.

— Vamos, Arron, deixa ele. Não tem mais como ajudá-lo.

— Cala a boca, cara!

— Vamos, Arron, você ainda pode fugir.

— Cala a porra da boca!

Então eu puxo minha faca e a sacudo na cara dele. E digo:

— Faça o que estou mandando.

— Tenta me obrigar, boiola.

Corto o braço dele com a faca. Foi mais forte do que pretendia. Ele está sangrando e olhando para mim como se não me conhecesse, a respiração acelerada.

O mais estranho é que, às vezes, quando lembro, a faca corta fundo seu braço e o sangue jorra como um chafariz. Outras vezes, minha faca só arranha seu braço, deixando uma linha vermelha reta escorrendo apenas algumas gotas de sangue. Não sei qual lembrança é a correta. Já repassei isso inúmeras vezes na memória.

Corremos pela alameda, ouvindo o som das sirenes se aproximando. Atravessamos o pequeno bosque até a cerca que faz limite com o condomínio dele. Incrivelmente, ninguém nos vê entrando pelas portas duplas de seu prédio e chamando o elevador.

Ainda mais incrivelmente, o elevador chega — geralmente está quebrado —, e ficamos a sós dentro daquele espaço com fedor de mijo. É então que Arron olha para mim e diz:

— Nunca pensei que você seria capaz de fazer isso. Não se preocupe, não vou contar a ninguém.

Vejo respeito em seus olhos pela primeira vez em anos. Finalmente sou tão bom quanto ele. Ele não tem mais desprezo por mim. Mas não sei que tipo de respeito é esse que ganhei, e, desde então, essa confusão mexe com minha cabeça. Porque eu precisava daquele respeito, estava desesperado por ele.

Às vezes sonho com aquele momento e fico tonto de tanto alívio — não sou um garotinho, sou um homem. Mas a felicidade toda se esvai quando lembro por que ele está daquele jeito, e eu viro uma massa disforme de nada outra vez. É o pior dos sonhos, porque às vezes a humilhação é pior do que o medo. Então eu acordo e sinto nojo do meu egoísmo, pois nada do que me aconteceu chega perto do que aconteceu com o garoto do iPod.

Até o elevador parar, Arron já está quase desmaiando e cai em meus braços. Cambaleamos juntos os últimos metros até nos chocarmos contra a porta de seu apartamento. A mãe escuta o estrondo e, assim que abre a porta, caímos aos seus pés e ela vê o sangue jorrando. Ela grita e cai de joelhos.

— Ele levou uma facada — falo. — Você precisa fazer alguma coisa.

Por sorte, seu instinto de enfermeira entra em ação. Ela aplica um torniquete no braço do Arron e chama uma ambulância.

Depois de partirem, eu pego umas roupas emprestadas do Arron e coloco as minhas roupas ensanguentadas em uma bolsa da Tesco depois de limpar a faca nelas.

Volto para casa e coloco a chaleira no fogo. Lavo a faca com água fervente e depois a coloco de volta na gaveta da cozinha. A bolsa da

Tesco vai para debaixo da cama e eu tomo um banho. Não preciso falar nada para a Nicki porque ela está no Duke of York para a noite de karaokê.

Deito no sofá e só consigo pensar em sangue e morte, em Arron e no menino. Como cantava ouvindo seu iPod. O olhar morto em seu rosto. Estou tremendo e chorando um pouco. Então escuto uma batida na porta e vou abrir. Nathan entra todo suado e tremendo também. Ele fala:

— Eles o prenderam. A merda do hospital chamou a polícia. Ele foi preso.

Então ele aproxima o rosto do meu e me manda ficar calado. Eu digo:
— Sim, claro. Não vou falar nada. — Todos estes meses eu achei que ele estava me ameaçando, mas agora me pergunto se ele não estava tentando me proteger, me deixar fora da história. Nathan é assustador, mas ele sempre pareceu gostar de mim. Talvez ele soubesse do que a família do Jukes seria capaz.

No dia seguinte, digo que estou doente e que não posso ir para a escola. Nicki liga para a Vovó e pede para ela vir ficar comigo. Vovó faz chá com torradas e, colocando a mão na minha testa, diz:
— Talvez esteja com febre, meu querido. Volte a dormir.

Mas aí ela lê o jornal e ouve o rádio. Ela liga para minha mãe e pede que volte para casa. Quando Nicki chega, Vovó nos faz sentar para assistir ao noticiário do meio-dia, e assistimos a uma conferência de imprensa. É sobre um assassinato que pode ter motivação racial. Uma conferência de imprensa dada pelo Sr. e Sra. Williams, pais desconsolados de Rio Williams, de 14 anos.

Estão pedindo ajuda de qualquer um que tenha ido ao parque no dia anterior para que se apresente. Especialmente o menino que parou o ônibus. Dão uma descrição bastante precisa de mim — olhos verdes, cabelos castanhos, capuz cinza — e Vovó só olha para mim. Aí ela faz seu discurso sobre a preciosa criança. A preciosa criança dessa pobre família. E nós acabamos indo à polícia.

A polícia toma meu depoimento, que identifica Jukes, Mikey e Arron, e depois eles nos levam até a cantina, onde como batatas fritas e biscoito de creme amanhecido. Então nos levam para casa e, bem, você sabe o que acontece depois.

CAPÍTULO 30
Peixe com batatas fritas

Mais um primeiro dia em mais uma escola nova. Dessa vez a escola é mais rigorosa, mais antiquada. Mais como a St. Saviour, na verdade, sem a religião, mas com o "sim, senhor, não, senhor" e toneladas de dever de casa. Mamãe vai adorar isso.

É uma escola só para meninos. Doug e Maureen obviamente decidiram me manter afastado das meninas. Eu não gosto. Não me parece natural. Não dá para ser criado por um monte de mulheres e de repente se acostumar a todo mundo ser homem. Ou pelo menos eu não consigo. Estou desanimado e preocupado que vá ser igual a St. Saviour de novo.

Colocam um garoto chamado Nigel para me mostrar as coisas e cuidar para que eu chegue às salas certas dentro do horário. Ele me ajuda, mas não está muito interessado. No intervalo, ele conversa com os amigos enquanto eu espero a hora de ele me levar para a aula de história. Quando chega a hora do almoço, estou tão cheio disso que digo que eu me viro sozinho e fico dando voltas. Não tenho fome e só estou esperando o dia terminar. Então vejo a placa que indica a biblioteca.

Abro a porta devagar e vejo uma sala com centenas de livros. Tem o dobro do tamanho da biblioteca da St. Saviour, e não acho que tinha uma na Parkview — eles tinham um centro de recursos para aprendizagem no lugar disso. O que mais me interessa aqui são os computadores.

— Olá — diz uma mulher com os cachos ruivos mais incríveis que já vi. — Não costumamos ver muita gente aqui no primeiro dia de aula.

— Posso usar os computadores, por favor? — pergunto. — Tem internet?

Ela responde que sim, eu me sento e abro o endereço de e-mail que Claire fez para mim.

Tem vinte e-mails. Vinte. Todos da Claire. Ela vem escrevendo e escrevendo há semanas, mesmo eu não respondendo. Não consigo acreditar. Estou feliz e triste e excitado e apavorado, tudo ao mesmo tempo.

As primeiras mensagens são curtas: *Liga para mim, me escreve, onde você está? Precisamos conversar, o que houve? Você está bem? Estou preocupada com você.* Esse tipo de coisa.

Ela escreveu:

Eu descobri o que Ashley falou de você e contei ao diretor que ela vinha me maltratando. Disse que você foi sempre bom comigo e só me apoiou. Sei que agora é tarde demais para você, mais ela está em relatório completo agora. Não vou voltar até o próximo semestre e acho que vão me colocar em outra turma. Queria que você ainda estivesse aqui.

E, há cerca de um mês, ela escreveu:

Finalmente descobri o que aconteceu com você. Uma senhora gentil chamada Maureen veio me ver. Mamãe achou que era apenas uma amiga da sua família, mas ela me disse quem era de verdade e como te conhecia. Ela me contou por que teve que se mudar e que estava bem. Eu estava morrendo de medo por você.

Vou continuar escrevendo e talvez um dia você responda. Surpreenda-me! Você sabe que não estou com raiva de você. Queria que outras pessoas não tivessem se metido entre nós. Sei que só queriam nos proteger, mas queria que tivessem nos deixado em paz. Eu te amo. Claire.

Depois disso, ela escreve um e-mail após outro sobre sua vida, sobre como as coisas mudaram e como sua mãe pergunta o tempo todo como ela se sente e a leva para fazer compras e tal.

Uma mensagem me faz parar e pensar.

Pensei no que sua mãe disse sobre você me machucar e quero que saiba que eu nem me importei na hora. O tempo todo eu só pensava que você estava me tocando, que alguém como você tinha me percebido. Qualquer dor era secundária em relação a isso. Está tudo bem, você não deve se sentir mal.

Quando leio isso, aí me sinto pior ainda, pois entendo o quanto a Claire está confusa com tudo e entendo melhor o que a minha mãe quis dizer. Mas queria que Claire e eu pudéssemos ter resolvido as coisas juntos. Ela precisa de tanto amor e amizade, e eu tenho isso para ela aqui.

A última mensagem foi escrita ontem quando ela voltou para a Parkview.

O primeiro dia passou e não foi tão ruim quanto imaginei. Você conheceu a conselheira da escola? Eles me fizeram falar com ela assim que terminaram a chamada. Ela é um pouco irritante de conversar — muito enxerida, pressupondo um monte de coisas sobre mim e você —, mas ela teve uma ideia boa. Sugeriu que eu escolhesse quatro meninas da minha turma nova. Então chamou as quatro na sala dela para que eu contasse o que havia acontecido comigo, e elas poderiam meio que me proteger na nossa turma, mandar os outros me deixarem em paz, esse tipo de coisa. Escolhi Evie, Anna, Zoe e Jasmine, do meu grupo de educação física. Você as conheceu? Elas são legais, eu acho. Elas nunca me gozaram, só me ignoravam.

Elas estavam um pouco tímidas quando entraram, e a Sra. Wilson explicou o que queria que fizessem. Eu pensei que aquilo nunca ia dar certo, mas aí ela nos deixou a sós e eu falei sobre por que eu costumava me cortar e como eu me sentia e por que deu tudo errado e como me sinto agora. Eu me senti muito mal e envergonhada enquanto falava, mas elas foram gentis e disseram que lamentavam nunca terem falado comigo e não saberem o que estava acontecendo. Zoe é especialmente gentil e me convidou para ir fazer compras com ela no fim de semana.

Todas queriam saber de você. Queriam saber se você se cortava também, e eu disse que não, de forma alguma. Você foi quem salvou minha vida e me fez parar. E eu parei, de verdade. Elas perguntaram por que você desapareceu, e eu disse que sua mãe quis voltar para Londres.

Depois disso, voltamos para a sala e, no intervalo e na hora do lanche, ficamos juntas e ninguém mais me incomodou. Carl e Brian perguntaram de você, e eu disse que você estava bem. Contei a eles também a história de Londres. Carl disse que nesse caso lhe perdoava por deixá-lo sozinho com o resto dos achados e perdidos para arrumar, e achei isso legal da parte dele.

Você está começando em uma escola nova? Pode me escrever e contar como é? Você está bem? Eu te amo tanto. Bj, Claire.

Termino de ler isso e aperto o botão para responder, mas fico olhando para a tela pensando no que vou escrever. Eu não me dou conta, mas meus olhos estão úmidos e a tela está embaçada quando começo a teclar. Tiro os óculos idiotas. Eles me dão dor de cabeça.

— Você está bem? — pergunta a bibliotecária simpática. — O sino para o final do almoço tocou há dez minutos.

Esfrego os olhos.

— Ah... estou encrencado no meu primeiro dia.

— Não se preocupe, eles vão entender — ela diz. — Diga que se perdeu. Onde você devia estar?

Pego meu horário novo.

— Matemática. A7.

— Quer que lhe mostre onde é?

— Sim, por favor, mas preciso escrever algo primeiro.

Qualquer outra professora teria apontado para o horário e me mandado partir, mas ela espera pacientemente enquanto escrevo: *Finalmente achei um computador que posso usar. Escrevo direito em breve. Saudades, amo você também, bj, J.*

— Terminei — digo, me levantando.

— Não vai colocar os óculos? — ela diz, me olhando como se me achasse um pouco estranho.

Ela me conduz por um longo corredor, vira à esquerda e aponta para as escadas.

— Suba, passe as portas e dobre à esquerda, segunda porta à direita — ela diz. E acrescenta: — Bem-vindo à escola Trenton para meninos. Eu sou a Sra. Knight e estou sempre na biblioteca, se precisar.

— Eu sou Jo... Jake — digo.

— Se precisar de qualquer coisa, pode me procurar.

Quando chego em casa, Doug está sentado à mesa em nossa minúscula sala de estar. Ele não me incomoda tanto agora, então conto a ele e Mamãe que vou ter que trabalhar duro e que vou ter aulas de espanhol, que é obviamente essencial para um intérprete da Premiership League, e que alguém falou em aulas de mandarim depois da escola. E acho que tem um clube de atletismo, então posso continuar correndo.

Mamãe parece contente e diz:

— Ainda mando você para a faculdade.

— Procuramos uma escola que o mantenha ocupado — diz Doug. — Sua mãe achou que essa seria boa porque é especializada em línguas. — Ele parece todo satisfeito consigo mesmo, mas é só porque o rosto dele é assim. Eu sorrio para minha mãe, pois entendo que é uma oferta de paz. Então Doug continua: — Tenho novidades para você, rapazinho — e Mamãe está com uma cara estranha. Feliz, mas estressada.

— O quê? — pergunto.

— Sua avó está voltando para a Inglaterra, assim como suas tias. Suas tias vão morar em Manchester. Estamos arranjando um apartamento para elas lá e vocês poderão visitá-las, pois não fica tão longe.

— E a Vovó?

— Arrá! Ela vai vir morar com vocês aqui.

— Oba! — Estou tão feliz que solto um grito e vejo Mamãe limpando uma lágrima do olho.

— Mas como ela vai morar aqui? É muito apertado.

— Tem um estúdio no andar de baixo que está vazio. Achamos que ela pode ficar nele. Não é com o que ela está acostumada, mas ela vai ficar muito feliz de estar perto de vocês.

— De você, especialmente — diz Mamãe, e vai fazer um chá na cozinha.

Mais tarde, quando Doug já se foi e eu coloquei jeans e camiseta, decidimos sair para comprar peixe com fritas e comer na praia. Está uma tarde ensolarada, e é relaxante ver as ondas se quebrando. Tenho pensado em experimentar o surfe. Já vi que todo mundo pratica aqui, e Mamãe acha uma boa ideia.

— Você está bem? — pergunto a ela. — Não está feliz que a Vovó vem morar com a gente?

— Ah. Bom. Claro que estou.

— Não está, não. Não finja para mim.

Ela suspira.

— É só que ela nunca me aprovou, sabe, Ty. Nunca fui a boa filha católica que ela queria.

— Nem suas irmãs — lembro.

— Grávida aos 15 anos? Com certeza — ela diz. E continua: — Ela adora você de tal jeito e, claro, nós moramos com ela vez por outra até seus 5 anos e, mesmo quando tínhamos nossa própria casa, você ficava tanto tempo com ela. Depois da escola todos os dias, nas férias. Às vezes eu me sentia como se não tivesse espaço com vocês. Como se minha mãe tivesse roubado meu filho e meu filho roubado minha mãe.

— Puxa. Sinto muito. Eu não sabia. — Sinto culpa, mas sinto raiva também. Nunca pedi que ela me deixasse tanto com minha avó. Roubado é uma palavra um pouco forte. Então pergunto: — Por que moramos com ela vez por outra? Eu achava que a gente tinha morado com ela direto.

— É uma longa história — ela responde. — Tentamos morar juntos, eu e seu pai, só nós três. Não deu muito certo. Um dia te conto direito. Mas olha, não foi sua culpa. Eu é que deixei ela assumir o controle. Achava que ela era melhor do que eu, e eu provavelmente tinha razão, não acha?

— Você não é tão ruim — respondo, esticando a mão e roubando um punhado de batatas fritas dela.

— Seu mentiroso! — ela diz, rindo, e uma gaivota abusada dá um rasante e belisca a ponta de seu peixe.

— Sinto falta do apartamento em Londres — digo. — Eu gostava de morar lá. — Ela entende isso como um elogio e agradece.

— Mas é legal aqui, não acha? — ela pergunta. Não sei o que responder, pois algumas coisas são boas, como comer peixe com fritas na praia, e ter aulas de espanhol é demais, mas outras coisas são um saco, como não ter amigos, sentir tanta falta da Claire que chega a doer e não poder treinar mais com a Ellie.

E tem a preocupação constante com nossa segurança, o esforço exaustivo de lembrar-se de mentir o dia inteiro todos os dias sobre as coisas mais simples. Mas suponho que isso vá ser assim ainda por muito tempo onde quer que a gente esteja.

— Acho que sim — respondo.

— Sente falta da Claire? — Eu faço que sim, e ela diz: — Bem, é melhor não se envolver demais na sua idade. Pelo menos pode se concentrar no seu dever de casa. — O que é bem típico dela.

— Não tem como controlar o que se sente — comento.

— Quem sou eu para dizer, não é? — Então ela suspira e diz: — Lamento que as coisas estejam sendo tão difíceis para você. Que mãe mais inútil que eu sou.

— Você é um milhão de vezes melhor do que meu pai — digo, e ela retruca:

— E você ainda está me subestimando. — Então nos levantamos e andamos pela praia até nossa casa nova.

CAPÍTULO 31
Confissão

A vida social de Jake é uma droga. Assistir a *EastEnders* com Vovó é o melhor que ele consegue. Jake é um sujeito triste. Ainda bem que ele não sou eu de verdade. Engraçado que, quando eu era Ty, ficava feliz de passar uma noite na frente da TV. Mas, agora que já fui Joe, quero mais.

Estamos na metade de *EastEnders* quando alguém começa a bater no Ian, estapeando seu rosto e segurando-o pelo pescoço. Nada demais. Coisa normal na Albert Square.

E então olho para minha avó e seus olhos estão cheios de lágrimas. Ela está tremendo e desviando o olhar da TV, então eu troco de canal. Vovó nunca fala do que lhe aconteceu e fica nervosa se perguntamos, mas ela não gosta de barulho alto e só abre a porta depois que bato três vezes. Ela perguntou ao Doug outro dia se podíamos nos mudar para um apartamento maior que tivesse espaço para nós três porque ela fica nervosa sozinha. Isso não é nada típico dela.

Enfim. No canal 4 está passando um programa sobre crimes com facas. Sobre todos os assassinatos e vítimas de facadas. Sobre a crise da juventude britânica. Sobre o que o governo pretende fazer.

Pego o controle remoto para trocar para algo como esportes ou *Os Simpsons*, mas Vovó balança a cabeça e diz:

— Não, Ty, querido, você precisa ver isto.

Ela sai para fazer chá, e eu assisto ao programa. Londres, dizem, é o pior lugar para facas. Em outras cidades inglesas, as coisas são mais organizadas. As gangues têm armas. Em Londres é um vale-tudo. Todo mundo tem faca, pertencendo ou não a uma gangue.

O prefeito de Londres — o esquisitão louro na TV — fala sobre como os jovens não têm o que fazer, sobre precisar de mais alternativas, como clubes para jovens, academias de boxe, aulas de latim. *Latim?*

Uma mulher diz que as crianças deviam ser levadas aos hospitais para verem as vítimas de ferimentos a faca sendo tratadas. Isso é totalmente louco. Você teria que esperar anos até alguém com o tipo certo de ferimento aparecer, e aí, provavelmente, iria atrapalhar os médicos e enfermeiras. Ela obviamente não pensou nisso direito, o que é preocupante, pois ela é a ministra do Interior.

Um cara da polícia diz que vai levar uma geração para que as coisas mudem, que eles podem resolver os homicídios que ocorrem, mas é outra coisa tentar impedi-los.

Então eles mostram as fotos das vítimas, os adolescentes mortos por facas em Londres até agora neste ano. É só setembro, mas as imagens parecem não acabar nunca. São rostos e mais rostos de meninos — são quase todos meninos — negros e brancos, grandes e pequenos. Um tem um bigode ridículo, e sinto pena dele. Imagine terminar sua vida quando está começando a ter pelos faciais e parece um completo idiota. Um dos garotos se parece um pouco com Arron. Outro se parece mais comigo.

E então aparece o rosto do Rio preenchendo a tela. Rio com seus grandes olhos castanhos, seu capuz preto e o sorriso que nunca vi. Estou todo encolhido no sofá agora, balançando para a frente e para trás, um punho enfiado na boca.

Vovó se senta ao meu lado e diz gentilmente:

— Eu sei, é terrível, querido, mas é importante você assistir. É por isso que estamos aqui. É contra isso que estamos lutando.

Estão entrevistando alguém no instituto para menores infratores agora. Um sujeito novo, alto e escuro, a pele da cor de um *frappuccino* depois de misturado o creme. Por um instante, acho que é o Arron, mas não pode ser. Ele não foi julgado ainda. Ninguém o declarou culpado.

Esse cara é culpado.

— Eu carregava uma faca porque meu irmão me deu — ele diz. — Ele me disse que precisava para me proteger. — Dou uma olhada na minha avó. Ela está balançando a cabeça.

— O menino que você apunhalou, ele estava te ameaçando com uma faca? — pergunta o repórter. O prisioneiro lentamente faz que não com a cabeça. — Eu estava bêbado, entende? Ele me desrespeitou. E eu mandei ver. — Ele olha para a própria mão como se não acreditasse no que tinha feito.

Ele pegou quatro anos por lesão corporal grave. Podia ser eu. Devia ser eu. Poderá vir a ser eu se a polícia descobrir a verdade.

Aparece outro político. Elegante. O que minha mãe gosta. Ele tem bom senso, diz Mamãe. Dá para ver pelo seu rosto bem tratado que ele teve uma vida tranquila. Aposto que nunca se preocupou em ser atacado no caminho da escola para casa. Ele não vive em um mundo de medo.

Ele diz que todo mundo que carrega uma faca devia ser preso. Tento imaginar de quantas prisões iam precisar — centenas e centenas delas — e dou uma risada. Minha avó me dirige um olhar duro e eu me calo.

O programa termina e ela desliga a televisão. Eu enfio a cara na caneca de chá e ela diz:

— Eles deviam trazer de volta o serviço militar.

— Por quê? Só vai ensinar as pessoas a lutar.

— Ensinaria disciplina a esses meninos — ela diz. — Ensinaria um ofício, a ter responsabilidade. — Ela esfrega meu ombro. — Fico tão feliz de você não ser como eles, Ty. — Eu enfio a cara na caneca de novo.

— Você gosta daqui, Vovó? — pergunto. Preciso mudar o assunto. Ela balança a cabeça.

— Sou londrina, querido. Nunca vou me adaptar a viver em um lugar tão calmo. Espero, por Deus, que encontrem uma maneira de nos levarem de volta para casa algum dia. Aqui é bom para um feriado, mas não para a vida real. — Então ela sorri e diz: — Mas eu fui à igreja na esquina e me apresentei ao padre. Um homem muito simpático, vem de Walthamstow e se parece um pouco com aquele ator, como se chama? George Clooney. Ele disse que tem uma bela congregação aos domingos. Acho que você não gostaria de ir comigo, gostaria? Acho que lhe faria bem.

— Hãã... acho que não. Tenho muito dever de casa — digo. — Na verdade, acho melhor ir fazer um pouco agora.

Subo de volta para nosso apartamento vazio. Minha mãe conseguiu um emprego de meio expediente três vezes por semana atrás do balcão do *pub* local. Então me toco que tenho mesmo muito dever de casa e uma parte exige pesquisa. Decido ir ao cibercafé. Concentrando-me no dever de geografia do Jake, consigo exorcizar os pensamentos sobre facas e prisões e Rio e todos aqueles rostos. Pelo menos tiro isso da consciência, mas sei que eles continuam escondidos em algum lugar na minha mente.

No caminho, passo pela igreja da Vovó e me pergunto por que alguém que se parece com George Clooney ia querer ser padre. Por um instante maluco, penso em entrar e me sentar no confessionário e contar a história toda para a escuridão atrás da tela. E descobrir o que o Padre Clooney me daria em penitência e se é verdade que os padres guardam os segredos mais obscuros das pessoas.

Mas eu teria que ficar lá durante horas, porque faz tanto tempo que não me confesso. E eu teria que contar tudo sobre a Ashley e tudo o mais. Acho que não. A simples ideia me dá calafrios, e eu acelero o passo na frente do pequeno prédio quadrado e cinzento. Confissão não é comigo. É para pessoas como minha avó, que só fazem coisas boas.

Mas uma lembrança me incomoda: a assembleia na St. Saviour e o Padre Murray falando que a confissão é tanto sobre o futuro quanto sobre o passado. "É o jeito de Jesus lhes dar uma apólice de seguro", ele disse, e todo mundo riu, porque imaginamos Jesus na televisão vendendo seguros premiados.

De qualquer forma, ninguém daria um seguro para minha alma agora, pois sou como um motorista que já teve acidentes demais e que nunca soube dirigir, para começo de conversa.

Vou até o café, compro uma Coca-Cola grande e me conecto. Passo quinze minutos estudando a barragem do Zuiderzee e imprimindo algumas páginas. Então entro no e-mail para ver se Claire mandou alguma mensagem. Mandou. Só um pequeno recado. O bastante para eu aguentar por mais alguns dias.

Será justo me apoiar na Claire quando ela não sabe a história toda? Estou me perguntando se a Claire em quem estou confiando é verdadeira ou uma Claire inventada que criei na minha cabeça. Ela é minha melhor amiga e eu a amo, mas eu mal a conheço. E ela com certeza não me conhece.

Eu sei que não é justo colocar tudo em cima dela, mas eu tenho que contar a alguém e ela é melhor do que o George Clooney escondido em uma caixa ou Jesus com sua apólice completa. Ela não vai exigir orações. Ou ela irá à polícia ou confiará em mim. Meu destino está nas mãos dela. Não posso imaginar um lugar melhor para ele.

Oi, Claire, minha Claire.

Tenho pensado muito sobre por que ficamos tão próximos em tão pouco tempo e ainda é um mistério para mim. Uma hora eu estava sendo mau com você — e eu sinto muito por isso, você sabe, espero — e estávamos brigando, e no momento seguinte senti essa proximidade incrível e essa confiança. Sempre vou sentir isso, mesmo que nunca mais queira falar comigo depois de lhe contar tudo. Preciso ser honesto com você. É isso que conta entre nós.

Sou um mentiroso, Claire. Estou mentindo para a polícia e, se eu for ao tribunal testemunhar, vou mentir lá também. Não sou só um mentiroso, sou alguém que fez uma coisa terrível. Eu machuquei alguém. Nunca admiti isso para ninguém antes.

Cabe a você decidir o que quer fazer. Você pode me fazer um monte de perguntas e eu vou responder todas. Direi o que quiser saber. Talvez entenda a razão e me perdoe.

Você pode nunca mais entrar em contato comigo e eu vou entender. Ou pode fingir que nunca recebeu esta mensagem. A escolha é sua. O que quer que faça, quero que se cuide. Estou confiando em sua força. Eu te amo, sempre vou amar. Você é minha melhor amiga.

Sei que pensa em mim como Joe, mas foi o Tyler quem fez isso e é ele quem eu quero que você ame ou odeie ou esqueça.

Bj, Ty.

FIM

Continue lendo para conferir um

trecho exclusivo do primeiro capítulo

da continuação da história de Ty em

QUASE VERDADE

CAPÍTULO 1

O fim de Jake, o falso

Eles vêm me matar de manhã cedo. Às seis horas, quando o céu está rosa e tem uma bruma cinza no ar. As gaivotas estão gritando no céu e a praia está vazia.

Eu não estou em casa quando eles chegam. Sou a única pessoa na praia, adorando minha corrida matinal, o som das ondas e o cheiro de sargaço. Tudo me faz lembrar que meu nome novo é Jake e que Jake mora perto do mar.

Jake normalmente é uma pessoa um pouco triste — sem amigos, coitado —, mas neste momento, treinando minha velocidade e força, estou contente porque, onde quer que esteja e qualquer que seja meu nome, posso sempre correr. Meu corpo me pertence.

Por um instante, eu até esqueço que sou Jake e volto para minha identidade anterior, o Joe, o cara descolado e popular. Sinto falta do Joe. É bom poder ser ele quando corro. Nunca mais quero ser Ty, meu nome verdadeiro, o eu essencial, mas ainda sonho em ser Joe.

Joe nunca se sente só correndo sozinho. É Jake que se sente miserável quando ninguém fala com ele na escola.

Jake nunca pensa na Claire — *minha* Claire, minha adorável Claire —, porque só o nome dela já basta para lançá-lo em um poço escuro de desespero. Mas, quando sou Joe, finjo que estou correndo para vê-la e me permito sentir uma pontada de felicidade... de empolgação... de esperança.

Então é uma manhã boa, e, mesmo quando me aproximo de casa e preciso me reajustar para voltar a ser o Jake de novo, tem uma espécie de brilho que permanece dentro de mim. O brilho do Joe em Jake, o falso. Estou quente e suado, e quando estou assim é a melhor coisa na vida de Jake, mas então, ao dobrar a esquina, vejo carros da polícia por todo lado, e ambulâncias, e uma pequena multidão de pessoas, e estão colocando fitas amarelas para ninguém passar.

— Para trás, para trás — grita um policial, mas eu continuo abrindo caminho entre as pessoas até a fita.

Então eu vejo. Uma poça escura de sangue na soleira da nossa porta. Por um instante, o mundo para e nem meu coração bate. Estou balançando, e tudo está ficando branco e pequeno e me sinto como uma gaivota voando acima de tudo, olhando a multidão e gritando no céu.

Não sei o que fazer. Penso em só fugir e nunca saber o que aconteceu. Então alguém me abraça forte e é a Vovó. Ó, Deus, é a Vovó, e ela me leva até um carro da polícia. Minha mãe está encolhida no banco de trás. Está fazendo um barulho estranho, meio que uivando e arfando. Me faz lembrar de quando Jamie Robins teve um ataque de asma no terceiro ano. Foi assustador na época e agora é horrível.

Seu rosto está todo branco, até seus lábios, e ela está olhando para mim, mas não parece me ver. Então Vovó dá um tapa na cara dela e Mamãe para com o barulho horrível e a abraça. As duas ainda estão em seus roupões. Tem sangue nos chinelos felpudos rosa da Vovó.

Vovó se senta com o braço sobre os ombros da Mamãe, balançando para a frente e para trás e dizendo:

— Você vai ficar bem, querida. Seja forte, Nicki. Você vai ficar bem.

— O quê... quem? — pergunto, mas eu já sei. Estou começando a juntar as peças e entender o que deve ter acontecido.

Eles devem ter tocado a campainha. Qualquer outro dia e teria sido minha mãe que desceria cambaleando a escada para atender. Se tivesse sido ela, acho que a teriam agarrado, arrastado para o andar de cima e dado uma busca por mim. Se não encontrassem ninguém, o que fariam? Manteriam Mamãe amordaçada e em silêncio até eu voltar e então atirariam em nós dois, acho.

Mas Mamãe não abriu a porta. Ela está aqui, sentada no carro, chorando, encolhida como se estivesse com dor. Deve ter sido o Alistair quem desceu. Alistair, o cara com quem ela tinha começado a sair logo antes de mudarmos para cá.

Alistair, que passara a noite na cama dela.

Alistair, que aparecera ontem à noite sem mais nem menos. Ninguém se deu ao trabalho de me explicar como ou por quê.

Alistair, com seu cabelo engomado e braços musculosos. Ele parecia um cantor de *boy band*, mas ele era legal. Era um bom cozinheiro. Minha mãe gostava muito dele.

Alistair, que trabalhava em uma academia e treinou tão bem a Ellie que ela vai competir nas Paralimpíadas no ano que vem. Ela foi a primeira pessoa a perceber que tenho potencial como corredor. A irmã da Ellie é a Claire, minha Claire. Provavelmente nunca mais as verei novamente.

Enfim. Alistair abriu a porta. Ele sabia que eu tinha saído para correr e provavelmente pensou que eu tinha esquecido minha chave.

Ele ainda está meio dormindo, o cabelo todo bagunçado. E eles gritam para ele:

— Ty? Ty Lewis?

Ele olha para eles, bocejando e confuso — ele nem sabe que tenho um nome de verdade, muito menos qual é —, e eles devem achar que é um sim, porque atiram nele. Suas mãos tentam segurar os pedaços de osso e de cérebro. Então ele cai de joelhos ao pé da porta, o sangue se esvaindo de seu corpo, e ele morre bem ali na entrada. Os assassinos vão embora, pois acham que fizeram o serviço. Eles me mataram.

Não é a primeira vez que alguém tenta me silenciar para sempre, mas é a primeira vez que outra pessoa morre em meu lugar.

Minha mãe acorda com o barulho dos tiros. Ela está no alto da escada, gritando e gritando sem parar. Então minha avó, que veio morar no andar de baixo há algumas semanas, também acorda. Vovó vê o corpo de Alistair — o sangue. Ela grita e corre para abraçar minha mãe. Então chama a polícia.

Os carros chegam, sirenes tocam, a fita é colocada em volta e eu chego em casa depois de correr.

Na delegacia, eles nos colocam sozinhos em uma sala e dizem que vão enviar alguém para tomar nossos depoimentos. Vovó pega o celular do bolso e começa a fazer ligações: primeiro minhas tias, depois Doug, o policial que devia estar nos protegendo. Nosso agente de proteção à testemunha. O homem que devia nos manter a salvo das pessoas que querem me impedir de testemunhar no julgamento.

Parece uma eternidade, mas aí eles todos começam a chegar. Vovó está tentando explicar sobre a proteção à testemunha aos policiais locais e Tia Louise só diz:

— Levem-nos a quem quer que esteja no comando.

Então Vovó e Louise entram em uma sala com os policiais, e, quando Doug chega, ele também entra. Doug está com a cara péssima. Ele nem nos cumprimenta. Mamãe, Tia Emma e eu nos sentamos no corredor do lado de fora e eu me esforço para tentar ouvir o que está acontecendo. Só ouço a voz alta da Lou. Ela é boa em gritar. Tem que ser, ela é professora.

Mamãe ainda está tremendo e chorando, e ninguém faz nada para ajudá-la, exceto Emma, que a abraça e diz:

— Vai ficar tudo bem, vai ficar tudo bem — em um tom nem um pouco convincente. Lá, lá no fundo de mim tem um grito abafado — *ele está morto... atiraram nele... devia ter sido eu* —, mas o choque sugou todos os meus sentimentos e estou com aquela sensação distante de novo. É como se eu estivesse plastificado.

— Estou cheio disso tudo — digo. — Eu vou entrar.

— Ty, não pode simplesmente interromper — diz Emma. Mas eu respondo:

— Vamos ver se não posso. — E abro a porta. Todos se calam quando entro na sala. É quase cômico ver minha avó ali, de roupão rosa, cercada por um monte de policiais.

— Escutem — digo —, estamos sentados aqui há horas. Minha mãe viu o namorado dela morto. Todos sabemos que era eu que queriam matar. O que está havendo? — e completo com um monte de palavras que normalmente não falo na frente de minha avó.

Louise balança a cabeça em desaprovação e diz:

— Só porque houve um homicídio, não é razão para falar palavrões.

— Ah, pelo amor de Deus, Lou, você não está numa sala de aula — retruco, e observo os policiais sorrindo. Sento-me à mesa com eles. Ela me dirige um olhar carregado, mas não irei a lugar nenhum.

— Está bem — ela diz. — Acho que já terminamos mesmo por aqui. Ty, você vem comigo. Perdemos a confiança na proteção policial. Vamos nos coordenar com a polícia quando chegar a hora de você testemunhar, mas somente se estivermos satisfeitas com a segurança. Sua avó ficará aqui com Nicki para prestarem seus depoimentos e talvez alguém aqui possa fazer a gentileza de buscar algumas roupas para elas. Depois vamos conversar seriamente com Doug sobre para onde vamos a seguir.

O que ela quer dizer com isso? Como ela vai cuidar de mim? O que vai acontecer com minha mãe? E a Vovó? A polícia vai me deixar ir?

— Vamos proteger Ty vinte e quatro horas por dia agora que isso aconteceu. Não acho que você deva se precipitar — diz Doug.

Louise está a ponto de perder completamente a paciência. Sei disso pela maneira como a ponta de seu nariz fica rosa.

— Pelo que entendi, Ty está seguro agora. Os desgraçados que querem pegá-lo acham que conseguiram. Até que divulguem o nome da vítima, suponho que este será o caso. Estou presumindo que vocês não vão fazer isso de imediato, então tenho algum tempo para levar Ty para um lugar que ninguém vai saber onde é. E isso inclui a Polícia Metropolitana e toda e qualquer outra droga de força policial do país.

— Você está sugerindo que *nós* tivemos algo a ver com isso? — pergunta Doug, ele próprio também soando bastante perturbado.

— Estou sugerindo que conduza um inquérito imediatamente para descobrir como conseguiram o endereço da Nicki e do Ty. Aposto que encontrará um vazamento bem perto de casa. E, se por acaso não fizerem isso, eu vou ligar para a Comissão de Reclamações da Polícia assim que tiver cuidado do meu sobrinho.

Ela ainda não terminou com o Doug.

— Quero que vá ao apartamento e pegue todas as coisas do Ty para que eu possa sair daqui com ele em meia hora. Depois, pode tratar de garantir que Nicki, minha mãe e Emma, ah, e eu também, tenhamos algum lugar seguro para ir. Pode manter sua proteção vinte e quatro horas para nós.

Ela conduz Vovó e eu para fora da sala. Doug nos segue e, quando vê minha mãe, diz:

— Nicki, não sei o que dizer.

Louise interrompe.

— Um pedido de desculpas seria bom, mas isso não seria permitido, não é, Doug? Seria admitir responsabilidade criminal.

Então ela pede privacidade para fazer alguns telefonemas e um policial a conduz corredor abaixo.

Emma continua abraçando Mamãe e a balançando para a frente e para trás, e Vovó me aperta.

— Ty, meu amor — ela diz —, isso não vai ser fácil, mas Louise sabe o que está fazendo. Ela tem a cabeça no lugar, essa menina. Sempre toma as decisões certas. Ela saberá o que é melhor para você.

— Quero ficar com você, Vovó — digo. — Só agora consegui ter você de volta.

Vovó sempre foi mais como uma mãe para mim do que minha própria mãe. Eu quase enlouqueci sem ela nos últimos meses. Não acredito que vão tirá-la de mim novamente. Agarro-me a ela como um filhote de macaco, não como alguém que vai fazer 15 anos em apenas um mês.

Ela beija minha testa e diz:

— Eu estou sempre com você, querido. Eu te amo, mas Nicki precisa de mim mais do que você neste momento.

E é isso. Doug volta com minhas coisas e as coloca no carro da Lou. Abraço uma última vez Vovó e Emma. Minha mãe está passando mal no banheiro, então espero por ela. Dou um abraço nela também, mesmo ela cheirando a vômito. Ela não consegue parar de chorar, e eu nem sei se ela entende que talvez não nos vejamos por... semanas? Meses? Nunca mais?

— Se cuida — ela diz. — Se cuida. Lou, cuida dele.

— Não se preocupe, Nicki, farei o que for melhor para ele — diz Louise.

Minha mãe para de chorar no meio de um soluço. Ela inspira profundamente, mas o nariz continua escorrendo muito. Ela olha direto nos olhos de Louise e diz:

— Ele é *meu* filho, Louise, não se esqueça disso.

E minha tia diz:

— Ninguém corre o risco de se esquecer disso, Nicki. Vejo vocês em breve. Se cuidem.

Então ela me abraça e me leva embora para a garagem subterrânea, onde um carro nos espera.

AGRADECIMENTOS

Este livro foi concebido e escrito, na maior parte, nas aulas do curso noturno de Como Escrever para as Crianças da City University. Um grande obrigado para Anna Longman, que sugeriu o curso e fez muitas outras sugestões excelentes desde então. Amanda Swift foi uma grande mentora — inspiradora, encorajadora, generosa, perspicaz e sempre divertida. E obrigada a todos no curso que aturaram meu fluxo de criação.

Devo muitíssimo a Tony Metzer por sua consultoria para assuntos jurídicos; assim como a Jeremy Nathan, para assuntos médicos. Sue Demont apresentou-me o conceito de justiça reparativa nas escolas, e Michelle Patoff verificou todas as referências católicas.

Obrigada à minha agente Jenny Savill e a seus colegas da incrível e poliglota Andrew Nurnberg Associates. E a todos da Frances Lincoln Children's Books, especialmente Maurice Lyon.

Muito obrigada a Phoebe, minha primeira leitora, por muitas boas ideias. Obrigada também a Tom, Hannah, Avital e Judah pelas fantásticas revisões. Deborah Nathan deu boas dicas sobre o comportamento de meninos de 14 anos, e Alun David foi um crítico de primeira linha. Obrigada à minha mãe pelo incentivo, e ao meu pai por emprestar seu nome. Obrigada por lerem meu livro e muito mais, Valerie Kampmeier, Cindy Yianni, Katie Frankel, Emma Cravitz, Laura Blaskett, Ann Maher, Mandy Appleyard, Yvette Green e Anne Webbe. E obrigada a Nicky Goldman, pelos conselhos nas horas certas.

Por último, mas principalmente, agradeço a Laurence por tudo.